1천 동사 5천 문장을 듣고 따라 하면 저절로 암기되는 중국어 간체 회화(MP3)

1천 동사 5천 문장을 듣고 따라하면 저절로 암기되는 중국어 간체 회화(MP3)
머리말
1천 동사 문장을 듣고 따라하면 저절로 암기되는 중국어 간체 회화(MP3)
1천 동사의 5천 문장들 듣고 따라하면 저절로 암기되는 중국어 간체 회화(한국어와 중국어 간체 MP3 파일)

중국어 간체 회화 마스터하기: 단계별 학습으로 완성하는 언어의 여정
어서 오십시오, 중국어 간체 학습의 새로운 차원으로의 초대입니다. "중국어 간체 회화 마스터하기"는 기초부터 심화 학습까지, 여러분의 중국어 간체 회화 능력을 체계적으로 발전시킬 수 있는 완벽한 가이드입니다.
이 책과 함께 제공되는 MP3 파일들은 한국어와 중국어 간체 학습자를 위해 특별히 설계되었습니다.
1천 개의 동사와 명사를 활용하여 구성된 5천여 문장들은 일상생활에서 자주 접할 수 있는 표현들로, 초등학교 수준의 기본 문장부터 시작하여 점차 난이도를 높여갑니다.

소개글
학습자 중심의 혁신적인 접근법
"중국어 간체 회화 마스터하기"는 1천개의 동사의 문장들 듣고 따라하면서, 자연스럽게 암기할 수 있도록 설계되었습니다.
이 책은 암기 훈련, 말하기 훈련, 듣기 훈련을 통합적으로 할 수 있도록 구성되어 있으며, 학습자가 한국어로 단어를 듣고 머릿속으로 이미지를 연상한 후, 중국어 간체로 동시에 따라하며 학습할 수 있도록 돕습니다.

말하기와 듣기 능력의 동시 향상
이 책과 함께 제공되는 MP3 파일들은 말하기와 듣기 능력을 동시에 향상시키는데 중점을 두고 있습니다.
중국어 간체가 주어진 횟수만큼 반복됨으로써, 학습자는 중국어 간체의 정확한 발음을 익히고, 한국어와의 비교를 통해 단어의 의미를 더욱 명확히 이해할 수 있습니다.
이 과정을 통해, 학습자는 자신도 모르는 사이에 중국어 간체 회화 능력을 자연스럽게 개발하게 됩니다.

중국어 간체 학습의 새로운 시작

이제 "중국어 간체 회화 마스터하기"와 함께라면, 중국어 간체 학습이 더 이상 어렵지 않습니다.
학습자 중심의 접근법과 효과적인 학습 지원 도구를 통해, 여러분은 중국어 간체를 보다 쉽고 재미있게 배울 수 있을 것입니다.

MP3 파일을 통한 효과적인 학습 지원
본 교재에 포함된 MP3 파일들은 한국어 단어를 한 번 듣고, 중국어 간체로 3번, 2번, 1번 반복하여 듣는 패턴으로 구성되어 있습니다.
또한 듣기 훈련을 위해 중국어 간체 3번, 한국어1, 중국어 간체 2번, 한국어 1번, 중국어 간체 1번, 한국어 1번으로 나오도록 구성되어 있습니다.
이는 학습자가 중국어 간체 발음과 억양을 정확히 익히고, 단어의 뜻을 깊이 이해할 수 있게 함으로써, 보다 효과적으로 언어를 습득할 수 있도록 합니다.

또한, 여러분이 단어와 문장을 외울 수 있도록 MP3 파일들이 한 단어(문장)으로 나누어져 있어서 학습자가 이미 알고 있는 단어는 건너뛰고, 모르는 단어는 반복하여 들을 수 있도록 하여 개별적인 학습이 가능합니다.
그리고 먼저 명사, 동사의 단어들을 외우고, 그 다음 이 단어들을 가지고 문장들을 암기하도록 구성되어 있습니다.
하나의 동사마다  5문장이 있습니다. 문장은 과거, 현재, 미래, 의문문, 의문문의 대답, 인칭대명사(나는, 너는, 그는, 그녀는, 우리는, 당신들은, 그들은)이 나오도록 구성되어 있습니다.

mp3 샘플- 밑의 주소를 클릭하시면 보실 수 있습니다.
https://naver.me/5YaOVTrJ
또는 큐알코드를 스마트폰으로 찍으시면 보실 수 있습니다.

MP3 파일들 다운로드는 맨 마지막 페이지에 있습니다.

1. 1. 명사 단어들 외우기, 필수 10개 동사의 단어들을 가지고 50문장 연습하기 -
1. 背诵名词性单词，用必备的 10 个动词性单词练习 50 个句子
2. 학교 - 学校
3. 공원 - 公园
4. 집 - 房子
5. 여기 - 这里
6. TV - 电视
7. 전시회 - 展览
8. 주말 - 周末
9. 영화 - 电影
10. 음악 - 音乐
11. 콘서트 - 音乐会
12. 클래식 - 经典
13. 친구 - 朋友
14. 이야기 - 故事
15. 회의 - 会议
16. 발표 - 演讲
17. 여행 - 旅行
18. 경험 - 体验
19. 저녁 - 晚餐
20. 점심 - 午餐
21. 아침 - 上午
22. 피자 - 披萨
23. 물 - 水
24. 커피 - 咖啡
25. 주스 - 果汁
26. 음료 - 饮料
27. 녹차 - 绿茶
28. 의자 - 椅子
29. 소파 - 沙发
30. 벤치 - 长凳
31. 창가 - 窗
32. 시간 - 小时
33. 문 - 门

34. 줄 - 线
35. 해변 - 海滩
36. 산책로 - 小径
37. 가다 - 去
38. 나는 학교에 갔다. - 我去上学了
39. 너는 지금 가고 있다. - 你现在要走了。
40. 그는 내일 공원에 갈 것이다. - 他明天会去公园。
41. 그녀는 언제 학교에 가나요? - 她什么时候上学？
42. 그녀는 매일 학교에 갑니다. - 她每天都上学。
43. 오다 - 来
44. 나는 집에 왔다. - 我要回家了。
45. 너는 지금 오고 있다. - 你现在就来。
46. 그녀는 내일 여기에 올 것이다. - 她明天就来了
47. 당신들은 언제 집에 오나요? - 你们什么时候回家？
48. 우리는 저녁에 집에 옵니다. - 我们晚上回家。
49. 보다 - 看电视
50. 나는 TV를 봤다. - 我看了电视
51. 너는 지금 무언가를 보고 있습니다. - 你现在在看什么？
52. 우리는 내일 전시회를 볼 것이다. - 我们明天看展览。
53. 그들은 주말에 무엇을 보나요? - 他们周末看什么？
54. 그들은 주말에 영화를 봅니다. - 他们周末看电影。
55. 듣다 - 听
56. 나는 음악을 들었다. - 我听音乐。
57. 너는 지금 무언가를 듣고 있습니다. - 你现在在听什么？
58. 그는 내일 콘서트에서 음악을 들을 것이다. - 他明天会在音乐会上听音乐。
59. 그녀는 어떤 음악을 듣고 싶어하나요? - 她想听什么音乐？
60. 그녀는 클래식 음악을 듣고 싶어합니다. - 她想听古典音乐。
61. 말하다 - 说话
62. 나는 친구와 이야기했다. - 我和我的朋友说话了。
63. 너는 지금 무언가를 말하고 있습니다. - 你正在说话。
64. 우리는 내일 회의에서 발표할 것이다. - 我们将在明天的会议上发言。
65. 그는 무엇에 대해 말하고 싶어하나요? - 他想谈什么？
66. 그는 여행 경험에 대해 말하고 싶어합니다. - 他想谈谈他的旅行经历。
67. 먹다 - 吃饭

68. 나는 저녁을 먹었다. - 我吃了晚饭。
69. 너는 지금 점심을 먹고 있다. - 你正在吃午饭。
70. 그는 내일 아침을 먹을 것이다. - 他明天吃早餐。
71. 그녀는 무엇을 먹고 싶어하나요? - 她想吃什么？
72. 그녀는 피자를 먹고 싶어합니다. - 她想吃披萨。
73. 마시다 - 喝水
74. 나는 물을 마셨다. - 我喝水。
75. 너는 지금 커피를 마시고 있다. - 你现在喝的是咖啡。
76. 우리는 내일 주스를 마실 것이다. - 我们明天喝果汁。
77. 너는 어떤 음료를 마시나요? - 你喝什么饮料？
78. 나는 녹차를 마십니다. - 我喝绿茶。
79. 앉다 - 坐
80. 나는 의자에 앉았다. - 我坐在椅子上。
81. 너는 지금 소파에 앉아 있다. - 你现在坐在沙发上。
82. 그녀는 내일 벤치에 앉을 것이다. - 她明天会坐在长椅上。
83. 그들은 어디에 앉고 싶어하나요? - 他们想坐在哪里？
84. 그들은 창가에 앉고 싶어합니다. - 他们想坐在窗边。
85. 서다 - 站着
86. 나는 한 시간 동안 서 있었다. - 我已经站了一个小时了。
87. 너는 지금 문 앞에 서 있다. - 你现在就站在门口。
88. 그는 내일 줄에서 서 있을 것이다. - 他明天还要排队。
89. 그녀는 얼마나 오래 서 있었나요? - 她站了多久？
90. 그녀는 30분 동안 서 있었습니다. - 她已经站了半个小时了。
91. 걷다 - 走
92. 나는 공원을 걸었다. - 我走过公园。
93. 너는 지금 집으로 걷고 있다. - 你现在正走在回家的路上。
94. 우리는 내일 해변을 걸을 것이다. - 我们明天会在沙滩上散步。
95. 그들은 어디를 걷고 싶어하나요? - 他们想去哪里散步？
96. 그들은 산책로를 걷고 싶어합니다. - They want to walk on the boardwalk.
97. 2. 명사 단어들 외우기, 필수 10개 동사의 단어들을 가지고 50문장 연습하기 - 2. 背诵名词性单词，用 10 个基本动词的单词练习 50 个句子
98. 10킬로미터 - 10 公里
99. 그림 - 绘画

100. 꽃 - 花
101. 농담 - 笑话
102. 댄스(춤) - 舞蹈
103. 마라톤 - 马拉松
104. 무엇 - 什么
105. 백화점 - 百货公司
106. 보고서 - 报告
107. 샌드위치 - 三明治
108. 소설 - 小说
109. 소식 - 新闻
110. 쇼 - 节目
111. 수학 - 数学
112. 신문 - 报纸
113. 신발 - 鞋子
114. 아침 - 早晨
115. 영어 - 英语
116. 영화 - 电影
117. 옷 - 衣服
118. 요가 - 瑜伽
119. 요리 - 烹饪
120. 운동장 - 游乐场
121. 이야기 - 讲故事
122. 인사 - 问候语
123. 일기 - 日记
124. 자전거 - 自行车
125. 작년 - 去年
126. 잡지 - 杂志
127. 정원 - 花园
128. 책 - 书
129. 편지 - 信
130. 프로젝트 - 项目
131. 피아노 - 钢琴
132. 한국어 - 韩语
133. 달리다 - 跑步

134. 나는 마라톤을 달렸다. - 我参加了马拉松比赛。
135. 너는 지금 운동장을 달리고 있다. - 你现在正在操场上跑步。
136. 그는 내일 아침에 달릴 것이다. - 他明天早上会跑。
137. 그녀는 얼마나 빨리 달릴 수 있나요? - 她能跑多快？
138. 그녀는 시속 10킬로미터로 달릴 수 있습니다. - 她每小时能跑十公里。
139. 웃다 - 笑
140. 나는 친구의 농담에 웃었다. - 我被朋友的笑话逗笑了。
141. 너는 지금 행복해 보인다. - 你现在看起来很开心。
142. 우리는 내일 코미디 쇼에서 웃을 것이다. - 我们明天看喜剧表演时会笑的。
143. 너는 무엇에 웃나요? - 你笑什么？
144. 나는 유머러스한 이야기에 웃습니다. - 我看幽默故事时会笑。
145. 울다 - 哭
146. 나는 영화를 보고 울었다. - 看电影时我哭了。
147. 너는 지금 슬픈 이야기에 울고 있다. - 你现在听着悲伤的故事哭了。
148. 그녀는 내일 작별 인사를 할 때 울 것이다. - 她明天告别时会哭。
149. 그는 왜 울었나요? - 他为什么哭？
150. 그는 감동적인 소식에 울었습니다. - 他听到这个感人的消息哭了。
151. 사다 - 买
152. 나는 새 신발을 샀다. - 我买了新鞋。
153. 너는 지금 옷을 사고 있다. - 你现在在买衣服。
154. 그들은 내일 선물을 살 것이다. - 他们明天会买礼物。
155. 그녀는 어디서 쇼핑하나요? - 她在哪里购物？
156. 그녀는 백화점에서 쇼핑합니다. - 她在百货公司购物。
157. 팔다 - 卖掉
158. 나는 자전거를 팔았다. - 我把自行车卖了。
159. 너는 지금 꽃을 팔고 있다. - 你现在在卖花。
160. 그는 내일 책을 팔 것이다. - 他明天要卖书。
161. 당신들은 무엇을 팔고 싶어하나요? - 你们想卖什么？
162. 우리는 그림을 팔고 싶어합니다. - 我们想卖画。
163. 만들다 - 制作
164. 나는 샌드위치를 만들었다. - 我做了一个三明治。
165. 너는 지금 프로젝트를 만들고 있다. - 你们现在正在做一个项目。
166. 우리는 내일 정원을 만들 것이다. - 我们明天要做一个花园。
167. 그들은 어떤 케이크를 만든나요? - 他们做什么蛋糕？

168. 그들은 초콜릿 케이크를 만듭니다. - 他们做巧克力蛋糕。
169. 쓰다 - 写
170. 나는 편지를 썼다. - 我写了一封信。
171. 너는 지금 보고서를 쓰고 있다. - 你现在在写报告。
172. 그녀는 내일 일기를 쓸 것이다. - 她明天会写日记。
173. 그는 언제 소설을 썼나요? - 他什么时候写的小说？
174. 그는 작년에 소설을 썼습니다. - 他去年写的小说。
175. 읽다 - 阅读
176. 나는 소설을 읽었다. - 我读了小说。
177. 너는 지금 신문을 읽고 있다. - 你正在看报纸。
178. 그녀는 내일 잡지를 읽을 것이다. - 她明天会看一本杂志。
179. 너는 어떤 책을 좋아하나요? - 你喜欢什么样的书？
180. 나는 모험 소설을 좋아합니다. - 我喜欢冒险小说。
181. 배우다 - 学习
182. 나는 피아노를 배웠다. - 我学会了弹钢琴。
183. 너는 지금 한국어를 배우고 있다. - 你现在在学韩语。
184. 우리는 내일 요가를 배울 것이다. - 我们明天要学瑜伽。
185. 너는 무엇을 배우고 싶어하나요? - 你喜欢学什么？
186. 나는 댄스를 배우고 싶어합니다. - 我想学跳舞。
187. 가르치다 - 教
188. 나는 수학을 가르쳤다. - 我教数学。
189. 너는 지금 영어를 가르치고 있다. - 你现在教英语。
190. 그는 내일 요리를 가르칠 것이다. - 他明天教烹饪。
191. 그들은 어디에서 가르치나요? - 他们在哪里教？
192. 그들은 학교에서 가르칩니다. - 他们在学校教。
193. 3. 명사 단어들 외우기, 필수 10개 동사의 단어들을 가지고 50문장 연습하기 - 3. 背诵名词性单词，用 10 个基本动词性单词练习 50 个句子
194. 열쇠 - 关键
195. 안경 - 眼镜
196. 지갑 - 钱包
197. 책 - 书
198. 전화기 - 手机
199. 시계 - 时钟
200. 선물 - 礼物

201. 문서 - 文件
202. 기부금 - 捐赠
203. 편지 - 信件
204. 이메일 - 电子邮件
205. 상 - 奖项
206. 프로젝트 - 项目
207. 운동 - 外出工作
208. 여행 - 旅行
209. 숙제 - 作业
210. 회의 - 会议
211. 작업 - 工作
212. 창문 - 窗口
213. 상자 - 盒子
214. 전시회 - 展览
215. 문 - 门
216. 컴퓨터 - 电脑
217. 가게 - 商店
218. 라이트 - 灯光
219. 텔레비전 - 电视机
220. 에어컨 - 空调
221. 라디오 - 收音机
222. 불 - 火
223. 난방 - 暖气
224. TV - 电视
225. 찾다 - 找到
226. 나는 열쇠를 찾았다. - 我找到钥匙了
227. 너는 지금 안경을 찾고 있다. - 你现在在找你的眼镜。
228. 그녀는 내일 그녀의 지갑을 찾을 것이다. - 她明天会找到钱包的。
229. 그는 무엇을 찾았나요? - 他找到了什么？
230. 그는 그의 책을 찾았습니다. - 他找到了他的书。
231. 잃다 - 丢失
232. 나는 전화기를 잃었다. - 我的手机丢了。
233. 너는 지금 무언가를 잃었습니다. - 你现在丢了东西。
234. 그는 내일 그의 시계를 잃을 것이다. - 他明天就会把手表弄丢。

235. 그녀는 자주 무엇을 잃나요? - 她经常丢什么东西？
236. 그녀는 자주 열쇠를 잃습니다. - 她经常把钥匙弄丢。
237. 주다 - 给
238. 나는 친구에게 선물을 주었다. - 我送给我的朋友一份礼物。
239. 너는 지금 문서를 주고 있다. - 你现在正在给文件。
240. 우리는 내일 기부금을 줄 것이다. - 我们明天会捐款。
241. 그는 누구에게 도움을 주나요? - 他帮助过谁？
242. 그는 어린이 병원에 도움을 줍니다. - 他给儿童医院提供帮助。
243. 받다 - 收到
244. 나는 편지를 받았다. - 我收到一封信。
245. 너는 지금 이메일을 받고 있다. - 您现在收到了一封邮件。
246. 그녀는 내일 상을 받을 것이다. - 她明天将获得一个奖项。
247. 그는 어떤 상을 받았나요? - 他获得了什么奖？
248. 그는 최우수 학생 상을 받았습니다. - 他获得了最佳学生奖。
249. 시작하다 - 开始
250. 나는 새로운 프로젝트를 시작했다. - 我已经开始了一个新项目。
251. 너는 지금 운동을 시작하고 있다. - 你现在开始锻炼了。
252. 우리는 내일 여행을 시작할 것이다. - 我们明天开始旅行。
253. 당신들은 언제 공부를 시작했나요? - 你们什么时候开始学习的？
254. 우리는 오늘 아침에 공부를 시작했습니다. - 我们今天早上开始学习。
255. 끝내다 - 完成
256. 나는 숙제를 끝냈다. - 我完成了作业。
257. 너는 지금 회의를 끝내고 있다. - 你们现在就结束会议。
258. 그는 내일 그의 작업을 끝낼 것이다. - 他明天就会完成作业。
259. 그녀는 책을 언제 끝냈나요? - 她什么时候写完的书？
260. 그녀는 어제 책을 끝냈습니다. - 她昨天就看完了书。
261. 열다 - 打开
262. 나는 창문을 열었다. - 我打开了窗户。
263. 너는 지금 상자를 열고 있다. - 你正在打开盒子。
264. 그들은 내일 전시회를 열 것이다. - 他们明天就会开放展览。
265. 그는 문을 언제 열었나요? - 他什么时候开门的？
266. 그는 아침에 문을 열었습니다. - 他早上开的门。
267. 닫다 - 关闭
268. 나는 책을 닫았다. - 我把书合上了。

269. 너는 지금 컴퓨터를 닫고 있다. - 你正在关闭电脑。
270. 우리는 내일 가게를 닫을 것이다. - 我们明天就关店。
271. 그녀는 왜 창문을 닫았나요? - 她为什么要关窗户？
272. 추워서 창문을 닫았습니다. - 她关窗是因为天冷。
273. 켜다 - 打开
274. 나는 라이트를 켰다. - 我把灯打开了。
275. 너는 지금 텔레비전을 켜고 있다. - 你现在打开电视。
276. 그는 내일 에어컨을 켤 것이다. - 他明天会打开空调。
277. 그들은 언제 라디오를 켰나요? - 他们什么时候打开收音机的？
278. 그들은 점심 때 라디오를 켰습니다. - 午饭时他们打开了收音机。
279. 끄다 - 关闭
280. 나는 컴퓨터를 껐다. - 我把电脑关了。
281. 너는 지금 불을 끄고 있다. - 你现在就关灯。
282. 그녀는 내일 난방을 끌 것이다. - 她明天会关掉暖气。
283. 그는 왜 TV를 껐나요? - 他为什么要关电视？
284. 잠자려고 TV를 껐습니다. - 我关掉电视想睡觉。
285. 4. 명사 단어들 외우기, 필수 10개 동사의 단어들을 가지고 50문장 연습하기 - 4. 背诵名词，用 10 个基本动词词练习 50 个句子
286. 결과 - 结果
287. 공부 - 学习
288. 날씨 - 天气
289. 날 - 我
290. 남 - 其他
291. 답 - 回答
292. 도움 - 帮助
293. 눈 - 眼睛
294. 봉사활동 - 志愿者
295. 부엌 - 厨房
296. 사람 - 人员
297. 사무실 - 办公室
298. 소파 - 沙发
299. 손 - 手
300. 어르신 - 老人
301. 얼굴 - 脸

302. 음식 - 食物
303. 일 - 日
304. 일정 - 时间表
305. 자 - 尺子
306. 정원 - 花园
307. 조언 - 建议
308. 차 - 汽车
309. 친구 - 朋友
310. 침대 - 床
311. 책 - 书
312. 추위 - 冷
313. 휴식 - 休息
314. 해답 - 解决方案
315. 회의 - 会议
316. 씻다 - 洗
317. 나는 손을 씻었다. - 我洗了手。
318. 너는 지금 얼굴을 씻고 있다. - 你正在洗脸。
319. 우리는 내일 차를 씻을 것이다. - 我们明天洗车。
320. 그들은 언제 차를 씻나요? - 他们什么时候洗车？
321. 그들은 매주 일요일에 차를 씻습니다. - 他们每周日都洗车。
322. 청소하다 - 打扫
323. 나는 방을 청소했다. - 我打扫了房间。
324. 너는 지금 사무실을 청소하고 있다. - 你现在正在打扫办公室。
325. 그들은 내일 정원을 청소할 것이다. - 他们明天会打扫花园。
326. 그녀는 언제 부엌을 청소했나요? - 她什么时候打扫的厨房？
327. 그녀는 오늘 아침에 부엌을 청소했습니다. - 她今天早上打扫了厨房。
328. 일어나다 - 起床
329. 나는 일찍 일어났다. - 我很早就醒了。
330. 너는 지금 침대에서 일어나고 있다. - 你现在就起床。
331. 우리는 내일 아침 6시에 일어날 것이다. - 我们明早六点起床。
332. 그는 보통 몇 시에 일어나나요? - 他通常几点起床？
333. 그는 보통 7시에 일어납니다. - 他通常七点钟起床。
334. 자다 - 睡觉
335. 나는 깊이 잤다. - 我睡得很沉。

336. 너는 지금 소파에서 자고 있다. - 你现在睡在沙发上。
337. 그녀는 내일 일찍 자러 갈 것이다. - 她明天会早点睡
338. 너는 얼마나 오래 잤나요? - 你睡了多久？
339. 나는 8시간 잤습니다. - 我睡了八个小时。
340. 알다 - 知道
341. 나는 답을 알았다. - 我知道答案
342. 너는 지금 비밀을 알고 있다. - 你现在知道秘密了。
343. 우리는 내일 결과를 알 것이다. - 明天就知道结果了。
344. 그는 그녀의 전화번호를 알고 있나요? - 他知道她的电话号码吗？
345. 네, 알고 있습니다. - 是的，他知道
346. 모르다 - 我不知道
347. 나는 그 사람을 몰랐다. - 我不认识那个人
348. 너는 지금 답을 모르고 있다. - 你现在还不知道答案
349. 그들은 내일 일정을 모를 것이다. - 他们明天也不知道日程安排
350. 그녀는 왜 해답을 모르나요? - 她为什么不知道答案？
351. 그녀는 공부하지 않았습니다. - 她没有学习
352. 좋아하다 - 喜欢
353. 나는 여름을 좋아했다. - 我喜欢这个夏天。
354. 너는 지금 책을 좋아하고 있다. - 你现在喜欢看书了。
355. 우리는 내일 바베큐를 좋아할 것이다. - 我们会喜欢明天的烧烤。
356. 그들은 어떤 음식을 좋아하나요? - 他们喜欢什么样的食物？
357. 그들은 일식을 좋아합니다. - 他们喜欢日本菜。
358. 싫어하다 - 不喜欢
359. 나는 눈을 싫어했다. - 我讨厌下雪。
360. 너는 지금 추위를 싫어하고 있다. - 你现在正讨厌寒冷。
361. 그는 내일 회의를 싫어할 것이다. - 他会讨厌明天的会议。
362. 그녀는 어떤 날씨를 싫어하나요? - 她不喜欢什么样的天气？
363. 그녀는 비오는 날씨를 싫어합니다. - 她讨厌下雨的天气。
364. 필요하다 - 需要
365. 나는 도움이 필요했다. - 我需要帮助。
366. 너는 지금 휴식이 필요하다. - 你现在需要休息。
367. 그녀는 내일 조언이 필요할 것이다. - 她明天需要建议。
368. 그들에게 무엇이 필요한가요? - 他们需要什么？
369. 그들은 지원이 필요합니다. - 他们需要支持。

370. 돕다 - 帮助
371. 나는 이웃을 도왔다. - 我帮助了我的邻居。
372. 너는 지금 친구를 돕고 있다. - 你现在在帮助一个朋友。
373. 우리는 내일 봉사활동을 할 것이다. - 我们明天要去做志愿者。
374. 당신은 누구를 도와주고 싶어하나요? - 你喜欢帮助谁？
375. 나는 어르신들을 도와주고 싶어합니다. - 我喜欢帮助老人。
376. 5. 명사 단어들 외우기, 필수 10개 동사의 단어들을 가지고 50문장 연습하기 - 背诵名词性单词，用 10 个基本动词中的单词练习 50 个句子
377. 가족 - 家庭
378. 공원 - 公园
379. 길 - 道路
380. 날 - day
381. 누구 - 谁
382. 늦은 - 晚
383. 도로 - 路
384. 만남 - 相遇
385. 무례함 - 无礼
386. 사람 - 人
387. 사랑 - 爱
388. 사무실 - 办公室
389. 삶 - 生活
390. 서울 - 首尔
391. 시골 - 乡村
392. 슬픔 - 悲伤
393. 약속 - 承诺
394. 어디 - 何处
395. 영원 - 永恒
396. 오랜 - 漫长
397. 오후 - 下午
398. 의사 - 医生
399. 일 - 日
400. 전화 - 电话
401. 주말 - 周末
402. 지난달 - 上个月

403. 집 - 首页
404. 친구 - 朋友
405. 해변 - 海滩
406. 행복 - 快乐
407. 헤어짐 - 分手
408. 놀다 - 玩耍
409. 나는 공원에서 놀았다. - 我在公园里玩。
410. 너는 지금 친구들과 노는 중이다. - 你现在正在和你的朋友们玩。
411. 우리는 내일 해변에서 놀 것이다. - 我们明天去海滩玩。
412. 당신들은 주말에 어디에서 노나요? - 你们周末在哪里玩？
413. 우리는 주말에 공원에서 논다. - 我们周末在公园玩。
414. 일하다 - 工作
415. 나는 늦게까지 일했다. - 我工作到很晚。
416. 너는 지금 사무실에서 일하고 있다. - 你现在在办公室工作。
417. 그는 내일 집에서 일할 것이다. - 他明天在家工作。
418. 그녀는 어떤 일을 하나요? - 她做什么工作？
419. 그녀는 선생님이다. - 她是一名教师。
420. 살다 - 生活
421. 나는 서울에서 살았다. - 我以前住在首尔。
422. 너는 지금 어디에 살고 있나요? - 你现在住在哪里？
423. 우리는 내일 새 집에서 살 것이다. - 我们明天就住进新房子了。
424. 그들은 어디에서 살고 싶어하나요? - 他们想住在哪里？
425. 그들은 시골에서 살고 싶어한다. - 他们想住在乡下。
426. 죽다 - 去死
427. 나는 거의 죽을 뻔했다. - 我差点死了
428. 너는 지금 삶을 살고 있다. - 你现在正在生活。
429. 그는 오래 살 것이다. - 他会活很长时间。
430. 그녀는 어떻게 살고 싶어하나요? - 她想怎么生活？
431. 그녀는 행복하게 살고 싶어한다. - 她想从此过上幸福的生活。
432. 사랑하다 - 敬爱
433. 나는 너를 사랑했다. - 我爱过你。
434. 너는 지금 누군가를 사랑하고 있다. - 你现在爱上了一个人。
435. 그녀는 영원히 사랑할 것이다. - 她会永远爱下去。
436. 그는 누구를 사랑하나요? - 他爱谁？

437. 그는 그의 가족을 사랑한다. - 他爱他的家人。
438. 미워하다 - 讨厌
439. 나는 어제 늦은 약속을 미워했다. - 我讨厌昨天迟到的约会。
440. 너는 지금 막힌 도로를 미워한다. - 你讨厌现在堵塞的道路。
441. 그는 내일 일찍 일어나는 것을 미워할 것이다. - 他会讨厌明天早起。
442. 그녀는 무엇을 미워하나요? - 她讨厌什么？
443. 그녀는 무례함을 미워합니다. - 她讨厌无礼。
444. 기다리다 - 等待
445. 나는 어제 너를 오랫동안 기다렸다. - 昨天我等了你很久。
446. 너는 지금 친구를 기다린다. - 你现在等你的朋友。
447. 그는 내일 중요한 전화를 기다릴 것이다. - 他明天要等一个重要的电话。
448. 우리는 얼마나 더 기다려야 하나요? - 我们还要等多久？
449. 5분만 더 기다려 주세요. - 请再等五分钟。
450. 만나다 - 见面
451. 나는 지난 주에 그를 만났다. - 我上周见过他。
452. 너는 지금 새로운 사람을 만난다. - 你现在认识了一个新朋友。
453. 그녀는 내일 오랜 친구를 만날 것이다. - 她明天会见到一个老朋友。
454. 그들은 언제 만나기로 했나요? - 他们什么时候见面？
455. 그들은 내일 오후에 만나기로 했습니다. - 他们明天下午见面。
456. 헤어지다 - 分手
457. 나는 지난달에 그녀와 헤어졌다. - 我上个月和她分手了。
458. 너는 지금 슬픔을 헤어진다. - 你现在就和你的悲伤分手吧。
459. 그들은 내일 서로 헤어질 것이다. - 他们明天就要分手了。
460. 왜 그들은 헤어지기로 결정했나요? - 他们为什么决定分道扬镳？
461. 그들은 서로 다른 길을 가기로 결정했습니다. - 他们决定分道扬镳。
462. 전화하다 - 打电话
463. 나는 어제 그에게 전화했다. - 我昨天给他打了电话。
464. 너는 지금 의사에게 전화한다. - 你现在给医生打电话
465. 그녀는 내일 저녁에 나에게 전화할 것이다. - 她明天晚上会给我打电话
466. 그는 언제 나에게 전화할 거예요? - 他什么时候给我打电话？
467. 그는 저녁에 전화할 거예요. - 他晚上会给我打电话。
468. 6. 명사 단어들 외우기, 필수 10개 동사의 단어들을 가지고 50문장 연습하기 - 6. 背诵名词性单词，用 10 个基本动词性单词练习 50 个句子
469. 길 - 方法

470. 질문 - 问题
471. 조언 - 建议
472. 시간 - 时间
473. 문제 - 问题
474. 상자 - 盒子
475. 책 - 书
476. 가방 - 书包
477. 펜 - 笔
478. 열쇠 - 钥匙
479. 서류 - 文件袋
480. 캐리어 - 手提袋
481. 장난감 - 玩具
482. 바구니 - 篮子
483. 카트 - 手推车
484. 문 - 门
485. 의자 - 椅子
486. 책장 - 书架
487. 로프 - 绳索
488. 커튼 - 窗帘
489. 끈 - 绳子
490. 손잡이 - 把手
491. 방 - 房间
492. 집 - 房子
493. 회의실 - 会议室
494. 건물 - 建筑
495. 영화관 - 电影院
496. 사무실 - 办公室
497. 도서관 - 图书馆
498. 언덕 - 山丘
499. 계단 - 楼梯
500. 탑 - 塔楼
501. 산 - 山
502. 묻다 - 问
503. 나는 어제 길을 물었다. - 我昨天问路了。

504. 너는 지금 질문을 한다. - 你现在问一个问题。
505. 그는 내일 조언을 물을 것이다. - 他明天会问意见。
506. 그녀는 무엇을 물어봤나요? - 她问了什么？
507. 그녀는 시간을 물어봤습니다. - 她问时间。
508. 대답하다 - 回答
509. 나는 그의 질문에 대답했다. - 我回答了他的问题。
510. 너는 지금 내 질문에 대답한다. - 你现在回答我的问题。
511. 그녀는 내일 문제에 대답할 것이다. - 她明天再回答
512. 그들은 어떻게 대답했나요? - 他们是如何回答的？
513. 그들은 친절하게 대답했습니다. - 他们回答得很亲切。
514. 들다 - 举起
515. 나는 무거운 상자를 들었다. - 我举起了沉重的箱子。
516. 너는 지금 책을 든다. - 你现在拿着一本书。
517. 그는 내일 가방을 들 것이다. - 他明天会举起书包。
518. 그녀는 무엇을 들 수 있나요? - 她能举起什么？
519. 그녀는 큰 가방을 들 수 있습니다. - 她能举起一个大袋子。
520. 놓다 - 放
521. 나는 펜을 책상 위에 놓았다. - 我把笔放在桌子上。
522. 너는 지금 열쇠를 놓는다. - 你现在把钥匙放好。
523. 그들은 내일 서류를 책상 위에 놓을 것이다. - 他们明天会把文件放到桌子上。
524. 그는 어디에 그것을 놓았나요? - 他放哪儿了？
525. 그는 문 앞에 그것을 놓았습니다. - 他放在门前。
526. 끌다 - 拖
527. 나는 캐리어를 끌었다. - 我拖着箱子。
528. 너는 지금 장난감을 끈다. - 你现在拖玩具。
529. 그녀는 내일 바구니를 끌 것이다. - 她明天再拖篮子。
530. 그들은 무엇을 끌었나요? - 他们拖了什么？
531. 그들은 작은 카트를 끌었습니다. - 他们推着一辆小推车。
532. 밀다 - 推
533. 나는 문을 밀었다. - 我推门。
534. 너는 지금 의자를 밀고 있다. - 你现在在推椅子。
535. 그는 내일 상자를 밀 것이다. - 他明天会推箱子。
536. 그녀는 어떤 것을 밀어야 하나요? - 她要推什么？

537. 그녀는 책장을 밀어야 합니다. - 她要推书架。
538. 당기다 - 拉
539. 나는 로프를 당겼다. - 我拉绳子。
540. 너는 지금 커튼을 당긴다. - 你现在拉窗帘。
541. 그들은 내일 끈을 당길 것이다. - 他们明天会拉绳子的
542. 그는 무엇을 당겼나요? - 他拉了什么？
543. 그는 문 손잡이를 당겼습니다. - 他拉了门把手。
544. 들어가다 - 进入
545. 나는 방에 들어갔다. - 我进了房间。
546. 너는 지금 집에 들어간다. - 你现在进屋了。
547. 그녀는 내일 회의실에 들어갈 것이다. - 她明天会进入会议室。
548. 그들은 언제 건물에 들어갔나요? - 他们什么时候进入大楼的？
549. 그들은 아침에 건물에 들어갔습니다. - 他们早上进的楼。
550. 나오다 - 出来
551. 나는 어제 영화관에서 나왔다. - 我昨天从电影院出来。
552. 너는 지금 사무실에서 나온다. - 你现在从办公室出来。
553. 그는 내일 도서관에서 나올 것이다. - 他明天会从图书馆出来。
554. 너는 어디에서 나왔나요? - 你从哪里出来的？
555. 나는 회의실에서 나왔습니다. - 我从会议室出来的。
556. 올라가다 - 爬
557. 나는 언덕을 올라갔다. - 我上了山。
558. 너는 지금 계단을 올라간다. - 你现在正在上楼梯。
559. 우리는 내일 탑에 올라갈 것이다. - 我们明天爬塔。
560. 그들은 어디로 올라갔나요? - 他们爬到哪里去了？
561. 그들은 산으로 올라갔습니다. - 他们上山去了。
562. 7. 명사 단어들 외우기, 필수 10개 동사의 단어들을 가지고 50문장 연습하기 - 7. 背诵名词性单词，用 10 个基本动词的单词练习 50 个句子
563. 지하 - 地下
564. 계단 - 楼梯
565. 지하철역 - 地铁站
566. 지하실 - 地窖
567. 자전거 - 自行车
568. 버스 - 公共汽车
569. 기차 - 火车

570. 배 - 轮船
571. 역 - 车站
572. 비행기 - 飞机
573. 정류장 - 车站
574. 중앙 정류장 - 中心站
575. 계약서 - 合同
576. 메뉴 - 菜单
577. 계획 - 计划
578. 문서 - 文件
579. 보고서 - 报告
580. 미래 - 未来
581. 결정 - 决定
582. 직업 변경 - 转职
583. 대학 - 大学
584. 저녁 메뉴 - 晚餐菜单
585. 여행지 - 旅行目的地
586. 색깔 - 颜色
587. 파란색 - 蓝色
588. 문제 - 问题
589. 어려움 - 难度
590. 수수께끼 - 谜语
591. 상황 - 情况
592. 팀워크 - 团队合作
593. 순간 - 时刻
594. 날짜 - 日期
595. 대화 - 对话
596. 숫자 - 号码
597. 전화번호 - 电话号码
598. 생일 - 生日
599. 약속 - 承诺
600. 회의 - 会面
601. 회의 시간 - 会面时间
602. 말 - 字
603. 소식 - 新闻

604. 기적 - 奇迹
605. 운명 - 命运
606. 내려가다 - 下楼
607. 나는 지하로 내려갔다. - 我下到地下室去了。
608. 너는 지금 계단을 내려간다. - 你现在下楼。
609. 그녀는 내일 지하철역으로 내려갈 것이다. - 她明天会下到地铁站。
610. 그는 어디로 내려갔나요? - 他去了哪里？
611. 그는 지하실로 내려갔습니다. - 他去了地下室。
612. 타다 - 骑车
613. 나는 자전거를 탔다. - 我骑着自行车。
614. 너는 지금 버스를 탄다. - 你现在坐公交车。
615. 그들은 내일 기차를 탈 것이다. - 他们明天要坐火车。
616. 그녀는 무엇을 타고 싶어하나요? - 她想骑什么？
617. 그녀는 배를 타고 싶어합니다. - 她想坐船。
618. 내리다 - 下车
619. 나는 역에서 기차에서 내렸다. - 我在车站下了火车。
620. 너는 지금 버스에서 내린다. - 你现在下车。
621. 그는 내일 비행기에서 내릴 것이다. - 他明天就要下飞机了。
622. 그들은 어느 정류장에서 내렸나요? - 他们在哪一站下车？
623. 그들은 중앙 정류장에서 내렸습니다. - 他们在中央站下车。
624. 살펴보다 - 翻看
625. 나는 계약서를 살펴보았다. - 我翻看了合同。
626. 너는 지금 메뉴를 살펴본다. - 你现在看一下菜单。
627. 그녀는 내일 계획을 살펴볼 것이다. - 她要看看明天的计划。
628. 그들은 어떤 문서를 살펴보고 있나요? - 他们在看什么文件？
629. 그들은 보고서를 살펴보고 있습니다. - 他们在看报告。
630. 생각하다 - 思考
631. 나는 우리의 미래에 대해 생각했다. - 我在想我们的未来。
632. 너는 지금 무엇에 대해 생각한다. - 你现在在想什么？
633. 그는 내일 결정에 대해 생각할 것이다. - 他明天会考虑他的决定。
634. 그녀는 무엇에 대해 생각하고 있나요? - 她在想什么？
635. 그녀는 직업 변경에 대해 생각하고 있습니다. - 她在考虑换工作。
636. 결정하다 - 决定
637. 나는 대학을 결정했다. - 我已经决定上哪所大学了。

638. 너는 지금 저녁 메뉴를 결정한다. - 你现在正在决定晚餐的菜单。
639. 그들은 내일 여행지를 결정할 것이다. - 他们将决定明天去哪里旅行。
640. 그는 어떤 색깔을 결정했나요? - 他决定了什么颜色？
641. 그는 파란색을 결정했습니다. - 他决定选蓝色。
642. 해결하다 - 来解决
643. 나는 그 문제를 해결했다. - 我解决了那个难题。
644. 너는 지금 어려움을 해결한다. - 你现在就解决这个难题。
645. 그녀는 내일 그 수수께끼를 해결할 것이다. - 她明天就会解开那个谜语。
646. 그들은 어떻게 그 상황을 해결했나요? - 他们是如何解决这种情况的？
647. 그들은 팀워크로 해결했습니다. - 他们通过团队合作解决了。
648. 기억하다 - 记住
649. 나는 그 순간을 기억했다. - 我记住了那一刻。
650. 너는 지금 중요한 날짜를 기억한다. - 你现在记住了那个重要的日期。
651. 우리는 내일 그 대화를 기억할 것이다. - 我们会记住明天的那次谈话。
652. 그녀는 어떤 숫자를 기억하나요? - 她记得什么号码？
653. 그녀는 그의 전화번호를 기억합니다. - 她记得他的电话号码。
654. 잊다 - to 忘记
655. 나는 그의 생일을 잊었다. - 我忘了他的生日。
656. 너는 지금 약속을 잊는다. - 你现在忘记约会了。
657. 그는 내일 중요한 회의를 잊을 것이다. - 他会忘记明天的重要会议。
658. 그들은 무엇을 잊어버렸나요? - 他们忘了什么？
659. 그들은 그 회의 시간을 잊어버렸습니다. - 他们忘了那次会议的时间。
660. 믿다 - 相信
661. 나는 그녀의 말을 믿었다. - 我相信了她的话。
662. 너는 지금 그 소식을 믿는다. - 你现在相信这个消息了。
663. 그들은 내일 기적을 믿을 것이다. - 他们明天就会相信奇迹。
664. 그는 무엇을 믿나요? - 他相信什么？
665. 그는 운명을 믿습니다. - 他相信命运。
666. 8. 명사 단어들 외우기, 필수 10개 동사의 단어들을 가지고 50문장 연습하기 - 背诵名词性单词，用 10 个基本动词性单词练习 50 个句子
667. 말 - 词
668. 소식 - 新闻
669. 계획 - 计划
670. 이야기 - 故事

671. 결과 - 结果
672. 평화 - 和平
673. 성공 - 成功
674. 미래 - 未来
675. 건강 - 健康
676. 안전 - 安全
677. 가족 - 家庭
678. 행복 - 幸福
679. 세계 평화 - 世界和平
680. 차 - 汽车
681. 집 - 房子
682. 여행 - 旅行
683. 시골 - 乡村
684. 활동 - 活动
685. 신호등 - 交通灯
686. 새벽 - 黎明
687. 학교 - 学校
688. 아침 - 早晨
689. 회사 - 公司
690. 목적지 - 目的地
691. 오후 - 下午
692. 편지 - 信件
693. 메일 - 邮件
694. 선물 - 礼物
695. 친구 - 朋友
696. 길 - 道路
697. 강 - 河
698. 다리 - 腿
699. 보트 - 船
700. 과거 - 过去
701. 결정 - 决定
702. 무언가 - 什么
703. 의심하다 - 怀疑
704. 나는 그의 말을 의심했다. - 我怀疑他的话。

705. 너는 지금 그 소식을 의심한다. - 你现在怀疑新闻。
706. 그는 내일 그 계획을 의심할 것이다. - 他明天就会怀疑计划。
707. 너는 왜 그를 의심하나요? - 你为什么怀疑他？
708. 나는 그의 이야기가 일관되지 않기 때문입니다. - 我怀疑他，因为他的说法前后矛盾。
709. 희망하다 - 希望
710. 나는 좋은 결과를 희망했다. - 我希望有个好结果。
711. 너는 지금 평화를 희망한다. - 你现在希望和平。
712. 그들은 내일 성공을 희망할 것이다. - 他们会希望明天成功。
713. 우리는 무엇을 희망해야 하나요? - 我们应该希望什么？
714. 우리는 더 나은 미래를 희망해야 합니다. - 我们应该希望有一个更好的未来。
715. 기도하다 - 祈祷
716. 나는 건강을 위해 기도했다. - 我祈祷健康。
717. 너는 지금 안전을 기도한다. - 你现在祈祷平安。
718. 그녀는 내일 가족의 행복을 기도할 것이다. - 她会祈祷明天家庭幸福。
719. 너는 무엇을 위해 기도하나요? - 你祈祷什么？
720. 나는 세계 평화를 위해 기도합니다. - 我祈祷世界和平。
721. 운전하다 - 开车
722. 나는 어제 차를 운전했다. - 我昨天开了我的车。
723. 너는 지금 집으로 운전한다. - 你现在开车回家。
724. 그는 내일 여행을 운전할 것이다. - 他明天会开车去旅行。
725. 그녀는 어디로 운전해 가나요? - 她要开车去哪里？
726. 그녀는 시골로 운전해 갑니다. - 她要开车去乡下。
727. 멈추다 - 停止
728. 나는 갑자기 멈췄다. - 我突然停了下来。
729. 너는 지금 멈춘다. - 你现在停下。
730. 우리는 내일 활동을 멈출 것이다. - 我们明天就停止活动。
731. 그들은 왜 멈췄나요? - 他们为什么停下来？
732. 그들은 신호등에서 멈췄습니다. - 他们在红绿灯前停了下来。
733. 출발하다 - 出发
734. 나는 새벽에 출발했다. - 我在黎明时出发。
735. 너는 지금 여행을 출발한다. - 您现在就要启程了。
736. 그녀는 내일 학교로 출발할 것이다. - 她明天就要去上学了。

737. 그들은 언제 출발할 예정인가요? - 他们计划什么时候出发？
738. 그들은 내일 아침에 출발할 예정입니다. - 他们定于明天早上出发。
739. 도착하다 - 到达
740. 나는 어젯밤에 도착했다. - 我昨晚到的。
741. 너는 지금 회사에 도착한다. - 你现在到达工作地点。
742. 그들은 내일 목적지에 도착할 것이다. - 他们将于明天抵达目的地。
743. 너는 언제 도착했나요? - 你什么时候到达的？
744. 나는 오후에 도착했습니다. - 我下午到的。
745. 보내다 - 发送
746. 나는 편지를 보냈다. - 我寄了一封信。
747. 너는 지금 메일을 보낸다. - 你现在就寄信。
748. 그는 내일 선물을 보낼 것이다. - 他明天就会寄出礼物。
749. 우리는 누구에게 선물을 보내나요? - 我们给谁送礼物？
750. 우리는 친구에게 선물을 보냅니다. - 我们给朋友寄礼物。
751. 건너다 - 过马路
752. 나는 길을 건넜다. - 我过了马路。
753. 너는 지금 강을 건넌다. - 你现在过河。
754. 그녀는 내일 다리를 건널 것이다. - 她明天过桥。
755. 당신들은 어떻게 강을 건넜나요? - 你们是怎么过河的？
756. 우리는 보트를 이용해서 건넜습니다. - 我们坐船过河。
757. 돌아보다 - 回头看
758. 나는 뒤를 돌아보았다. - 我回头看
759. 너는 지금 과거를 돌아본다. - 你现在回头看。
760. 우리는 내일 결정을 돌아볼 것이다. - 我们明天再回头看我们的决定。
761. 그녀는 왜 주저하며 돌아보나요? - 她为什么犹豫要不要回头看？
762. 그녀는 무언가를 잊었기 때문입니다. - 因为她忘了什么东西。
763. 9. 명사 단어들 외우기, 필수 10개 동사의 단어들을 가지고 50문장 연습하기 - 背诵名词性单词，用 10 个基本动词性单词练习 50 个句子
764. 위험 - 危险
765. 갈등 - 冲突
766. 교통 체증 - 交通堵塞
767. 논쟁 - arguement
768. 제품 - 产品
769. 가격 - 价格

770. 옵션 - 选择
771. 대학 프로그램 - 大学课程
772. 시험 - 测试
773. 발표 - 介绍
774. 파티 - 聚会
775. 저녁 식사 - 晚宴
776. 방 - 房间
777. 책상 - 餐桌
778. 창고 - 存储
779. 서류 - 文件
780. 자전거 - 自行车
781. 컴퓨터 - 电脑
782. 시계 - 时钟
783. 옥상 - 天台
784. 신발 - 鞋子
785. 문 - 门
786. 안경 - 眼镜
787. 자동차 - 汽车
788. 피아노 - 钢琴
789. 공 - 球
790. 골프 - 高尔夫球
791. 드럼 - 鼓
792. 돌 - 石头
793. 종이비행기 - 纸飞机
794. 나비 - 蝴蝶
795. 물고기 - 鱼
796. 꽃 - 花
797. 화분 - 花盆
798. 정원 - 花园
799. 피하다 - 避免
800. 나는 위험을 피했다. - 我避免了危险。
801. 너는 지금 갈등을 피한다. - 你现在避免了冲突。
802. 그들은 내일 교통 체증을 피할 것이다. - 他们会避免明天的交通堵塞。
803. 그는 무엇을 피하려고 하나요? - 他在避免什么？

804. 그는 불필요한 논쟁을 피하려고 합니다. - 他在避免不必要的争论。
805. 비교하다 - 比较
806. 나는 두 제품을 비교했다. - 我比较了两种产品。
807. 너는 지금 가격을 비교한다. - 你现在就比较价格。
808. 그녀는 내일 옵션을 비교할 것이다. - 她明天会比较各种选择。
809. 그들은 어떤 것들을 비교하나요? - 他们比较什么？
810. 그들은 다양한 대학 프로그램을 비교합니다. - 他们比较不同的大学课程。
811. 준비하다 - 准备
812. 나는 시험을 준비했다. - 我准备考试。
813. 너는 지금 발표를 준비한다. - 你现在准备演讲。
814. 우리는 내일 파티를 준비할 것이다. - 我们要为明天的聚会做准备。
815. 그녀는 무엇을 준비하고 있나요? - 她在准备什么？
816. 그녀는 저녁 식사를 준비하고 있습니다. - 她在准备晚餐。
817. 정리하다 - 整理
818. 나는 내 방을 정리했다. - 我整理了我的房间。
819. 너는 지금 책상을 정리한다. - 你现在正在整理你的书桌。
820. 그들은 내일 창고를 정리할 것이다. - 他们明天会整理仓库。
821. 그는 언제 서류를 정리할까요? - 他什么时候整理文件？
822. 그는 이번 주말에 서류를 정리할 것입니다. - 他将在这个周末整理他的文件。
823. 수리하다 - 修理
824. 나는 자전거를 수리했다. - 我修好了自行车。
825. 너는 지금 컴퓨터를 수리한다. - 你现在正在修理电脑。
826. 그녀는 내일 시계를 수리할 것이다. - 她明天会修理她的手表。
827. 그들은 무엇을 수리하고 있나요? - 他们在修什么？
828. 그들은 옥상을 수리하고 있습니다. - 他们在修屋顶。
829. 고치다 - 修理
830. 나는 신발을 고쳤다. - 我修好了鞋子。
831. 너는 지금 문을 고친다. - 你现在把门修好
832. 그는 내일 안경을 고칠 것이다. - 他明天会修好眼镜
833. 그녀는 언제 자동차를 고쳤나요? - 她什么时候修的车？
834. 그녀는 지난 주에 자동차를 고쳤습니다. - 她上周修好了车。
835. 치다 - 弹琴
836. 나는 피아노를 쳤다. - 我弹钢琴。

837. 너는 지금 공을 친다. - 你现在击球。
838. 그들은 내일 골프를 칠 것이다. - 他们明天要打高尔夫。
839. 너는 언제 드럼을 쳤나요? - 你什么时候打的鼓？
840. 나는 어제 드럼을 쳤습니다. - 昨天打的。
841. 던지다 - 投球
842. 나는 공을 던졌다. - 我扔了球。
843. 너는 지금 돌을 던진다. - 你现在扔石头。
844. 그는 내일 종이비행기를 던질 것이다. - 他明天要扔纸飞机。
845. 그녀는 무엇을 던졌나요? - 她扔了什么？
846. 그녀는 공을 던졌어요. - 她扔了一个球。
847. 잡다 - 捕捉
848. 나는 나비를 잡았다. - 我抓住了一只蝴蝶。
849. 너는 지금 공을 잡는다. - 你现在接球。
850. 우리는 내일 물고기를 잡을 것이다. - 我们明天去抓鱼。
851. 그들은 무엇을 잡았나요? - 他们抓到了什么？
852. 그들은 큰 물고기를 잡았어요. - 他们钓到了一条大鱼。
853. 피다 - 开花
854. 나는 꽃을 피웠다. - 我开了一朵花。
855. 너는 지금 화분에서 꽃이 피는 것을 본다. - 你现在看到花盆里开了一朵花。
856. 그녀는 내일 정원에서 꽃을 피울 것이다. - 她明天就会在花园里开花。
857. 그들은 어디에서 꽃을 피웠나요? - 它们开在哪里？
858. 그들은 정원에서 꽃을 피웠어요. - 它们开在花园里。
859. 침대 - 床
860. 소파 - 沙发
861. 잔디밭 - 草坪
862. 꿈 - 梦
863. 몸 - 身体
864. 병 - 瓶
865. 물 - 水
866. 수프 - 汤
867. 차 - 茶
868. 친구들 - 朋友
869. 파티 - 聚会

870. 모임 - 聚会
871. 공원 - 公园
872. 집 - 房子
873. 여행 - 旅行
874. 학교 - 学校
875. 방 - 房间
876. 비밀 - 秘密
877. 진실 - 真相
878. 이야기 - 故事
879. 서랍 - 抽屉
880. 책 - 书
881. 가방 - 书包
882. 지갑 - 钱包
883. 상자 - 盒子
884. 선물 - 礼品
885. 편지 - 信件
886. 눕다 - 躺下
887. 나는 일찍 누웠다. - 我很早就躺下了。
888. 너는 지금 침대에 눕는다. - 你现在躺在床上。
889. 그는 내일 소파에 누울 것이다. - 他明天会躺在沙发上。
890. 그녀는 어디에 누웠나요? - 她躺在哪里？
891. 그녀는 잔디밭에 누웠어요. - 她躺在草坪上。
892. 꿈꾸다 - 做梦
893. 나는 행복한 꿈을 꿨다. - 我做了一个快乐的梦。
894. 너는 지금 꿈을 꾼다. - 你现在正在做梦。
895. 우리는 내일 큰 꿈을 꿀 것이다. - 我们明天会做一个大梦。
896. 그들은 무슨 꿈을 꿨나요? - 他们梦见了什么？
897. 그들은 여행하는 꿈을 꿨어요. - 他们梦见旅行。
898. 움직이다 - 移动
899. 나는 천천히 움직였다. - 我慢慢地移动。
900. 너는 지금 몸을 움직인다. - 你现在移动你的身体。
901. 그들은 내일 더 빠르게 움직일 것이다. - 他们明天会动得更快。
902. 그녀는 왜 움직이지 않나요? - 她为什么不动？
903. 그녀는 피곤해서 움직이지 않아요. - 她不动是因为她累了。

904. 흔들다 - 摇动
905. 나는 나무를 흔들었다. - 我摇了摇树
906. 너는 지금 의자를 흔든다. - 你现在摇椅子
907. 그는 내일 우산을 흔들 것이다. - 他明天会摇伞
908. 그들은 무엇을 흔들었나요? - 他们摇了什么？
909. 그들은 병을 흔들었어요. - 他们摇晃瓶子。
910. 끓이다 - 煮沸
911. 나는 물을 끓였다. - 我把水烧开了。
912. 너는 지금 수프를 끓인다. - 你现在把汤烧开。
913. 그녀는 내일 차를 끓일 것이다. - 她明天会煮茶。
914. 그들은 언제 물을 끓였나요? - 他们什么时候烧的水？
915. 그들은 아침에 물을 끓였어요. - 他们早上烧的水。
916. 어울리다 - 相处
917. 나는 친구들과 잘 어울렸다. - 我和朋友们相处得很好。
918. 너는 지금 파티에서 잘 어울린다. - 你现在在聚会上看起来不错。
919. 우리는 내일 모임에서 잘 어울릴 것이다. - 明天的聚会我们会相处得很好的。
920. 그들은 어디에서 어울렸나요? - 他们在哪里玩？
921. 그들은 공원에서 잘 어울렸어요. - 他们在公园里相处得很好。
922. 떠나다 - 离开
923. 나는 새벽에 떠났다. - 我天亮就走了。
924. 너는 지금 집을 떠난다. - 你现在就要离开家了。
925. 그는 내일 여행을 떠날 것이다. - 他明天就要启程了。
926. 그녀는 언제 떠났나요? - 她什么时候离开的？
927. 그녀는 어제 떠났어요. - 她昨天离开的。
928. 돌아오다 - 回来
929. 나는 저녁에 돌아왔다. - 我晚上回来的。
930. 너는 지금 학교에서 돌아온다. - 你现在从学校回来了。
931. 우리는 내일 여행에서 돌아올 것이다. - 我们明天旅行回来。
932. 그들은 언제 돌아올까요? - 他们什么时候回来？
933. 그들은 내일 돌아올 거예요. - 他们明天回来。
934. 밝히다 - 点亮
935. 나는 방에 불을 밝혔다. - 我点亮了房间里的灯。
936. 너는 지금 비밀을 밝힌다. - 你现在就揭开秘密

937. 그녀는 내일 진실을 밝힐 것이다. - 她明天就会透露真相
938. 그는 왜 이야기를 밝혔나요? - 他为什么要揭发？
939. 그는 솔직하고 싶어서 밝혔어요. - 他透露是因为他想诚实。
940. 꺼내다 - 拿出来
941. 나는 서랍에서 책을 꺼냈다. - 我把书从抽屉里拿出来了。
942. 너는 지금 가방에서 지갑을 꺼낸다. - 你现在把钱包从包里拿出来。
943. 그는 내일 상자에서 선물을 꺼낼 것이다. - 他明天会从盒子里拿出礼物。
944. 그녀는 무엇을 꺼냈나요? - 她拿出了什么？
945. 그녀는 편지를 꺼냈어요. - 她拿出了一封信。
946. 10. 명사 단어들 외우기, 필수 10개 동사의 단어들을 가지고 50문장 연습하기 - 10. 记住名词性单词，用 10 个基本动词的单词练习 50 个句子
947. 상자 - 盒子
948. 사진 - 图片
949. 서류 - 纸
950. 파일 - 文件
951. 책 - 书
952. 책장 - 书架
953. 서랍 - 抽屉
954. 신문 - 报纸
955. 컵 - 杯子
956. 물건 - 物品
957. 저녁 - 晚餐
958. 식탁 - 餐桌
959. 아침 - 早餐
960. 식사 - 餐
961. 파티 - 聚会
962. 테이블 - 餐桌
963. 정리 - 整理
964. 책상 - 书桌
965. 방 - 房间
966. 장난감 - 玩具
967. 친구 - 朋友
968. 연필 - 铅笔
969. 텐트 - 帐篷

970. 선생님 - 老师
971. 돈 - 钱
972. 도구 - 工具
973. 소식 - 新闻
974. 소리 - 声音
975. 선물 - 现在
976. 밤 - 夜
977. 시험 - 测试
978. 결과 - 测试结果
979. 발표 - 公告
980. 높은 - 高
981. 건강 - 健康
982. 여행 - 旅行
983. 날씨 - 天气预报
984. 메시지 - 信息
985. 넣다 - 插入
986. 나는 상자에 사진을 넣었다. - 我把照片放在盒子里了。
987. 너는 지금 서류를 파일에 넣는다. - 你现在把文件放进文件柜。
988. 우리는 내일 책을 책장에 넣을 것이다. - 我们明天把书放到书架上。
989. 그들은 어디에 넣었나요? - 他们把书放哪儿了？
990. 그들은 서랍에 넣었어요. - 他们放到抽屉里了。
991. 버리다 - 扔掉
992. 나는 오래된 신문을 버렸다. - 我把旧报纸扔掉了。
993. 너는 지금 깨진 컵을 버린다. - 你现在就把破杯子扔掉。
994. 그는 내일 불필요한 물건을 버릴 것이다. - 他明天会扔掉不必要的东西。
995. 그녀는 왜 그것을 버렸나요? - 她为什么要扔掉？
996. 그녀는 필요 없어서 버렸어요. - 她扔掉是因为她不需要它。
997. 차리다 - 摆桌子
998. 나는 저녁 식탁을 차렸다. - 我摆好了晚餐的桌子。
999. 너는 지금 아침 식사를 차린다. - 你现在把早餐的桌子摆好。
1000. 우리는 내일 파티를 위해 테이블을 차릴 것이다. - 我们将为明天的聚会布置餐桌。
1001. 그들은 언제 식탁을 차렸나요? - 他们什么时候摆好餐桌的？
1002. 그들은 방금 차렸어요. - 他们刚摆好桌子。

1003. 치우다 - 打扫
1004. 나는 파티 후에 정리를 했다. - 派对结束后，我清理了一下。
1005. 너는 지금 책상을 치운다. - 你现在正在收拾桌子。
1006. 그녀는 내일 방을 치울 것이다. - 她明天会把房间收拾好
1007. 그들은 무엇을 치웠나요? - 他们收起了什么？
1008. 그들은 장난감을 치웠어요. - 他们把玩具收起来了。
1009. 빌리다 - 借
1010. 나는 친구에게 책을 빌렸다. - 我向朋友借了一本书。
1011. 너는 지금 연필을 빌린다. - 你现在借一支铅笔。
1012. 우리는 내일 텐트를 빌릴 것이다. - 我们明天借帐篷。
1013. 그녀는 누구에게 빌렸나요? - 她向谁借的？
1014. 그녀는 선생님에게 빌렸어요. - 她向老师借。
1015. 갚다 - 偿还
1016. 나는 친구에게 돈을 갚았다. - 我把钱还给了我的朋友。
1017. 너는 지금 빌린 책을 갚는다. - 你现在就把借的书还了。
1018. 그는 내일 빌린 도구를 갚을 것이다. - 他明天就还借来的工具。
1019. 그들은 언제 갚을까요? - 他们什么时候还？
1020. 그들은 내일 갚을 거예요. - 他们明天就还。
1021. 놀라다 - 惊讶
1022. 나는 소식에 놀랐다. - 我被这个消息吓了一跳。
1023. 너는 지금 갑작스러운 소리에 놀란다. - 你被这突如其来的声音吓了一跳。
1024. 그녀는 내일 깜짝 선물에 놀랄 것이다. - 她会被明天的惊喜吓一跳。
1025. 그는 왜 놀랐나요? - 他为什么感到惊讶？
1026. 그는 선물을 받아서 놀랐어요. - 他收到礼物时很惊讶。
1027. 두렵다 - 改为 "吓了一跳"。
1028. 나는 어두운 밤이 두려웠다. - 我害怕漆黑的夜晚。
1029. 너는 지금 시험 결과가 두렵다. - 你现在害怕考试成绩。
1030. 우리는 내일 발표가 두려울 것이다. - 我们会害怕明天的演讲。
1031. 그녀는 무엇이 두렵나요? - 她怕什么？
1032. 그녀는 높은 곳이 두려워요. - 她恐高。
1033. 걱정하다 - 担心
1034. 나는 시험 결과를 걱정했다. - 我担心考试成绩。
1035. 너는 친구의 건강을 걱정한다. - 你担心你朋友的健康。
1036. 그는 여행의 날씨를 걱정할 것이다. - 他会担心旅途中的天气。

1037. 걱정이 많나요? - 你经常担心吗？
1038. 네, 걱정이 많아요. - 是的，我很担心。
1039. 안심하다 - 放心
1040. 나는 메시지를 받고 안심했다. - 收到消息后，我如释重负。
1041. 너는 결과를 듣고 안심한다. - 听到结果你就放心了。
1042. 그녀는 확인 후 안심할 것이다. - 检查后她就放心了。
1043. 안심됐나요? - 你放心了吗？
1044. 네, 안심됐어요. - 是的，我放心了。
1045. 11. 명사 단어들 외우기, 필수 10개 동사의 단어들을 가지고 50문장 연습하기 - 11. 背诵名词性单词，用 10 个基本动词性单词练习 50 个句子
1046. 실수 - 错误
1047. 지연 - 延迟
1048. 문제 - 问题
1049. 친구 - 朋友
1050. 아이 - 孩子
1051. 동료 - 同事
1052. 동생 - 兄弟姐妹
1053. 졸업 - 毕业
1054. 생일 - 生日
1055. 성공 - 成功
1056. 도움 - 帮助
1057. 선생님 - 老师
1058. 지원 - 支持
1059. 오해 - 误解
1060. 잘못 - 错误
1061. 서류 - 文件
1062. 파일 - 文件
1063. 책 - 书籍
1064. 책장 - 书架
1065. 돈 - 钱
1066. 저금통 - 存钱罐
1067. 그릇 - 碗
1068. 신문 - 报纸
1069. 옷 - 衣服

1070. 저녁 - 晚餐
1071. 식탁 - 餐桌
1072. 아침 - 早餐
1073. 식사 - 用餐
1074. 파티 - 聚会
1075. 테이블 - 餐桌
1076. 화내다 - 生气
1077. 나는 실수를 하고 화냈다. - 我犯了错，生气了。
1078. 너는 지연에 화낸다. - 您对延误感到生气。
1079. 그들은 문제를 보고 화낼 것이다. - 他们会看到问题并生气。
1080. 화났나요? - 你生气了吗？
1081. 네, 화났어요. - 是的，我生气了。
1082. 달래다 - 为了安抚
1083. 나는 친구를 달랬다. - 我安抚我的朋友。
1084. 너는 아이를 달랜다. - 你会安抚孩子的。
1085. 그녀는 동료를 달랠 것이다. - 她会安抚她的同事。
1086. 달랐나요? - 有什么不同吗？
1087. 네, 달랐어요. - 是的，很不一样。
1088. 축하하다 - 庆祝
1089. 나는 동생의 졸업을 축하했다. - 我祝贺我弟弟毕业。
1090. 너는 친구의 생일을 축하한다. - 你庆祝你朋友的生日。
1091. 우리는 성공을 축하할 것이다. - 我们要庆祝我们的成功。
1092. 축하할까요? - 要庆祝吗？
1093. 네, 축하해요. - 是的，我们庆祝吧。
1094. 감사하다 - 感谢
1095. 나는 도움을 받고 감사했다. - 我得到了帮助，并对我表示感谢。
1096. 너는 선생님께 감사한다. - 你要感谢你的老师。
1097. 그들은 지원에 감사할 것이다. - 他们会感谢你的支持。
1098. 감사해요? - 你感激吗？
1099. 네, 감사해요. - 是的，我很感激。
1100. 사과하다 - 道歉
1101. 나는 실수에 대해 사과했다. - 我为我的错误道歉。
1102. 너는 지각에 대해 사과한다. - 你为你的迟到道歉。
1103. 그는 오해에 대해 사과할 것이다. - 他会为误会道歉。

1104. 사과할까요? - 要我道歉吗？
1105. 네, 사과해요. - 是的，我道歉。
1106. 용서하다 - 原谅
1107. 나는 친구의 실수를 용서했다. - 我原谅了我朋友的错误。
1108. 너는 그의 잘못을 용서한다. - 你原谅他的过错。
1109. 그녀는 오해를 용서할 것이다. - 她会原谅这个误会的。
1110. 용서할까요? - 我们原谅好吗？
1111. 네, 용서해요. - 是的，我原谅。
1112. 선물하다 - 赠送礼物
1113. 나는 친구에게 선물을 했다. - 我送礼物给我的朋友。
1114. 너는 선생님께 선물한다. - 你送礼物给你的老师。
1115. 그들은 기념일에 선물할 것이다. - 他们会在结婚纪念日送礼物。
1116. 선물할까요? - 要我送礼物吗？
1117. 네, 선물해요. - 是的，我送礼物。
1118. 넣다 - 放
1119. 나는 서류를 파일에 넣었다. - 我把文件放进文件柜。
1120. 너는 책을 책장에 넣는다. - 你把书放到书架上。
1121. 그는 돈을 저금통에 넣을 것이다. - 他会把钱放进储蓄罐里。
1122. 넣을까요? - 要我放进去吗？
1123. 네, 넣어요. - 是的，放进去
1124. 버리다 - 扔掉
1125. 나는 깨진 그릇을 버렸다. - 我把破碗扔了。
1126. 너는 오래된 신문을 버린다. - 你把旧报纸扔掉。
1127. 그녀는 사용하지 않는 옷을 버릴 것이다. - 她会扔掉她不用的衣服。
1128. 버릴까요? - 要扔掉吗？
1129. 네, 버려요. - 是的，扔掉
1130. 차리다 - 摆桌子
1131. 나는 저녁 식탁을 차렸다. - 我摆好餐桌吃晚餐。
1132. 너는 아침 식사를 차린다. - 你来摆早餐的桌子
1133. 우리는 파티를 위해 테이블을 차릴 것이다. - 我们将为派对布置餐桌。
1134. 차릴까요? - 我们要摆桌子吗？
1135. 네, 차려요. - 是的，我们来摆餐具。
1136. 12. 명사 단어들 외우기, 필수 10개 동사의 단어들을 가지고 50문장 연습하기 - 12. 背诵名词性单词，用 10 个基本动词的单词练习 50 个句子

1137. 저녁 - 晚餐
1138. 식사 - 餐
1139. 방 - 房间
1140. 책상 - 桌子
1141. 이웃 - 邻居
1142. 사다리 - 梯子
1143. 친구 - 朋友
1144. 책 - 书
1145. 차 - 汽车
1146. 빚 - 债务
1147. 은행 - 银行
1148. 대출 - 贷款
1149. 돈 - 钱
1150. 소식 - 新闻
1151. 소리 - 声音
1152. 발표 - 公告
1153. 어둠 - 黑暗
1154. 높이 - 高度
1155. 실패 - 失败
1156. 시험 - 测试
1157. 결과 - 结果
1158. 여행 - 旅行
1159. 계획 - 规划
1160. 답장 - 回复
1161. 확인 - 检查
1162. 해결 - 解决
1163. 지각 - 迟到
1164. 실수 - 错误
1165. 지연 - 拖延
1166. 아이 - 孩子
1167. 동료 - 同事
1168. 승진 - 晋升
1169. 성공 - 成功
1170. 기념일 - 周年纪念日

1171. 치우다 - 收起来
1172. 나는 저녁 식사 후에 정리했다. - 晚饭后我收拾了一下
1173. 너는 방을 치운다. - 你整理房间。
1174. 그는 책상을 치울 것이다. - 他会收拾桌子的。
1175. 치울까요? - 要我收起来吗？
1176. 네, 치워요. - 是的，收起来
1177. 빌리다 - 借
1178. 나는 이웃에게 사다리를 빌렸다. - 我向邻居借了一把梯子。
1179. 너는 친구에게 책을 빌린다. - 你向朋友借一本书。
1180. 그들은 차를 빌릴 것이다. - 他们要借车。
1181. 빌릴까요? - 要借吗？
1182. 네, 빌려요. - 是的，借吧。
1183. 갚다 - 偿还
1184. 나는 친구에게 빚을 갚았다. - 我还清了欠朋友的债。
1185. 너는 은행에 대출을 갚는다. - 你把贷款还给银行
1186. 그는 돈을 갚을 것이다. - 他会还钱的
1187. 갚을까요? - 要我还钱给他吗？
1188. 네, 갚아요. - 是的，我会还的。
1189. 놀라다 - 感到惊讶
1190. 나는 소식을 듣고 놀랐다. - 听到这个消息我很惊讶。
1191. 너는 갑작스러운 소리에 놀란다. - 你被这突如其来的声音吓了一跳。
1192. 그녀는 발표를 듣고 놀랄 것이다. - 她听到这个消息会大吃一惊。
1193. 놀랐나요? - 你感到惊讶吗？
1194. 네, 놀랐어요. - 是的，我很吃惊。
1195. 두렵다 - 改为 "吓了一跳"。
1196. 나는 어둠이 두려웠다. - 我害怕黑暗。
1197. 너는 높이가 두렵다. - 你恐高。
1198. 그들은 실패가 두려울 것이다. - 他们害怕失败
1199. 두려워요? - 你害怕吗？
1200. 네, 두려워요. - 是的，我害怕
1201. 걱정하다 - 担心
1202. 나는 시험을 걱정했다. - 我担心考试
1203. 너는 결과를 걱정한다. - 你担心结果。
1204. 그는 여행 계획을 걱정할 것이다. - 他会担心他的旅行计划。

1205. 걱정이 많으세요? - 你很担心吗？
1206. 아니요, 조금요. - 不，有一点。
1207. 안심하다 - 如释重负
1208. 나는 답장을 받고 안심했다. - 得到回复我就放心了。
1209. 너는 확인하고 안심한다. - 得到确认后您就放心了。
1210. 그녀는 해결되면 안심할 것이다. - 事情解决了，她就放心了。
1211. 안심됐어요? - 你放心了吗？
1212. 네, 안심됐어요. - 是的，我如释重负。
1213. 화내다 - 生气
1214. 나는 지각에 화냈다. - 我对迟到很生气。
1215. 너는 실수에 화낸다. - 你对错误感到生气。
1216. 그는 지연에 화낼 것이다. - 他会对延误感到生气。
1217. 화낼 거예요? - 你会生气吗？
1218. 아니요, 안 화낼래요. - 不，我不会生气。
1219. 달래다 - 安抚
1220. 나는 울던 아이를 달랬다. - 我安抚哭泣的孩子。
1221. 너는 친구를 달랜다. - 你会安抚你的朋友。
1222. 그녀는 동료를 달랠 것이다. - 她会安慰她的同事。
1223. 달랠 수 있어요? - 你会安抚吗？
1224. 네, 달랠게요. - 是的，我会安抚。
1225. 축하하다 - 庆祝
1226. 나는 승진을 축하했다. - 我庆祝我的晋升。
1227. 너는 성공을 축하한다. - 你庆祝你的成功。
1228. 우리는 기념일을 축하할 것이다. - 我们将庆祝结婚纪念日。
1229. 축하해줄까요? - 要我祝贺你吗？
1230. 네, 축하해요. - 是的，让我们庆祝一下。
1231. 13. 명사 단어들 외우기, 필수 10개 동사의 단어들을 가지고 50문장 연습하기 - 13. 背诵名词性单词，用 10 个基本动词性单词练习 50 个句子
1232. 도움 - 帮助
1233. 지원 - 支持
1234. 협력 - 合作
1235. 잘못 - 错误
1236. 실수 - 错误
1237. 오해 - 误解

1238. 거짓말 - 谎言
1239. 생일 - 生日
1240. 선물 - 礼物
1241. 졸업 - 毕业
1242. 책 - 书
1243. 운동 - 健身
1244. 여행지 - 旅行目的地
1245. 조언 - 建议
1246. 조용 - 安静
1247. 정리 - 组织
1248. 제출 - 提交
1249. 흡연 - 吸烟
1250. 출입 - 来往
1251. 사용 - 使用
1252. 요청 - 要求
1253. 출발 - 出发
1254. 참여 - 参与
1255. 제안 - 建议
1256. 초대 - 邀请
1257. 감사하다 - 感谢
1258. 나는 도움에 감사했다. - 感谢您的帮助。
1259. 너는 지원에 감사한다. - 感谢您的支持。
1260. 그들은 협력에 감사할 것이다. - 他们会感谢您的合作。
1261. 감사드려도 돼요? - 我能谢谢你吗？
1262. 네, 감사해요. - 可以，谢谢。
1263. 사과하다 - 道歉
1264. 나는 잘못을 사과했다. - 我为我的错误道歉。
1265. 너는 늦은 것에 사과한다. - 你为迟到道歉。
1266. 그는 실수에 대해 사과할 것이다. - 他会为他的错误道歉。
1267. 사과해야 하나요? - 我应该道歉吗？
1268. 네, 사과하세요. - 是的，道歉。
1269. 용서하다 - 原谅
1270. 나는 실수를 용서했다. - 我原谅了这个错误。
1271. 너는 오해를 용서한다. - 你原谅了误会。

1272. 그녀는 거짓말을 용서할 것이다. - 她会原谅你的谎言
1273. 용서해줄 수 있어요? - 你能原谅我吗？
1274. 네, 용서해요. - 是的，我原谅你。
1275. 선물하다 - 送礼物
1276. 나는 생일 선물을 했다. - 我送了生日礼物。
1277. 너는 감사의 표시로 선물한다. - 送礼表示感谢。
1278. 우리는 졸업 선물을 할 것이다. - 我们会送毕业礼物。
1279. 선물 좋아하세요? - 你喜欢礼物吗？
1280. 네, 좋아해요. - 是的，我喜欢。
1281. 권하다 - 推荐
1282. 나는 책을 권했다. - 我推荐一本书。
1283. 너는 운동을 권한다. - 你推荐锻炼身体。
1284. 그는 여행지를 권할 것이다. - 他会推荐一个旅行目的地。
1285. 추천해줄까요? - 你想让我推荐什么吗？
1286. 네, 추천해주세요. - 是的，请推荐。
1287. 요청하다 - 请求
1288. 나는 도움을 요청했다. - 我请求帮助。
1289. 너는 조언을 요청한다. - 您请求建议。
1290. 그들은 지원을 요청할 것이다. - 他们会请求支持。
1291. 도와달라고 할까요? - 要我请求帮助吗？
1292. 네, 부탁해요. - 好的，请。
1293. 명령하다 - 命令
1294. 나는 조용히 할 것을 명령했다. - 我命令你保持安静。
1295. 너는 정리를 명령한다. - 命令你收拾。
1296. 그녀는 제출을 명령할 것이다. - 她会命令你上交。
1297. 명령할게요? - 要我命令你吗？
1298. 아니요, 괜찮아요. - 不用了，谢谢
1299. 금지하다 - 禁止
1300. 나는 흡연을 금지했다. - 我禁止吸烟。
1301. 너는 출입을 금지한다. - 禁止你们进入
1302. 그들은 사용을 금지할 것이다. - 他们会禁止使用
1303. 금지된 건가요? - 是禁止吗？
1304. 네, 금지예요. - 是的，禁止
1305. 허락하다 - 批准

1306. 나는 요청을 허락했다. - 我批准了请求
1307. 너는 출발을 허락한다. - 允许你们离开。
1308. 우리는 참여를 허락할 것이다. - 我们会批准你参加的
1309. 허락될까요? - 我可以参加吗？
1310. 네, 허락돼요. - 是的，允许您参加。
1311. 거절하다 - 拒绝
1312. 나는 제안을 거절했다. - 我拒绝了邀请
1313. 너는 초대를 거절한다. - 您拒绝邀请。
1314. 그는 요청을 거절할 것이다. - 他会拒绝请求
1315. 거절해도 돼요? - 拒绝可以吗？
1316. 네, 괜찮아요. - 是的，可以。
1317. 14. 명사 단어들 외우기, 필수 10개 동사의 단어들을 가지고 50문장 연습하기 - 14. 背诵名词性单词，用 10 个基本动词性单词练习 50 个句子
1318. 계획 - 计划
1319. 의견 - 意见
1320. 제안 - 提议
1321. 결정 - 决定
1322. 방침 - policy
1323. 정책 - 政策
1324. 새벽 - 曙光
1325. 직원 - 员工
1326. 파트너 - 合作伙伴
1327. 규칙 - 规则
1328. 방법 - 方法
1329. 절차 - 程序
1330. 여행 - 旅行
1331. 미래 - 未来
1332. 꿈 - 梦想
1333. 경험 - 经历
1334. 상황 - 情况
1335. 권리 - 对
1336. 입장 - 入口
1337. 문제 - 问题
1338. 해결책 - 解决方案

1339. 중요성 - 重要性
1340. 필요성 - 必要性
1341. 안전 - 安全性
1342. 동의하다 - 同意
1343. 나는 계획에 동의했다. - 我同意该计划。
1344. 너는 의견에 동의한다. - 你同意这个意见。
1345. 그녀는 제안에 동의할 것이다. - 她会同意这个提议。
1346. 동의할 수 있나요? - 你能同意吗？
1347. 네, 동의해요. - 是的，我同意。
1348. 반대하다 - 反对
1349. 나는 결정에 반대했다. - 我反对这个决定。
1350. 너는 방침에 반대한다. - 你反对这项政策。
1351. 우리는 정책에 반대할 것이다. - 我们将反对这项政策。
1352. 반대해야 하나요? - 我应该反对吗？
1353. 아니요, 고민해보세요. - 不，考虑一下。
1354. 인사하다 - 迎接
1355. 나는 새벽에 인사했다. - 我在黎明时打招呼。
1356. 너는 도착하자마자 인사한다. - 你一到就打招呼。
1357. 그들은 만날 때 인사할 것이다. - 他们见面时会打招呼。
1358. 인사드려도 될까요? - 我可以打招呼吗？
1359. 네, 인사하세요. - 是的，请说你好。
1360. 소개하다 - 介绍
1361. 나는 친구를 소개했다. - 我介绍我的朋友。
1362. 너는 새 직원을 소개한다. - 你介绍新员工。
1363. 그는 파트너를 소개할 것이다. - 他会介绍他的搭档
1364. 소개시켜줄까요? - 要我介绍吗？
1365. 네, 소개해주세요. - 是的，请介绍我。
1366. 설명하다 - 解释
1367. 나는 규칙을 설명했다. - 我解释规则。
1368. 너는 방법을 설명한다. - 你来解释方法。
1369. 그녀는 절차를 설명할 것이다. - 她将解释程序。
1370. 설명해드릴까요? - 您想让我解释一下吗？
1371. 네, 부탁해요. - 是的，请
1372. 이야기하다 - 谈论

1373. 나는 여행에 대해 이야기했다. - 我谈到了这次旅行。
1374. 너는 계획에 대해 이야기한다. - 你谈计划。
1375. 우리는 미래에 대해 이야기할 것이다. - 我们谈谈未来。
1376. 이야기해볼까요? - 我们谈谈好吗？
1377. 네, 해봐요. - 是的，开始吧
1378. 묘사하다 - 描述
1379. 나는 꿈을 묘사했다. - 我描述了一个梦。
1380. 너는 경험을 묘사한다. - 你描述一段经历
1381. 그는 상황을 묘사할 것이다. - 他会描述一种情况
1382. 묘사해줄 수 있어요? - 你能描述一下吗？
1383. 네, 묘사할게요. - 可以，我来描述。
1384. 주장하다 - 断言
1385. 나는 의견을 주장했다. - 我断言一种观点。
1386. 너는 권리를 주장한다. - 你主张一种权利。
1387. 그녀는 입장을 주장할 것이다. - 她会断言一种立场。
1388. 주장할 건가요? - 你要断言吗？
1389. 네, 주장할래요. - 是的，我要断言。
1390. 논의하다 - 讨论
1391. 나는 문제를 논의했다. - 我讨论了这个问题。
1392. 너는 계획을 논의한다. - 你讨论计划。
1393. 우리는 해결책을 논의할 것이다. - 我们将讨论解决方案。
1394. 논의해볼까요? - 要讨论吗？
1395. 네, 논의합시다. - 是的，我们来讨论。
1396. 강조하다 - 强调
1397. 나는 중요성을 강조했다. - 我强调了重要性。
1398. 너는 필요성을 강조한다. - 你强调必要性。
1399. 그들은 안전을 강조할 것이다. - 他们会强调安全。
1400. 강조해야 할까요? - 我们要强调吗？
1401. 네, 강조하세요. - 是的，强调。
1402. 15. 명사 단어들 외우기, 필수 10개 동사의 단어들을 가지고 50문장 연습하기 - 背诵名词性单词，用 10 个基本动词的单词练习 50 个句子
1403. 지각 - 迟到
1404. 실수 - 错误
1405. 불참 - 不出现

1406. 자료 - 数据
1407. 책 - 书籍
1408. 문서 - 文件
1409. 데이터 - 数据
1410. 결과 - 结果
1411. 추세 - 趋势
1412. 길이 - 长度
1413. 무게 - 重量
1414. 온도 - 温度
1415. 날씨 - 天气
1416. 경기 - 比赛
1417. 스코어 - 得分
1418. 문제 - 问题
1419. 논의 - 争论
1420. 회의 - 会议
1421. 식당 - 餐厅
1422. 영화 - 电影
1423. 여행지 - 旅行目的地
1424. 프로젝트 - 项目
1425. 성능 - 业绩
1426. 보고서 - 报告
1427. 계약서 - 合同
1428. 제안 - 建议书
1429. 약속 - 承诺
1430. 시간 - 小时
1431. 주소 - 地址
1432. 예약 - 预约
1433. 변명하다 - 借故
1434. 나는 지각에 대해 변명했다. - 我为自己的迟到找借口。
1435. 너는 실수에 대해 변명한다. - 你为自己的错误找借口。
1436. 그는 불참에 대해 변명할 것이다. - 他会为自己的缺席找借口。
1437. 변명할까요? - 要我找借口吗？
1438. 아니요, 솔직히 말해요. - 不，要诚实。
1439. 분류하다 - 分类

1440. 나는 자료를 분류했다. - 我把材料分类。
1441. 너는 책을 분류한다. - 你把书分类。
1442. 그녀는 문서를 분류할 것이다. - 她将对文件进行分类。
1443. 분류해야 하나요? - 我需要分类吗？
1444. 네, 분류해주세요. - 是的，请分类。
1445. 분석하다 - 分析
1446. 나는 데이터를 분석했다. - 我分析数据。
1447. 너는 결과를 분석한다. - 你分析结果。
1448. 우리는 추세를 분석할 것이다. - 我们将分析趋势。
1449. 분석할까요? - 要分析吗？
1450. 네, 분석해 주세요. - 是的，请分析。
1451. 측정하다 - 测量
1452. 나는 길이를 측정했다. - 我测量长度。
1453. 너는 무게를 측정한다. - 你测量重量。
1454. 그는 온도를 측정할 것이다. - 他会测量温度
1455. 크기 확인할까요? - 你要检查尺寸吗？
1456. 네, 확인해 주세요. - 是的，请检查一下。
1457. 예측하다 - 预测
1458. 나는 날씨를 예측했다. - 我预测天气。
1459. 너는 결과를 예측한다. - 你预测结果。
1460. 그녀는 경기 스코어를 예측할 것이다. - 她会预测比赛的比分。
1461. 미래 맞출 수 있나요? - 你能猜到未来吗？
1462. 아마도 가능할 거예요. - 你大概能。
1463. 결론내다 - 得出结论
1464. 나는 문제의 결론을 내렸다. - 我总结了这个问题。
1465. 너는 논의를 결론짓는다. - 你结束讨论。
1466. 우리는 회의를 결론낼 것이다. - 我们将结束会议。
1467. 결론은 뭐예요? - 结论是什么？
1468. 곧 결정할 거예요. - 我们很快就会决定。
1469. 추천하다 - 推荐
1470. 나는 좋은 식당을 추천했다. - 我推荐了一家好餐馆。
1471. 너는 영화를 추천한다. - 你推荐一部电影。
1472. 그들은 여행지를 추천할 것이다. - 他们会推荐一个旅游胜地。
1473. 어디 가볼까요? - 我们应该去哪里？

1474. 이곳 추천해요. - 我推荐这个地方。
1475. 평가하다 - 评分
1476. 나는 프로젝트를 평가했다. - 我给一个项目评分。
1477. 너는 성능을 평가한다. - 您评价绩效。
1478. 당신들은 결과를 평가할 것이다. - 您将评估结果。
1479. 어떻게 생각해요? - 您认为如何？
1480. 잘 했어요. - 干得好
1481. 검토하다 - 审查
1482. 나는 보고서를 검토했다. - 我审查了报告。
1483. 너는 계약서를 검토한다. - 您将审查合同。
1484. 그는 제안을 검토할 것이다. - 他将审查建议书
1485. 다시 볼까요? - 我们要再看一遍吗？
1486. 네, 확인해요. - 是的，我们检查一下
1487. 확인하다 - 确认
1488. 나는 약속 시간을 확인했다. - 我确认了预约时间
1489. 너는 주소를 확인한다. - 你确认地址
1490. 그녀는 예약을 확인할 것이다. - 她会确认预约的
1491. 맞는지 봐줄래요? - 你能看看对不对？
1492. 네, 볼게요. - 是的，我看看。
1493. 16. 명사 단어들 외우기, 필수 10개 동사의 단어들을 가지고 50문장 연습하기 - 背诵名词性单词，用 10 个基本动词的单词练习 50 个句子
1494. 카페 - 咖啡馆
1495. 비밀 - 秘密
1496. 보물 - 宝藏
1497. 별 - 明星
1498. 행동 - 行动
1499. 자연 - 自然
1500. 실수 - 错误
1501. 장점 - 实力
1502. 성과 - 成就
1503. 의견 - 意见
1504. 규칙 - 规则
1505. 문화 - 文化
1506. 친구 - 朋友

1507. 선생님 - 教师
1508. 고객 - 客户
1509. 메시지 - 留言
1510. 소식 - 新闻
1511. 선물 - 礼品
1512. 결과 - 结果
1513. 상황 - 情况
1514. 진행 - 进展情况
1515. 질문 - 问题
1516. 요청 - 请求
1517. 초대 - 邀请
1518. 놀람 - 惊喜
1519. 기쁨 - 喜悦
1520. 감사함 - 感恩
1521. 문제 - 问题
1522. 도전 - 挑战
1523. 위기 - 危机
1524. 발견하다 - 发现
1525. 나는 새로운 카페를 발견했다. - 我发现了一家新咖啡馆。
1526. 너는 비밀을 발견한다. - 你发现了一个秘密。
1527. 그들은 보물을 발견할 것이다. - 他们会发现宝藏。
1528. 뭔가 찾았어요? - 你发现什么了吗？
1529. 네, 발견했어요. - 是的，我发现了
1530. 관찰하다 - 观察
1531. 나는 별을 관찰했다. - 我观察了星星。
1532. 너는 행동을 관찰한다. - 你观察行为。
1533. 우리는 자연을 관찰할 것이다. - 我们要观察自然。
1534. 봐도 돼요? - 我能观察吗？
1535. 네, 같이 봐요. - 可以，我们一起观察。
1536. 인정하다 - 承认错误
1537. 나는 실수를 인정했다. - 我承认错误。
1538. 너는 장점을 인정한다. - 你承认优点
1539. 그녀는 성과를 인정할 것이다. - 她会承认成绩
1540. 맞아요? - 是这样吗？

1541. 네, 인정해요. - 是的，我承认
1542. 존중하다 - to 尊重
1543. 나는 상대방의 의견을 존중했다. - 我尊重对方的意见。
1544. 너는 규칙을 존중한다. - 你会尊重规则。
1545. 우리는 문화를 존중할 것이다. - 我们会尊重文化
1546. 존중하는 거 맞죠? - 我们会尊重，对吗？
1547. 네, 맞아요. - 是的，我们是。
1548. 연락하다 - 联系
1549. 나는 친구에게 연락했다. - 我联系我的朋友。
1550. 너는 선생님에게 연락한다. - 你会联系你的老师
1551. 그들은 고객에게 연락할 것이다. - 他们会联系顾客
1552. 연락할까요? - 要我联系他们吗？
1553. 네, 해주세요. - 是的，请。
1554. 전달하다 - 转发
1555. 나는 메시지를 전달했다. - 我转发了消息
1556. 너는 소식을 전달한다. - 你去送消息
1557. 그녀는 선물을 전달할 것이다. - 她会把礼物送到的
1558. 전해드려야 하나요? - 要我送吗？
1559. 네, 부탁해요. - 好的
1560. 보고하다 - 报告
1561. 나는 결과를 보고했다. - 我报告结果。
1562. 너는 상황을 보고한다. - 你汇报情况。
1563. 당신들은 진행 상황을 보고할 것이다. - 你汇报进展。
1564. 알려줘야 해요? - 我应该让你知道吗？
1565. 네, 알려주세요. - 是的，请让我知道。
1566. 회답하다 - 回答
1567. 나는 질문에 회답했다. - 我回答了问题。
1568. 너는 요청에 회답한다. - 您将回复请求。
1569. 그는 초대에 회답할 것이다. - 他将回复邀请。
1570. 답할 수 있어요? - 你会回答吗？
1571. 네, 할게요. - 是的，我会。
1572. 반응하다 - 作出反应
1573. 나는 놀람으로 반응했다. - 我的反应是惊讶
1574. 너는 기쁨으로 반응한다. - 你的反应是喜悦

1575. 그녀는 감사함으로 반응할 것이다. - 她会以感激之情做出反应
1576. 기뻐해야 할까요? - 我应该欢喜吗？
1577. 네, 기뻐하세요. - 是的，欢喜。
1578. 대응하다 - 做出反应
1579. 나는 문제에 대응했다. - 我回应问题。
1580. 너는 도전에 대응한다. - 你应对挑战。
1581. 우리는 위기에 대응할 것이다. - 我们将应对危机。
1582. 준비됐나요? - 你准备好了吗？
1583. 네, 준비됐어요. - 是的，我准备好了。
1584. 17. 명사 단어들 외우기, 필수 10개 동사의 단어들을 가지고 50문장 연습하기 - 背诵名词性单词，用 10 个基本动词中的单词练习 50 个句子
1585. 아이 - 孩子
1586. 반려동물 - 宠物
1587. 정원 - 花园
1588. 짐 - 负荷
1589. 우산 - 雨伞
1590. 선물 - 礼物
1591. 여행 - 旅行
1592. 파티 - 聚会
1593. 프로젝트 - 项目
1594. 팀 - 团队
1595. 메뉴 - 菜单
1596. 위원회 - 委员会
1597. 모임 - 班级
1598. 대회 - 竞赛
1599. 이벤트 - 活动
1600. 계획 - 计划
1601. 명령 - 指挥部
1602. 작전 - 行动
1603. 약속 - 承诺
1604. 규칙 - 规则
1605. 수업 - 类别
1606. 회의 - 会议
1607. 활동 - 活动

1608. 캠페인 - 活动
1609. 박물관 - 博物馆
1610. 친구 집 - 朋友家
1611. 병원 - 医院
1612. 돌보다 - 照顾
1613. 나는 아이를 돌보았다. - 我照顾一个孩子。
1614. 너는 반려동물을 돌본다. - 你照顾宠物。
1615. 그들은 정원을 돌볼 것이다. - 他们会照顾花园。
1616. 잘 지내나요? - 他们做得怎么样？
1617. 네, 잘 지내요. - 是的，我做得很好。
1618. 챙기다 - 收拾行李
1619. 나는 짐을 챙겼다. - 我收拾行李
1620. 너는 우산을 챙긴다. - 你收拾雨伞
1621. 그녀는 선물을 챙길 것이다. - 她来收拾礼物
1622. 필요한 거 있어요? - 你还需要什么吗？
1623. 아니요, 다 챙겼어요. - 不用了，我都打包好了
1624. 계획하다 - 计划
1625. 나는 여행을 계획했다. - 我计划了这次旅行。
1626. 너는 파티를 계획한다. - 你计划一个派对。
1627. 우리는 프로젝트를 계획할 것이다. - 我们将计划一个项目。
1628. 언제 시작할까요? - 我们什么时候开始？
1629. 곧 시작해요. - 马上开始。
1630. 구성하다 - 组织
1631. 나는 팀을 구성했다. - 我组织团队。
1632. 너는 메뉴를 구성한다. - 你组织菜单。
1633. 그들은 위원회를 구성할 것이다. - 他们会组织委员会。
1634. 누가 포함되나요? - 包括哪些人？
1635. 모두 포함될 거예요. - 每个人都包括在内。
1636. 조직하다 - 组织
1637. 나는 모임을 조직했다. - 我组织一次会议。
1638. 너는 대회를 조직한다. - 你组织一次比赛。
1639. 우리는 이벤트를 조직할 것이다. - 我们将组织一次活动。
1640. 준비됐어요? - 你准备好了吗？
1641. 네, 준비됐습니다. - 是的，我准备好了。

1642. 실행하다 - 执行
1643. 나는 계획을 실행했다. - 我执行计划。
1644. 너는 명령을 실행한다. - 你执行命令。
1645. 그는 작전을 실행할 것이다. - 他将执行命令
1646. 진행할까요? - 可以开始了吗？
1647. 네, 시작해요. - 是的，开始吧
1648. 실천하다 - 付诸实践
1649. 나는 약속을 실천했다. - 我实践了我的承诺
1650. 너는 규칙을 실천한다. - 你也要遵守规则
1651. 그녀는 계획을 실천할 것이다. - 她会按计划行事
1652. 지키고 있나요? - 你信守承诺了吗？
1653. 네, 지키고 있어요. - 是的，我信守承诺。
1654. 참가하다 - 参加
1655. 나는 대회에 참가했다. - 我参加了比赛。
1656. 너는 수업에 참가한다. - 你参加课堂。
1657. 그들은 회의에 참가할 것이다. - 他们将参加会议。
1658. 가입할 수 있나요? - 我能参加吗？
1659. 네, 가능해요. - 可以。
1660. 참여하다 - 参加
1661. 나는 프로젝트에 참여했다. - 我参加一个项目。
1662. 너는 활동에 참여한다. - 您参加一项活动。
1663. 우리는 캠페인에 참여할 것이다. - 我们参加一项活动。
1664. 도울까요? - 您想帮忙吗？
1665. 네, 도와주세요. - 是的，请帮忙。
1666. 방문하다 - 参观
1667. 나는 박물관을 방문했다. - 我参观了博物馆。
1668. 너는 친구 집을 방문한다. - 您将参观您朋友的家。
1669. 그는 병원을 방문할 것이다. - 他会去医院。
1670. 언제 갈까요? - 我们什么时候去？
1671. 이번 주말에 가요. - 这个周末去。
1672. 18. 명사 단어들 외우기, 필수 10개 동사의 단어들을 가지고 50문장 연습하기 - 背诵名词性单词，用 10 个基本动词性单词练习 50 个句子
1673. 전시회 - 展览
1674. 영화 - 电影

1675. 공연 - show
1676. 도시 - 城市
1677. 명소 - 景点
1678. 섬 - 岛屿
1679. 유럽 - 欧洲
1680. 국내 여행 - 国内旅游
1681. 아시아 - 亚洲
1682. 숲 - 森林
1683. 동굴 - 洞穴
1684. 사막 - 沙漠
1685. 연구 결과 - 成果
1686. 프로젝트 - 项目
1687. 계획 - 计划
1688. 연극 - 剧院
1689. 무대 - 舞台
1690. 콘서트 - 音乐会
1691. TV 프로그램 - 电视节目
1692. 드라마 - 戏剧
1693. 피아노 - 钢琴
1694. 기타 - 等
1695. 바이올린 - 小提琴
1696. 친구 결혼식 - 朋友婚礼
1697. 샤워실 - 淋浴室
1698. 가라오케 - 卡拉 OK
1699. 파티 - 派对
1700. 클럽 - 俱乐部
1701. 축제 - 节日
1702. 관람하다 - 观看
1703. 나는 전시회를 관람했다. - 我去看展览
1704. 너는 영화를 관람한다. - 你会去看电影
1705. 그녀는 공연을 관람할 것이다. - 她会去听音乐会。
1706. 좋았나요? - 好看吗？
1707. 네, 멋졌어요. - 是的，很棒。
1708. 관광하다 - 观光

1709. 나는 도시를 관광했다. - 我去城里观光了。
1710. 너는 명소를 관광한다. - 你观光景点。
1711. 그들은 섬을 관광할 것이다. - 他们会观光这座岛。
1712. 재밌었나요? - 玩得开心吗？
1713. 네, 정말 재밌었어요. - 是的，很开心。
1714. 여행하다 - 去旅行
1715. 나는 유럽을 여행했다. - 我周游了欧洲。
1716. 너는 지금 국내 여행을 한다. - 您现在正在国内旅行。
1717. 그는 내일 아시아로 여행할 것이다. - 他明天将去亚洲旅行。
1718. 어디로 가고 싶어요? - 你想去哪里？
1719. 제주도로 가고 싶어요. - 我想去济州岛。
1720. 탐험하다 - 探索
1721. 나는 숲을 탐험했다. - 我探索森林。
1722. 너는 지금 동굴을 탐험한다. - 你现在探索山洞。
1723. 그들은 내일 사막을 탐험할 것이다. - 他们明天会探索沙漠
1724. 무엇을 찾고 있나요? - 你在找什么？
1725. 보물을 찾고 있어요. - 我在寻找宝藏。
1726. 발표하다 - 发表
1727. 나는 연구 결과를 발표했다. - 我展示我的研究成果。
1728. 너는 지금 프로젝트를 발표한다. - 你现在要展示你的项目。
1729. 그녀는 내일 계획을 발표할 것이다. - 她明天将展示她的计划。
1730. 언제 발표해요? - 她什么时候介绍？
1731. 오후 3시에 발표해요. - 我下午 3:00 介绍。
1732. 공연하다 - 表演
1733. 나는 연극을 공연했다. - 我表演了一出戏。
1734. 너는 지금 무대에서 공연한다. - 你现在正在舞台上表演。
1735. 우리는 내일 콘서트를 공연할 것이다. - 我们明天要开音乐会。
1736. 무슨 공연이에요? - 是什么样的音乐会？
1737. 뮤지컬 공연이에요. - 是音乐表演。
1738. 출연하다 - 出演
1739. 나는 TV 프로그램에 출연했다. - 我在电视节目中出现。
1740. 너는 지금 영화에 출연한다. - 你现在正在演一部电影。
1741. 그는 내일 드라마에 출연할 것이다. - 他明天将出演一部肥皂剧。
1742. 어디에 나와요? - 你在哪里出演？

1743. TV에서 나와요. - 我在电视上。
1744. 연주하다 - 弹琴
1745. 나는 피아노를 연주했다. - 我以前弹钢琴。
1746. 너는 지금 기타를 연주한다. - 你现在弹吉他。
1747. 그녀는 내일 바이올린을 연주할 것이다. - 她明天会拉小提琴
1748. 어떤 악기를 다루나요? - 你会什么乐器？
1749. 바이올린을 다루요. - 我会拉小提琴。
1750. 노래하다 - 唱歌
1751. 나는 친구 결혼식에서 노래했다. - 我在朋友的婚礼上唱歌。
1752. 너는 지금 샤워실에서 노래한다. - 你现在正在洗澡时唱歌。
1753. 우리는 내일 가라오케에서 노래할 것이다. - 我们明天去卡拉 OK 唱歌。
1754. 좋아하는 노래 있어요? - 你有最喜欢的歌吗？
1755. 네, 많아요. - 有，我有很多。
1756. 춤추다 - 跳舞
1757. 나는 파티에서 춤췄다. - 我在派对上跳舞。
1758. 너는 지금 클럽에서 춤춘다. - 你现在在俱乐部跳舞。
1759. 그들은 내일 축제에서 춤출 것이다. - 他们明天会在庆典上跳舞。
1760. 어떤 춤을 추나요? - 你跳什么舞？
1761. 힙합을 춰요. - 我跳嘻哈舞。
1762. 19. 명사 단어들 외우기, 필수 10개 동사의 단어들을 가지고 50문장 연습하기 - 背诵名词性单词，用 10 个基本动词的单词练习 50 个句子
1763. 풍경화 - 风景
1764. 초상화 - 肖像
1765. 벽화 - 壁画
1766. 바다 - 海洋
1767. 보고서 - 报告
1768. 이메일 - 电子邮件
1769. 계약서 - 合同
1770. 일기 - 日记
1771. 회의 내용 - 会议详情
1772. 실험 결과 - 实验结果
1773. 사진 - 图片
1774. 컴퓨터 - 电脑
1775. 문서 - 文档

1776. 데이터 - 数据
1777. 클라우드 - 云
1778. 중요 문서 - 重要文件
1779. 파일 - 文件
1780. 앱 - 应用程序
1781. 음악 - 音乐
1782. 소프트웨어 - 软件
1783. 소셜 미디어 - 社交媒体
1784. 비디오 - 视频
1785. 웹사이트 - 网站
1786. 프로그램 - 程序
1787. 게임 - 游戏
1788. 바이러스 - 病毒
1789. 악성 소프트웨어 - 恶意软件
1790. 오류 - 错误
1791. 그리다 - 绘制
1792. 나는 풍경화를 그렸다. - 我画了一幅风景画。
1793. 너는 지금 초상화를 그린다. - 你现在画一幅肖像画。
1794. 그녀는 내일 벽화를 그릴 것이다. - 她明天要画一幅壁画。
1795. 무엇을 그리고 싶어요? - 你想画什么？
1796. 바다를 그리고 싶어요. - 我想画大海。
1797. 작성하다 - 写
1798. 나는 보고서를 작성했다. - 我写了一份报告。
1799. 너는 지금 이메일을 작성한다. - 你现在写电子邮件。
1800. 그는 내일 계약서를 작성할 것이다. - 他明天会写合同。
1801. 언제 끝낼 수 있어요? - 你什么时候能完成？
1802. 한 시간 안에 끝낼 수 있어요. - 我一小时内能写完。
1803. 기록하다 - 记录
1804. 나는 일기를 기록했다. - 我记录我的日记。
1805. 너는 지금 회의 내용을 기록한다. - 你正在记录会议内容。
1806. 그들은 내일 실험 결과를 기록할 것이다. - 他们明天将记录实验结果。
1807. 기록 필요해요? - 你需要记录吗？
1808. 네, 필요해요. - 是的，我需要。
1809. 저장하다 - 保存

1810. 나는 사진을 컴퓨터에 저장했다. - 我把照片保存到了电脑里。
1811. 너는 지금 문서를 저장한다. - 你现在保存文档。
1812. 그녀는 내일 데이터를 클라우드에 저장할 것이다. - 她明天会把数据保存到云端。
1813. 어디에 저장할까요? - 她会保存在哪里？
1814. 클라우드에 저장해요. - 云端。
1815. 복사하다 - 复制
1816. 나는 중요 문서를 복사했다. - 我复制了一份重要文件。
1817. 너는 지금 사진을 복사한다. - 你现在复制照片。
1818. 그는 내일 파일을 복사할 것이다. - 他明天会复制文件。
1819. 몇 부 복사해야 하나요? - 我需要复印几份？
1820. 3부 복사해 주세요. - 请复制 3 份。
1821. 삭제하다 - 删除
1822. 나는 오래된 이메일을 삭제했다. - 我删除了一封旧邮件。
1823. 너는 지금 불필요한 파일을 삭제한다. - 你现在删除不必要的文件。
1824. 그녀는 내일 앱을 삭제할 것이다. - 她明天会删除应用程序。
1825. 지울까요? - 要删除吗？
1826. 네, 지워주세요. - 是的，请删除它。
1827. 다운로드하다 - 下载
1828. 나는 음악을 다운로드했다. - 我下载了音乐。
1829. 너는 지금 앱을 다운로드한다. - 你现在下载应用程序。
1830. 우리는 내일 소프트웨어를 다운로드할 것이다. - 我们明天再下载软件。
1831. 어떤 앱을 받을까요? - 我应该下载哪个应用程序？
1832. 최신 버전 받아요. - 我想要最新版本。
1833. 업로드하다 - 上传
1834. 나는 사진을 소셜 미디어에 업로드했다. - 我上传了一张照片到社交媒体。
1835. 너는 지금 비디오를 업로드한다. - 您正在上传视频。
1836. 그는 내일 문서를 웹사이트에 업로드할 것이다. - 他明天会把文件上传到网站上。
1837. 지금 올릴까요? - 你想现在上传吗？
1838. 네, 올려주세요. - 是的，请上传。
1839. 설치하다 - 安装
1840. 나는 프로그램을 설치했다. - 我安装了程序。
1841. 너는 지금 게임을 설치한다. - 你现在就安装游戏。

1842. 그녀는 내일 앱을 설치할 것이다. - 她明天会安装程序。
1843. 설치 도와드릴까요? - 我能帮你安装吗？
1844. 네, 부탁드려요. - 好的，谢谢。
1845. 제거하다 - 删除
1846. 나는 바이러스를 제거했다. - 我删除了病毒。
1847. 너는 지금 악성 소프트웨어를 제거한다. - 你现在就删除恶意软件。
1848. 그들은 내일 오류를 제거할 것이다. - 他们明天就会清除错误。
1849. 제거 시작할까요? - 要开始删除吗？
1850. 네, 시작해주세요. - 是的，请开始。
1851. 20. 명사 단어들 외우기, 필수 10개 동사의 단어들을 가지고 50문장 연습하기 - 背诵名词性单词，用 10 个基本动词的单词练习 50 个句子
1852. 시스템 - 系统
1853. 소프트웨어 - 软件
1854. 앱 - 应用程序
1855. 휴대폰 - 手机
1856. 노트북 - 笔记本电脑
1857. 전기차 - 电动汽车
1858. 배터리 - 电池
1859. 기기 - 设备
1860. 시계 - 时钟
1861. 타이어 - 轮胎
1862. 필터 - 滤清器
1863. 창문 - 窗口
1864. 문서 - 文件
1865. 오류 - 错误
1866. 계획 - 计划
1867. 보고서 - 报告
1868. 아이디어 - 想法
1869. 작업 환경 - 工作环境
1870. 프로세스 - 过程
1871. 제품 - 产品
1872. 데이터 - 数据
1873. 파일 - 文件
1874. 건강 - 健康

1875. 체력 - 健康
1876. 신뢰 - 信任
1877. 상처 - 伤口
1878. 마음 - 心灵
1879. 관계 - 关系
1880. 업데이트하다 - 更新
1881. 나는 시스템을 업데이트했다. - 我更新了系统。
1882. 너는 지금 소프트웨어를 업데이트한다. - 你现在就更新软件。
1883. 그는 내일 앱을 업데이트할 것이다. - 他明天会更新应用程序。
1884. 지금 업데이트해야 하나요? - 我应该现在更新吗？
1885. 네, 해야 해요. - 是的，你应该
1886. 충전하다 - 要充电
1887. 나는 휴대폰을 충전했다. - 我给手机充电了。
1888. 너는 노트북을 충전한다. - 你给笔记本电脑充电。
1889. 그는 전기차를 충전할 것이다. - 他要给他的电动车充电。
1890. 충전할까? - 要充电吗？
1891. 네, 해. - 是的，开始吧
1892. 방전하다 - 放电
1893. 나는 배터리가 방전됐다. - 我的电池没电了。
1894. 너는 기기가 방전된다. - 你要给你的设备放电。
1895. 그녀는 시계가 방전될 것이다. - 她要给手表放电
1896. 방전됐어? - 放电了吗？
1897. 네, 됐어. - 是的，没电了
1898. 교체하다 - 要更换
1899. 나는 타이어를 교체했다. - 我换了轮胎
1900. 너는 필터를 교체한다. - 你换过滤器
1901. 그들은 창문을 교체할 것이다. - 他们要换窗户
1902. 교체할까? - 要换吗？
1903. 네, 교체해. - 对，换掉
1904. 수정하다 - 改正
1905. 나는 문서를 수정했다. - 我更正了文件。
1906. 너는 오류를 수정한다. - 你改正错误
1907. 그녀는 계획을 수정할 것이다. - 她会修改计划的
1908. 수정할까? - 要我改正吗？

1909. 네, 수정해. - 是的，改正它
1910. 보완하다 - 补充
1911. 나는 보고서를 보완했다. - 我补充了报告。
1912. 너는 아이디어를 보완한다. - 你补充了想法。
1913. 그는 시스템을 보완할 것이다. - 他要补充制度。
1914. 보완할까? - 要补充吗？
1915. 네, 보완해. - 是的，补充
1916. 개선하다 - 改善
1917. 나는 작업 환경을 개선했다. - 我改善了工作环境。
1918. 너는 프로세스를 개선한다. - 你将改进流程。
1919. 그녀는 제품을 개선할 것이다. - 她将改进产品。
1920. 개선할까? - 我们要改进吗？
1921. 네, 개선해. - 是的，改进它。
1922. 복구하다 - 恢复
1923. 나는 데이터를 복구했다. - 我恢复了数据。
1924. 너는 시스템을 복구한다. - 你恢复系统。
1925. 그들은 파일을 복구할 것이다. - 他们会恢复文件
1926. 복구할까? - 要恢复吗？
1927. 네, 복구해. - 是的，恢复
1928. 회복하다 - 来恢复
1929. 나는 건강을 회복했다. - 我恢复了健康
1930. 너는 체력을 회복한다. - 你恢复了体力。
1931. 그는 신뢰를 회복할 것이다. - 他会恢复信任的
1932. 회복할까? - 我们要恢复吗？
1933. 네, 회복해. - 是的，恢复
1934. 치유하다 - 治愈
1935. 나는 상처를 치유했다. - 我治愈了伤口
1936. 너는 마음을 치유한다. - 你治愈了心灵
1937. 그녀는 관계를 치유할 것이다. - 她会治愈我们的关系
1938. 치유할까? - 我们能治愈吗？
1939. 네, 치유해. - 是的，治愈。
1940. 21. 명사 단어들 외우기, 필수 10개 동사의 단어들을 가지고 50문장 연습하기 - 21. 背诵名词，用 10 个基本动词词练习 50 个句子
1941. 운동 - 练习

1942. 프로그램 - 计划
1943. 치료 - 治疗
1944. 재료 - 成分
1945. 색깔 - 颜色
1946. 소스 - 酱汁
1947. 빵 - 面包
1948. 고기 - 肉类
1949. 케이크 - 蛋糕
1950. 야채 - 蔬菜
1951. 면 - 面条
1952. 쌀 - 米饭
1953. 계란 - 鸡蛋
1954. 감자 - 土豆
1955. 브로콜리 - 椰菜
1956. 떡 - 年糕
1957. 생선 - 鱼
1958. 만두 - 饺子
1959. 유리 - 玻璃杯
1960. 기록 - 记录
1961. 치킨 - 鸡
1962. 수프 - 汤
1963. 물 - 水
1964. 밥 - 米饭
1965. 차 - 汽车
1966. 국 - 汤
1967. 음료 - 饮料
1968. 재활하다 - 康复
1969. 나는 운동으로 재활했다. - 我通过锻炼康复
1970. 너는 프로그램으로 재활한다. - 你通过一项计划康复。
1971. 그는 치료로 재활할 것이다. - 他将通过治疗康复。
1972. 재활할까? - 我们要康复吗？
1973. 네, 재활해. - 是的，康复
1974. 섞다 - 要混合
1975. 나는 재료를 섞었다. - 我混合了配料

1976. 너는 색깔을 섞는다. - 你来调色
1977. 그녀는 소스를 섞을 것이다. - 她来调酱汁
1978. 섞을까? - 要混合吗？
1979. 네, 섞어. - 是的，混合
1980. 굽다 - 烤
1981. 나는 빵을 굽었다. - 我烤面包
1982. 너는 고기를 굽는다. - 你烤肉
1983. 그들은 케이크를 굽을 것이다. - 他们会烤蛋糕
1984. 굽을까? - 要烤吗？
1985. 네, 굽자. - 是的，我们烤吧
1986. 볶다 - 炒菜
1987. 나는 야채를 볶았다. - 我炒菜
1988. 너는 면을 볶는다. - 你来炒面
1989. 그는 쌀을 볶을 것이다. - 他会炒饭
1990. 볶을까? - 要炒吗？
1991. 네, 볶아. - 是的，炒
1992. 삶다 - 要煮
1993. 나는 계란을 삶았다. - 我煮鸡蛋
1994. 너는 감자를 삶는다. - 你来煮土豆
1995. 그녀는 브로콜리를 삶을 것이다. - 她来煮西兰花
1996. 삶을까? - 要煮吗？
1997. 네, 삶아. - 是的，煮
1998. 찌다 - 蒸
1999. 나는 떡을 찐다. - 我来蒸年糕
2000. 너는 생선을 찐다. - 你来蒸鱼
2001. 그들은 만두를 찔 것이다. - 他们会把饺子蒸熟。
2002. 찔까? - 蒸？
2003. 네, 찌자. - 对，我们来蒸
2004. 깨다 - 打碎
2005. 나는 유리를 깼다. - 我打碎了玻璃杯
2006. 너는 계란을 깬다. - 你打碎一个鸡蛋
2007. 그녀는 기록을 깰 것이다. - 她会打破纪录的
2008. 깰까? - 我们打破好吗？
2009. 네, 깨. - 是的，打破

2010. 튀기다 - 煎
2011. 나는 감자를 튀겼다. - 我煎了土豆
2012. 너는 치킨을 튀긴다. - 你来煎鸡肉
2013. 그는 생선을 튀길 것이다. - 他会煎鱼
2014. 튀길까? - 要煎吗？
2015. 네, 튀겨. - 是的，煎
2016. 데우다 - 加热
2017. 나는 수프를 데웠다. - 我把汤加热了
2018. 너는 물을 데운다. - 你把水加热
2019. 그녀는 밥을 데울 것이다. - 她来热饭
2020. 데울까? - 要我加热吗？
2021. 네, 데워. - 是的，加热
2022. 식히다 - 要冷却
2023. 나는 차를 식혔다. - 我把茶放凉了
2024. 너는 국을 식힌다. - 你来凉汤
2025. 그들은 음료를 식힐 것이다. - 他们会冷却饮料
2026. 식힐까? - 要冷却吗？
2027. 네, 식혀줘. - 是的，请凉一下。
2028. 22. 명사 단어들 외우기, 필수 10개 동사의 단어들을 가지고 50문장 연습하기 - 背诵名词，用 10 个基本动词词练习 50 个句子
2029. 물 - 水
2030. 주스 - 果汁
2031. 아이스크림 - 冰淇淋
2032. 얼음 - 冰
2033. 초콜릿 - 巧克力
2034. 버터 - 黄油
2035. 밀가루 - 面粉
2036. 반죽 - 面团
2037. 소스 - 酱汁
2038. 떡 - 年糕
2039. 만두 - 饺子
2040. 쿠키 - 饼干
2041. 벽 - 墙
2042. 그림 - 画

2043. 문 - 门
2044. 집 - 房子
2045. 건물 - 建筑
2046. 사과 - 道歉
2047. 옷 - 衣服
2048. 선물 - 礼物
2049. 잡초 - 杂草
2050. 번호 - 数量
2051. 당첨자 - 获奖者
2052. 책 - 书籍
2053. USB - USB
2054. 카드 - 卡
2055. 설탕 - 糖
2056. 소금 - 盐
2057. 향신료 - 香料
2058. 얼리다 - 冷冻
2059. 나는 물을 얼렸다. - 我冷冻的是水。
2060. 너는 주스를 얼린다. - 你冷冻果汁
2061. 그는 아이스크림을 얼릴 것이다. - 他会冷冻冰淇淋。
2062. 얼릴까? - 要我冷冻吗？
2063. 네, 얼려. - 是的 冻结它
2064. 녹이다 - 融化
2065. 나는 얼음을 녹였다. - 我把冰融化了
2066. 너는 초콜릿을 녹인다. - 你融化巧克力
2067. 그녀는 버터를 녹일 것이다. - 她会融化黄油
2068. 녹일까? - 我们要融化它吗？
2069. 네, 녹여. - 是的，融化它
2070. 저미다 - 搅拌
2071. 나는 밀가루를 저었다. - 我搅拌面粉
2072. 너는 반죽을 저민다. - 你来搅拌面团
2073. 그는 소스를 저을 것이다. - 他要搅拌酱汁
2074. 저을까? - 要搅拌吗？
2075. 네, 저어. - 是的，搅拌
2076. 빚다 - 做

2077. 나는 떡을 빚었다. - 我做了年糕
2078. 너는 만두를 빚는다. - 你来包饺子
2079. 그녀는 쿠키를 빚을 것이다. - 她会烤饼干
2080. 빚을까? - 要烤吗？
2081. 네, 빚어. - 好，烤
2082. 칠하다 - 粉刷
2083. 나는 벽을 칠했다. - 我在墙上画画
2084. 너는 그림을 칠한다. - 你来画
2085. 그들은 문을 칠할 것이다. - 他们会刷门
2086. 칠할까? - 我们要刷漆吗？
2087. 네, 칠해. - 是的，刷
2088. 철거하다 - 拆除
2089. 나는 오래된 집을 철거했다. - 我把老房子拆了
2090. 너는 벽을 철거한다. - 你来拆墙
2091. 그는 건물을 철거할 것이다. - 他要拆楼
2092. 철거할까? - 要拆吗？
2093. 네, 철거해. - 对，拆
2094. 고르다 - 摘
2095. 나는 사과를 골랐다. - 我摘了一个苹果
2096. 너는 옷을 고른다. - 你来挑衣服
2097. 그녀는 선물을 고를 것이다. - 她会选一件礼物
2098. 고를까? - 我们选吧？
2099. 네, 골라. - 是的，挑
2100. 뽑다 - 摘
2101. 나는 잡초를 뽑았다. - 我拔掉了杂草
2102. 너는 번호를 뽑는다. - 你来抽签
2103. 그들은 당첨자를 뽑을 것이다. - 他们会抽出优胜者
2104. 뽑을까? - 要抽签吗？
2105. 네, 뽑아. - 是的，拔
2106. 빼다 - 减去
2107. 나는 책을 뺐다. - 我减去书
2108. 너는 USB를 뺀다. - 你减去 USB。
2109. 그는 카드를 뺄 것이다. - 他会减去卡片
2110. 뺄까? - 要我做减法吗？

2111. 네, 빼. - 是的，做减法
2112. 추가하다 - 加
2113. 나는 설탕을 추가했다. - 我加糖
2114. 너는 소금을 추가한다. - 你加盐。
2115. 그녀는 향신료를 추가할 것이다. - 她要加香料
2116. 추가할까? - 要我加吗？
2117. 네, 추가해줘. - 是的，请加。
2118. 23. 명사 단어들 외우기, 필수 10개 동사의 단어들을 가지고 50문장 연습하기 - 23. 背诵名词性单词，用 10 个基本动词性单词练习 50 个句子
2119. 램프 - 灯
2120. 플래시 - 闪
2121. 빛 - 灯
2122. 목록 - 列表
2123. 옵션 - 选择
2124. 장점 - 优点
2125. 가지 - 鸡蛋工厂
2126. 장단점 - 利弊
2127. 결과 - 结果
2128. 자료 - 数据
2129. 파일 - 文件
2130. 개 - 狗
2131. 요소 - 元素
2132. 아이디어 - 想法
2133. 기계 - 机器
2134. 문제 - 问题
2135. 시스템 - 系统
2136. 의자 - 椅子
2137. 화면 - 屏幕
2138. 테이블 - 桌子
2139. 옷 - 衣服
2140. 종이 - 纸张
2141. 지도 - 地图
2142. 매트 - 垫子
2143. 책 - 书

2144. 포스터 - 海报
2145. 숨다 - 藏起来
2146. 나는 숨었다. - 我隐藏。
2147. 너는 숨는다. - 你藏起来。
2148. 그들은 숨을 것이다. - 他们会藏起来。
2149. 숨을까? - 我们要躲起来吗？
2150. 네, 숨어. - 是的，藏起来
2151. 비추다 - 照亮
2152. 나는 램프를 비췄다. - 我照亮了灯
2153. 너는 플래시를 비춘다. - 你照亮闪光
2154. 그는 빛을 비출 것이다. - 他会发光
2155. 비출까? - 要我发光吗？
2156. 네, 비춰. - 是的，照亮。
2157. 나열하다 - 列出清单
2158. 나는 목록을 나열했다. - 我列出清单。
2159. 너는 옵션을 나열한다. - 你列出选项。
2160. 그녀는 장점을 나열할 것이다. - 她会列出优势。
2161. 나열할까? - 我们要列出清单吗？
2162. 네, 나열해. - 是的，列出清单。
2163. 대조하다 - 对比
2164. 나는 두 가지를 대조했다. - 我对比了两件事
2165. 너는 장단점을 대조한다. - 你对比利弊。
2166. 그는 결과를 대조할 것이다. - 他会对比结果。
2167. 색깔 다른가? - 颜色不同吗？
2168. 예, 다르다. - 是的，它们是不同的。
2169. 정렬하다 - 分类
2170. 너는 자료를 정렬했다. - 你对材料进行分类。
2171. 그는 목록을 정렬한다. - 他会对清单进行分类。
2172. 그녀는 파일을 정렬할 것이다. - 她会把文件分类。
2173. 순서 맞나요? - 有顺序吗？
2174. 네, 맞아요. - 是的
2175. 결합하다 - 合并
2176. 그는 두 개를 결합했다. - 他会把两样东西组合起来。
2177. 그녀는 요소를 결합한다. - 她会把元素组合起来。

2178. 우리는 아이디어를 결합할 것이다. - 我们要把想法结合起来。
2179. 같이 할까요? - 我们一起做吧？
2180. 좋아요. - 我可以
2181. 분해하다 - 拆卸
2182. 그녀는 기계를 분해했다. - 她把机器拆开。
2183. 우리는 문제를 분해한다. - 我们要拆解这个问题。
2184. 당신들은 시스템을 분해할 것이다. - 你要拆开系统
2185. 어렵나요? - 很难吗？
2186. 아니요. - 不难
2187. 회전하다 - 旋转
2188. 우리는 의자를 회전했다. - 我们转动椅子。
2189. 당신들은 화면을 회전한다. - 你们会旋转屏幕
2190. 그들은 테이블을 회전할 것이다. - 他们会旋转桌子。
2191. 돌릴까요? - 我们要旋转吗？
2192. 그래요. - 是的，我们要。
2193. 접다 - 折叠
2194. 당신들은 옷을 접었다. - 你们折衣服。
2195. 그들은 종이를 접는다. - 他们折纸
2196. 나는 지도를 접을 것이다. - 我要折地图
2197. 이걸 접어요? - 你在折吗？
2198. 네, 접어요. - 是的，我在折。
2199. 펼치다 - 展开
2200. 그들은 매트를 펼쳤다. - 他们展开垫子。
2201. 나는 책을 펼친다. - 我展开一本书。
2202. 너는 포스터를 펼칠 것이다. - 你会展开一张海报。
2203. 여기에 놓을까요? - 要放在这里吗？
2204. 네, 놓아줘 - 是的，放在那儿。
2205. 24. 명사 단어들 외우기, 필수 10개 동사의 단어들을 가지고 50문장 연습하기 - 背诵名词，用 10 个基本动词词练习 50 个句子
2206. 깃발 - 旗子
2207. 스카프 - 围巾
2208. 카펫 - 地毯
2209. 신발끈 - 鞋带
2210. 선물 - 礼物

2211. 머리 - 头
2212. 문제 - 问题
2213. 노트 - 纸条
2214. 수수께끼 - 谜语
2215. 상자 - 盒子
2216. 책 - 书
2217. 블록 - 木块
2218. 물 - 水
2219. 쌀 - 米
2220. 콩 - 豆
2221. 병 - 聚会
2222. 가방 - 袋
2223. 그릇 - 碗
2224. 통 - 容器
2225. 바구니 - 篮子
2226. 컵 - 杯
2227. 씨앗 - 种子
2228. 페인트 - 涂料
2229. 장애물 - 障碍物
2230. 줄넘기 - 跳绳
2231. 울타리 - 围栏
2232. 말다 - 滚动
2233. 나는 깃발을 말았다. - 我卷起一面旗子
2234. 너는 스카프를 말다. - 你卷围巾
2235. 그는 카펫을 말 것이다. - 他会卷地毯。
2236. 도와줄까요? - 要我帮你吗？
2237. 네, 부탁해요. - 是的，请
2238. 묶다 - 系
2239. 너는 신발끈을 묶었다. - 你系鞋带。
2240. 그는 선물을 묶는다. - 他会系礼物。
2241. 그녀는 머리를 묶을 것이다. - 她会绑好头发
2242. 더 조여요? - 系紧点？
2243. 예, 조여요. - 是的，系紧
2244. 풀다 - 解决

2245. 그는 문제를 풀었다. - 他解决了问题。
2246. 그녀는 노트를 푼다. - 她将解决她的笔记。
2247. 우리는 수수께끼를 풀 것이다. - 我们将解开谜语。
2248. 어떻게 해요? - 我们怎么做？
2249. 생각해봐요. - 想一想
2250. 쌓다 - 堆叠
2251. 그녀는 상자를 쌓았다. - 她把箱子叠起来。
2252. 우리는 책을 쌓는다. - 我们叠书。
2253. 당신들은 블록을 쌓을 것이다. - 你们要堆叠积木。
2254. 높게 쌓을까요? - 我们要把它们堆高吗？
2255. 조심해요. - 小心点
2256. 쏟다 - 倒水
2257. 우리는 물을 쏟았다. - 我们洒水。
2258. 당신들은 쌀을 쏟는다. - 你们洒米。
2259. 그들은 콩을 쏟을 것이다. - 他们会打翻豆子。
2260. 다 쏟았어요? - 都洒出来了吗？
2261. 다 쏟았어요. - 我全洒了。
2262. 채우다 - 装满
2263. 당신들은 병을 채웠다. - 你把瓶子装满。
2264. 그들은 가방을 채운다. - 他们装满袋子。
2265. 나는 그릇을 채울 것이다. - 我会装满碗。
2266. 가득할까요? - 会满吗？
2267. 가득해요. - 会满的
2268. 비우다 - 倒空
2269. 그들은 통을 비웠다. - 他们倒空了桶。
2270. 나는 바구니를 비운다. - 我会倒空篮子。
2271. 너는 컵을 비울 것이다. - 你来倒空杯子
2272. 이것도 비울까요? - 我们把这个也倒空好吗？
2273. 네, 비워요. - 是的，倒空它。
2274. 뿌리다 - 播种
2275. 나는 씨앗을 뿌렸다. - 我播种
2276. 너는 물을 뿌린다. - 你洒水
2277. 그는 페인트를 뿌릴 것이다. - 他会洒颜料
2278. 여기에요? - 这里？

2279. 여기에요. - 这里
2280. 건너뛰다 - 跳过
2281. 너는 장애물을 건너뛰었다. - 你跳过障碍。
2282. 그는 줄넘기를 한다. - 他会跳绳。
2283. 그녀는 울타리를 건너뛸 것이다. - 她会跳过栅栏。
2284. 저기로 갈까요? - 我们去那边好吗？
2285. 저기로 가요. - 我们去那边
2286. 기울이다 - 倾斜
2287. 나는 병을 기울였다. - 我倾斜瓶子。
2288. 너는 컵을 기울인다. - 你倾斜杯子。
2289. 그는 그릇을 기울일 것이다. - 他会倾斜碗。
2290. 컵을 기울여? - 倾斜杯子？
2291. 예, 기울여줘. - 是的，倾斜。
2292. 25. 명사 단어들 외우기, 필수 10개 동사의 단어들을 가지고 50문장 연습하기 - 25. 记住名词性单词，用 10 个基本动词性单词练习 50 个句子
2293. 버튼 - 按钮
2294. 스위치 - 开关
2295. 페달 - 踏板
2296. 스티커 - 贴纸
2297. 라벨 - 标签
2298. 포스터 - 海报
2299. 사진 - 图片
2300. 메모 - 备忘录
2301. 공지 - 通知
2302. 선 - 一行
2303. 원 - 一个
2304. 사각형 - 方形
2305. 글자 - 信
2306. 오류 - 错误
2307. 데이터 - 数据
2308. 이름 - 姓名
2309. 주소 - 地址
2310. 번호 - 编号
2311. 비용 - 费用

2312. 합계 - 总和
2313. 예산 - 预算
2314. 별 - 明星
2315. 사과 - 致歉
2316. 페이지 - 页码
2317. 결과 - 结果
2318. 날씨 - 天气
2319. 승자 - 胜利者
2320. 프로젝트 - 项目
2321. 누르다 - 按下
2322. 나는 버튼을 눌렀다. - 我按下按钮
2323. 너는 스위치를 누른다. - 你按下开关
2324. 그녀는 페달을 누를 것이다. - 她将按下踏板。
2325. 스위치 누를까? - 要我按开关吗？
2326. 네, 눌러. - 是的，按
2327. 떼다 - 去掉
2328. 나는 스티커를 뗐다. - 我把贴纸撕掉了。
2329. 너는 라벨을 뗀다. - 你把标签撕下来
2330. 우리는 포스터를 뗄 것이다. - 我们把海报取下来
2331. 라벨 떼어도 돼? - 我能撕掉标签吗？
2332. 그래, 떼. - 可以，剥。
2333. 붙이다 - 粘贴
2334. 나는 사진을 붙였다. - 我把图片粘起来了。
2335. 너는 메모를 붙인다. - 你贴纸条。
2336. 당신들은 공지를 붙일 것이다. - 你要给通知贴标签。
2337. 메모 붙일까? - 要我贴纸条吗？
2338. 예, 붙여. - 是的，粘贴。
2339. 긋다 - 画线
2340. 나는 선을 그었다. - 我画了一条线。
2341. 너는 원을 그린다. - 你们画一个圆。
2342. 그들은 사각형을 그을 것이다. - 他们会画一个正方形。
2343. 선 긋기 좋아? - 你喜欢画线吗？
2344. 네, 좋아. - 是的，很好
2345. 지우다 - 擦掉

2346. 나는 글자를 지웠다. - 我擦掉了字母
2347. 너는 오류를 지운다. - 你擦掉错误
2348. 그는 데이터를 지울 것이다. - 他会擦除数据
2349. 오류 지울까? - 要我擦除错误吗？
2350. 그래, 지워. - 是的，擦除。
2351. 적다 - 写下
2352. 나는 이름을 적었다. - 我写下名字
2353. 너는 주소를 적는다. - 你写下地址。
2354. 그녀는 번호를 적을 것이다. - 她会写下号码
2355. 주소 적어 줄래? - 你能写下地址吗？
2356. 좋아, 적어. - 好，写下来
2357. 계산하다 - 来计算
2358. 나는 비용을 계산했다. - 我计算了费用。
2359. 너는 합계를 계산한다. - 你计算总数。
2360. 우리는 예산을 계산할 것이다. - 我们来计算预算。
2361. 합계 계산할까? - 我们来计算总数？
2362. 네, 계산해. - 是的，我们来计算。
2363. 세다 - 计算
2364. 나는 별을 셌다. - 我数星星
2365. 너는 사과를 센다. - 你数苹果。
2366. 당신들은 페이지를 셀 것이다. - 你数书页。
2367. 사과 몇 개야? - 有多少个苹果？
2368. 지금 세. - 现在数。
2369. 추측하다 - 猜测
2370. 나는 결과를 추측했다. - 我猜结果。
2371. 너는 날씨를 추측한다. - 你猜天气。
2372. 그들은 승자를 추측할 것이다. - 他们来猜胜负。
2373. 날씨 어때? - 天气怎么样？
2374. 비 올까 봐. - 我觉得会下雨。
2375. 가정하다 - 假设
2376. 나는 그가 올 것이라고 가정했다. - 我假设他会来。
2377. 너는 그녀가 승리할 것이라고 가정한다. - 你假设她会赢。
2378. 우리는 프로젝트가 성공할 것이라고 가정할 것이다. - 我们假设项目会成功。

2379. 그녀가 승리할까? - 她会赢吗？
2380. 아마 그럴것이다. - 她可能会。
2381. 26. 명사 단어들 외우기, 필수 10개 동사의 단어들을 가지고 50문장 연습하기 - 26. 背诵名词，用规定的 10 个动词词练习 50 个句子
2382. 상황 - 情况
2383. 의도 - 意图
2384. 결과 - 结果
2385. 계획 - 计划
2386. 날짜 - 日期
2387. 장소 - 地点
2388. 요청 - 要求
2389. 제안 - 建议书
2390. 계약 - 合同
2391. 의견 - 意见
2392. 변경사항 - 变更
2393. 조언 - 建议
2394. 문제 - 问题
2395. 프로젝트 - 项目
2396. 해결책 - 解决方案
2397. 주제 - 主题
2398. 모드 - 模式
2399. 파일 - 文件
2400. 형식 - 形式
2401. 데이터 - 数据
2402. 이슈 - 问题
2403. 포인트 - 点
2404. 질문 - 问题
2405. 호출 - 调用
2406. 온도 - 温度
2407. 볼륨 - 音量
2408. 속도 - 速度
2409. 판단하다 - 判断
2410. 나는 상황을 판단했다. - 我判断形势。
2411. 너는 그의 의도를 판단한다. - 你判断他的意图。

2412. 그녀는 결과를 판단할 것이다. - 她会判断结果。
2413. 옳은 거야? - 对不对？
2414. 판단해 봐. - 法官大人
2415. 확정하다 - 确定
2416. 나는 계획을 확정했다. - 我敲定了计划。
2417. 너는 날짜를 확정한다. - 你会确定日期
2418. 그들은 장소를 확정할 것이다. - 他们会确认场地
2419. 날짜 확정됐어? - 日期敲定了吗？
2420. 예, 됐어. - 是的，我们确定了
2421. 승인하다 - 批准
2422. 나는 요청을 승인했다. - 我批准申请
2423. 너는 제안을 승인한다. - 您批准提议
2424. 우리는 계약을 승인할 것이다. - 我们批准合同
2425. 제안 승인할까? - 要批准提案吗
2426. 네, 승인해. - 是的，批准
2427. 반영하다 - 以反映
2428. 나는 의견을 반영했다. - 我反映了意见
2429. 너는 변경사항을 반영한다. - 你将反映修改意见。
2430. 그는 조언을 반영할 것이다. - 他会考虑意见的。
2431. 의견 반영됐어? - 你反映了吗？
2432. 예, 반영됐어. - 是的，反映了。
2433. 접근하다 - to 接近
2434. 나는 문제에 접근했다. - 我着手解决问题。
2435. 너는 프로젝트에 접근한다. - 你接近项目。
2436. 그녀는 해결책에 접근할 것이다. - 她将接近解决方案。
2437. 해결책 찾았어? - 你找到解决方案了吗？
2438. 찾는 중이야. - 我正在找。
2439. 전환하다 - 转换
2440. 나는 주제를 전환했다. - 我切换了话题。
2441. 너는 모드를 전환한다. - 你切换模式。
2442. 우리는 계획을 전환할 것이다. - 我们将切换计划。
2443. 모드 바꿀까? - 我们要切换模式吗？
2444. 네, 바꿔. - 是的，转换
2445. 변환하다 - 转换

2446. 나는 파일을 변환했다. - 我转换了文件。
2447. 너는 형식을 변환한다. - 你转换格式
2448. 그들은 데이터를 변환할 것이다. - 他们会转换数据
2449. 형식 맞춰줄래? - 你能格式化吗？
2450. 좋아, 맞출게. - 好的，我来格式化
2451. 조명하다 - 以照亮
2452. 나는 이슈를 조명했다. - 我点明了问题
2453. 너는 포인트를 조명한다. - 你点明了一个观点。
2454. 그녀는 주제를 조명할 것이다. - 她将点明主题。
2455. 주제 뭘까? - 什么话题？
2456. 곧 알려줄게. - 我马上告诉你。
2457. 응답하다 - 回应
2458. 나는 질문에 응답했다. - 我回应了问题。
2459. 너는 요청에 응답한다. - 你回应请求。
2460. 우리는 호출에 응답할 것이다. - 我们将回应电话。
2461. 답변 줄 수 있어? - 你能给我答复吗？
2462. 네, 할 수 있어. - 可以
2463. 조절하다 - 来调节
2464. 나는 온도를 조절했다. - 我调节了温度。
2465. 너는 볼륨을 조절한다. - 你调节音量
2466. 그들은 속도를 조절할 것이다. - 他们会调节速度
2467. 볼륨 낮출까? - 要我把音量调小吗？
2468. 네, 낮춰 줘. - 是的，请调低。
2469. 27. 명사 단어들 외우기, 필수 10개 동사의 단어들을 가지고 50문장 연습하기 - 背诵名词性单词，用 10 个基本动词性单词练习 50 个句子
2470. 시스템 - 系统
2471. 드론 - 无人机
2472. 로봇 - 机器人
2473. 프로젝트 - 项目
2474. 팀 - 团队
2475. 회사 - 公司
2476. 가게 - 商店
2477. 사이트 - 网站
2478. 카페 - 咖啡馆

2479. 주문 - 订购
2480. 신청 - 应用
2481. 문제 - 问题
2482. 기술 - 技术
2483. 능력 - 能力
2484. 경험 - 经验
2485. 지식 - 知识
2486. 사업 - 业务
2487. 영역 - 领域
2488. 시장 - 市场
2489. 비용 - 费用
2490. 규모 - 规模
2491. 지출 - 支出
2492. 매출 - 销售额
2493. 노력 - 努力
2494. 효율 - 效率
2495. 제어하다 - 控制
2496. 나는 시스템을 제어했다. - 我控制了系统。
2497. 너는 드론을 제어한다. - 你控制无人机。
2498. 우리는 로봇을 제어할 것이다. - 我们来控制机器人。
2499. 드론 조종해 봤어? - 你开过无人机吗
2500. 아니, 안 해봤어. - 没有
2501. 관리하다 - 至 管理
2502. 나는 프로젝트를 관리했다. - 我管理项目
2503. 너는 팀을 관리한다. - 你管理团队
2504. 그는 회사를 관리할 것이다. - 他要管理公司
2505. 팀 잘 돼가? - 团队怎么样？
2506. 네, 잘 돼. - 是的，进展顺利
2507. 운영하다 - 经营
2508. 나는 가게를 운영했다. - 我管理商店
2509. 너는 사이트를 운영한다. - 你负责工地
2510. 그녀는 카페를 운영할 것이다. - 她负责咖啡馆
2511. 사이트 잘 운영돼? - 网站经营得好吗？
2512. 예, 잘 돼. - 是的，进展顺利

2513. 처리하다 - 来处理
2514. 나는 주문을 처리했다. - 我处理了订单
2515. 너는 신청을 처리한다. - 你来处理申请
2516. 우리는 문제를 처리할 것이다. - 我们会处理好的
2517. 신청 처리됐어? - 你处理申请了吗？
2518. 네, 처리됐어. - 是的，已经处理了
2519. 처리하다 - 来处理
2520. 나는 주문을 처리했다. - 我处理了订单
2521. 너는 신청을 처리한다. - 你来处理申请
2522. 그는 문제를 처리할 것이다. - 他会处理好问题的
2523. 신청 처리됐어? - 你处理申请了吗？
2524. 됐어. - 处理好了
2525. 발전하다 - 进步
2526. 그녀는 기술을 발전시켰다. - 她发展了自己的技能。
2527. 우리는 능력을 발전시킨다. - 我们发展自己的能力。
2528. 당신들은 시스템을 발전시킬 것이다. - 你将推进系统。
2529. 기술 좋아졌니? - 你的技能提高了吗？
2530. 네, 좋아. - 是的，很好
2531. 성장하다 - 成长
2532. 그들은 빠르게 성장했다. - 他们成长很快。
2533. 나는 경험을 성장시킨다. - 我增长了经验。
2534. 너는 지식을 성장시킬 것이다. - 你会增长知识。
2535. 경험 많아졌어? - 你增长经验了吗？
2536. 많아. - 我有很多
2537. 확장하다 - 以扩大
2538. 나는 사업을 확장했다. - 我扩大了我的业务。
2539. 너는 영역을 확장한다. - 您将扩大您的领地。
2540. 그는 시장을 확장할 것이다. - 他将扩大市场。
2541. 시장 크니? - 市场大吗？
2542. 네, 크다. - 是的，很大。
2543. 축소하다 - 缩小
2544. 그녀는 비용을 축소했다. - 她缩减了成本。
2545. 우리는 규모를 축소한다. - 我们正在缩减规模。
2546. 당신들은 지출을 축소할 것이다. - 你们要缩减开支。

2547. 비용 줄었어? - 你们缩减开支了吗？
2548. 네, 줄었어. - 是的，他们减少了。
2549. 증가하다 - 以增加
2550. 그들은 매출을 증가시켰다. - 他们增加了销售额。
2551. 나는 노력을 증가시킨다. - 我增加努力。
2552. 너는 효율을 증가시킬 것이다. - 您将提高效率。
2553. 매출 올랐어? - 销售额上升了吗？
2554. 네, 올랐어. - 是的，增加了。
2555. 28. 명사 단어들 외우기, 필수 10개 동사의 단어들을 가지고 50문장 연습하기 - 背诵名词性单词，用 10 个基本动词性单词练习 50 个句子
2556. 오류 - 错误
2557. 리스크 - 风险
2558. 부채 - 风扇
2559. 앱 - app
2560. 소프트웨어 - 软件
2561. 기술 - 技术
2562. 기계 - 机器
2563. 아이디어 - 理念
2564. 제품 - 产品
2565. 예술작품 - 艺术品
2566. 콘텐츠 - 内容
2567. 비전 - 愿景
2568. 해결책 - 解决方案
2569. 정보 - 信息
2570. 답 - 答案
2571. 우주 - 宇宙
2572. 신세계 - 新世界
2573. 바다 - 海洋
2574. 시장 - 市场
2575. 사건 - 事件
2576. 현상 - 现象
2577. 도움 - 帮助
2578. 지원 - 支持
2579. 협력 - 合作

2580. 계획 - 计划
2581. 전략 - 战略
2582. 제안 - 建议
2583. 조건 - 条件
2584. 요청 - 要求
2585. 감소하다 - 减少
2586. 나는 오류를 감소시켰다. - 我减少了错误。
2587. 너는 리스크를 감소시킨다. - 你减少了风险。
2588. 그는 부채를 감소시킬 것이다. - 他将减少债务。
2589. 리스크 적어졌어? - 减少风险？
2590. 적어. - 减少。
2591. 개발하다 - 开发
2592. 그녀는 앱을 개발했다. - 她开发了一个应用程序。
2593. 우리는 소프트웨어를 개발한다. - 我们开发软件。
2594. 당신들은 기술을 개발할 것이다. - 你们开发技术。
2595. 앱 나왔어? - 应用程序出来了吗？
2596. 나왔어. - 已经出来了。
2597. 발명하다 - 发明
2598. 그들은 기계를 발명했다. - 他们发明了一台机器
2599. 나는 아이디어를 발명한다. - 我发明一个想法。
2600. 너는 제품을 발명할 것이다. - 你将发明一种产品。
2601. 기계 새로운 거야? - 机器是新的吗？
2602. 새로워. - 新。
2603. 창조하다 - 创造
2604. 나는 예술작품을 창조했다. - 我创造一件艺术品。
2605. 너는 콘텐츠를 창조한다. - 你将创造内容。
2606. 그는 비전을 창조할 것이다. - 他将创造一个愿景。
2607. 콘텐츠 재밌어? - 内容有趣吗？
2608. 재밌어. - 很有趣。
2609. 찾아내다 - 去发现
2610. 그녀는 해결책을 찾아냈다. - 她找到了解决方案。
2611. 우리는 정보를 찾아낸다. - 我们找到信息。
2612. 당신들은 답을 찾아낼 것이다. - 你会找到答案的。
2613. 정보 찾았어? - 你找到信息了吗？

2614. 찾았어. - 我找到了
2615. 탐사하다 - 探索
2616. 그들은 우주를 탐사했다. - 他们探索宇宙。
2617. 나는 신세계를 탐사한다. - 我探索新世界。
2618. 너는 바다를 탐사할 것이다. - 你将探索海洋。
2619. 우주 멋져? - 太空很酷吗？
2620. 멋져. - 很酷。
2621. 조사하다 - 去调查
2622. 나는 시장을 조사했다. - 我调查市场
2623. 너는 사건을 조사한다. - 你将调查案件。
2624. 그는 현상을 조사할 것이다. - 他会调查这个现象。
2625. 사건 해결됐어? - 案子破了吗？
2626. 해결돼. - 破了。
2627. 청하다 - 请求
2628. 그녀는 도움을 청했다. - 她请求帮助。
2629. 우리는 지원을 청한다. - 我们请求帮助。
2630. 당신들은 협력을 청할 것이다. - 请你们合作。
2631. 도움 필요해? - 你需要帮助吗？
2632. 필요해. - 我需要。
2633. 제안하다 - 提议
2634. 그들은 계획을 제안했다. - 他们提出了一个计划。
2635. 나는 아이디어를 제안한다. - 我提出一个想法。
2636. 너는 전략을 제안할 것이다. - 你将提出一个策略。
2637. 아이디어 있어? - 你有主意吗？
2638. 있어. - 我有。
2639. 승낙하다 - 接受
2640. 나는 제안을 승낙했다. - 我接受提议。
2641. 너는 조건을 승낙한다. - 你接受条件。
2642. 그는 요청을 승낙할 것이다. - 他接受请求
2643. 조건 괜찮아? - 条件没问题吧？
2644. 괜찮아. - 没问题
2645. 29. 명사 단어들 외우기, 필수 10개 동사의 단어들을 가지고 50문장 연습하기 - 29. 背诵名词性单词，用规定的 10 个动词性单词练习 50 个句子
2646. 문제 - 问题

2647. 주제 - 主题
2648. 해결책 - 解决方案
2649. 의견 - 意见
2650. 친구 - 朋友
2651. 여행 - 旅行
2652. 부모님 - 父母
2653. 조언 - 建议
2654. 위험 - 危险
2655. 소식 - 新闻
2656. 정보 - 信息
2657. 변화 - 改变
2658. 사랑 - 爱
2659. 마음 - 心灵
2660. 진심 - 真诚
2661. 문서 - 文件
2662. 이미지 - 图像
2663. 자료 - 数据
2664. 표 - 图表
2665. 보고서 - 报告
2666. 그래프 - 图表
2667. 부분 - 兼职
2668. 문장 - 句子
2669. 영상 - 视频
2670. 장면 - 场景
2671. 답 - 答案
2672. 장소 - 地点
2673. 주소 - 地址
2674. 토론하다 - 讨论
2675. 그는 어제 문제에 대해 토론했다. - 他昨天讨论了这个问题。
2676. 그녀는 지금 중요한 주제를 토론한다. - 她现在讨论重要话题。
2677. 우리는 내일 해결책을 토론할 것이다. - 我们明天再讨论解决方案。
2678. 의견 있어? - 你有意见吗？
2679. 네, 있어. - 是的，我有。
2680. 설득하다 - 说服

2681. 그녀는 친구를 여행 가기로 설득했다. - 她说服她的朋友去旅行。
2682. 나는 지금 부모님을 설득한다. - 我现在正在说服我的父母。
2683. 너는 내일 그들을 설득할 것이다. - 你明天再说服他们。
2684. 설득됐어? - 说服？
2685. 응, 됐어. - 是的，我被说服了。
2686. 조언하다 - 劝说
2687. 그들은 나에게 좋은 조언을 해주었다. - 他们给了我很好的建议。
2688. 나는 지금 친구에게 조언한다. - 我现在劝我的朋友。
2689. 너는 내일 조언을 할 것이다. - 你明天再给建议。
2690. 조언 필요해? - 你需要建议吗？
2691. 필요해, 고마워. - 我需要，谢谢。
2692. 경고하다 - 来警告
2693. 그녀는 위험에 대해 경고했다. - 她警告他有危险。
2694. 우리는 지금 위험을 경고한다. - 我们现在就警告危险。
2695. 당신들은 내일 그들을 경고할 것이다. - 你明天再警告他们
2696. 경고 들었어? - 你听到警告了吗？
2697. 네, 들었어. - 是的，我听到了。
2698. 알리다 - 告知
2699. 그는 어제 소식을 알렸다. - 他昨天通报了消息。
2700. 그녀는 지금 정보를 알린다. - 她现在通报了消息。
2701. 우리는 내일 변화를 알릴 것이다. - 我们将在明天宣布变化。
2702. 소식 알아? - 你知道这个消息吗？
2703. 아니, 몰라. - 不，我不知道。
2704. 고백하다 - 表白
2705. 그녀는 그에게 사랑을 고백했다. - 她向他表白了自己的爱。
2706. 나는 지금 마음을 고백한다. - 我现在表白我的心
2707. 너는 내일 진심을 고백할 것이다. - 你明天就会表白你的心
2708. 고백할 거야? - 你会忏悔吗？
2709. 응, 할 거야. - 是的，我会
2710. 붙여넣다 - 粘贴
2711. 그는 문서에 이미지를 붙여넣었다. - 他将图片粘贴到文档中。
2712. 그녀는 지금 자료에 표를 붙여넣는다. - 她正在把表格粘贴到文档中。
2713. 우리는 내일 보고서에 그래프를 붙여넣을 것이다. - 我们明天再把图表粘贴到报告中。

2714. 완성됐어? - 你做完了吗？
2715. 거의 다 됐어. - 快贴完了
2716. 잘라내다 - 剪掉
2717. 그들은 불필요한 부분을 잘라냈다. - 他们剪掉了不必要的部分。
2718. 나는 지금 문서에서 문장을 잘라낸다. - 我现在要剪掉文件中的句子。
2719. 너는 내일 영상에서 장면을 잘라낼 것이다. - 你明天要剪掉视频中的场景。
2720. 줄일 필요 있어? - 你需要剪掉什么吗？
2721. 응, 있어. - 是的，我需要。
2722. 검색하다 - 搜索
2723. 그녀는 정보를 검색했다. - 她在搜索信息。
2724. 나는 지금 자료를 검색한다. - 我现在正在搜索材料。
2725. 너는 내일 답을 검색할 것이다. - 你明天再找答案。
2726. 정보 찾고 있어? - 你在搜索资料吗？
2727. 찾고 있어. - 我正在找。
2728. 찾아보다 - 寻找
2729. 그는 옛 친구를 찾아보았다. - 他在查找他的老朋友。
2730. 그녀는 지금 문서를 찾아본다. - 她现在正在找文件。
2731. 우리는 내일 그 장소를 찾아볼 것이다. - 我们明天再找
2732. 주소 찾았어? - 找到地址了吗？
2733. 아직 못 찾았어. - 不，我还没找到。
2734. 30. 명사 단어들 외우기, 필수 10개 동사의 단어들을 가지고 50문장 연습하기 - 30. 背诵名词性单词，用 10 个基本动词性单词练习 50 个句子
2735. 리더 - 领导
2736. 메뉴 - 菜单
2737. 색상 - 颜色
2738. 프로젝트 - 项目
2739. 계획 - 计划
2740. 아이디어 - 想法
2741. 스케줄 - 时间表
2742. 예약 - 预约
2743. 보안 - 安全
2744. 비밀번호 - 密码
2745. 규칙 - 规则

2746. 입장 - 入口
2747. 영향력 - 影响
2748. 제한 - 限制
2749. 프로세스 - 流程
2750. 시스템 - 系统
2751. 웹사이트 - 网站
2752. 기능 - 功能
2753. 계정 - 账户
2754. 서비스 - 服务
2755. 알림 - 报警
2756. 옵션 - 选项
2757. 컴퓨터 - 计算机
2758. 인터넷 - 互联网
2759. 기기 - 设备
2760. 부분 - 兼职
2761. 요소 - 元素
2762. 구성 - 构成
2763. 선택하다 - 选择
2764. 그들은 새 리더를 선택했다. - 他们选择了新的读者。
2765. 나는 지금 메뉴를 선택한다. - 我现在选择菜单
2766. 너는 내일 색상을 선택할 것이다. - 你明天选择一种颜色。
2767. 쉽게 고를 수 있어? - 容易选吗？
2768. 네, 쉬워. - 是的，很容易。
2769. 구상하다 - 来设想
2770. 그녀는 새 프로젝트를 구상했다. - 她构思了一个新项目。
2771. 나는 지금 계획을 구상한다. - 我现在构思一个计划。
2772. 우리는 내일 아이디어를 구상할 것이다. - 我们明天再构思。
2773. 아이디어 있어? - 你有什么构想吗？
2774. 응, 많아. - 是的，我有很多。
2775. 변경하다 - 改变
2776. 그는 계획을 변경했다. - 他改变了他的计划。
2777. 그녀는 지금 스케줄을 변경한다. - 她现在改变了计划
2778. 당신들은 내일 예약을 변경할 것이다. - 你们明天再重新安排
2779. 날짜 바꿀래? - 你想改期吗？

2780. 그래, 바꿀래. - 是的，我改
2781. 강화하다 - 加强
2782. 그들은 보안을 강화했다. - 他们加强了安全措施。
2783. 나는 지금 비밀번호를 강화한다. - 我现在就加强密码
2784. 너는 내일 규칙을 강화할 것이다. - 你明天会加强规则。
2785. 보안 더 필요해? - 你需要更多安全措施吗？
2786. 네, 필요해. - 是的，我需要
2787. 약화하다 - 削弱
2788. 그녀는 입장을 약화시켰다. - 她削弱了自己的地位。
2789. 우리는 지금 영향력을 약화시킨다. - 我们现在削弱我们的影响力。
2790. 당신들은 내일 제한을 약화시킬 것이다. - 你明天会削弱限制。
2791. 영향 줄어들었어? - 影响力减弱？
2792. 응, 줄었어. - 是的，减少了。
2793. 최적화하다 - 优化
2794. 그는 프로세스를 최적화했다. - 他优化了流程。
2795. 그녀는 지금 시스템을 최적화한다. - 她现在优化了系统。
2796. 우리는 내일 웹사이트를 최적화할 것이다. - 我们明天将优化网站。
2797. 성능 좋아졌어? - 性能提高了吗？
2798. 많이 좋아졌어. - 好多了。
2799. 활성화하다 - 激活
2800. 그들은 기능을 활성화했다. - 他们激活了功能。
2801. 나는 지금 계정을 활성화한다. - 我现在就激活账户。
2802. 너는 내일 서비스를 활성화할 것이다. - 你明天就激活服务。
2803. 작동하나요? - 能用吗？
2804. 응, 잘 돼. - 是的，能用。
2805. 비활성화하다 - 停用
2806. 그녀는 알림을 비활성화했다. - 她停用了通知。
2807. 우리는 지금 옵션을 비활성화한다. - 我们现在停用该选项。
2808. 당신들은 내일 기능을 비활성화할 것이다. - 你们明天就停用这个功能
2809. 더 이상 안 나와? - 不会再出来了？
2810. 아니, 안 나와. - 不会了
2811. 연결하다 - 以连接
2812. 나는 컴퓨터를 연결했다. - 我连接了电脑
2813. 너는 인터넷을 연결한다. - 你连接网络

2814. 그는 기기를 연결할 것이다. - 他会连接设备
2815. 연결 됐어? - 连接好了吗？
2816. 됐어. - 完成。
2817. 분리하다 - 分离
2818. 그녀는 두 부분을 분리했다. - 她把两部分分开。
2819. 우리는 요소들을 분리한다. - 我们将元素分开。
2820. 당신들은 구성을 분리할 것이다. - 你要把构图分开。
2821. 분리해야 해? - 一定要分开吗？
2822. 해야 해. - 应该分开。
2823. 31. 명사 단어들 외우기, 필수 10개 동사의 단어들을 가지고 50문장 연습하기 - 31. 记住名词性单词，用 10 个基本动词性单词练习 50 个句子
2824. 가구 - 家具
2825. 모델 - 模型
2826. 장난감 - 玩具
2827. 기계 - 机器
2828. 구조 - 结构
2829. 시스템 - 系统
2830. 선물 - 礼品
2831. 상품 - 商品
2832. 박스 - 箱
2833. 편지 - 信函
2834. 패키지 - 包装
2835. 상자 - 包装盒
2836. 볼륨 - 体积
2837. 뚜껑 - 箱盖
2838. 핸들 - 手柄
2839. 페이지 - 页码
2840. 채널 - 通道
2841. 장 - 页面
2842. 종이 - 纸
2843. 천 - 布
2844. 나무 - 树
2845. 국물 - 汤
2846. 음료 - 饮料

2847. 소스 - 酱汁
2848. 요리 - 烹饪
2849. 스무디 - 冰沙
2850. 케이크 - 蛋糕
2851. 목욕 - 沐浴
2852. 온천 - 水疗
2853. 조립하다 - 组装
2854. 그들은 가구를 조립했다. - 他们组装家具。
2855. 나는 모델을 조립한다. - 我组装模型。
2856. 너는 장난감을 조립할 것이다. - 你来组装玩具。
2857. 도와줄까? - 要我帮忙吗？
2858. 좋아. - 好的。
2859. 해체하다 - 拆卸
2860. 그녀는 기계를 해체했다. - 她把机器拆了。
2861. 우리는 구조를 해체한다. - 我们拆除结构
2862. 당신들은 시스템을 해체할 것이다. - 你来拆除系统
2863. 해체 필요해? - 你需要拆除吗？
2864. 필요해. - 我需要
2865. 포장하다 - 包装
2866. 나는 선물을 포장했다. - 我把礼物包起来
2867. 너는 상품을 포장한다. - 你来打包
2868. 그는 박스를 포장할 것이다. - 他来打包
2869. 끝났어? - 收拾好了吗？
2870. 아직. - 还没
2871. 개봉하다 - 打开
2872. 그녀는 편지를 개봉했다. - 她打开了信。
2873. 우리는 패키지를 개봉한다. - 我们打开包裹。
2874. 당신들은 상자를 개봉할 것이다. - 你来打开盒子
2875. 열어볼까? - 要打开吗？
2876. 열어봐. - 打开它
2877. 돌리다 - 打开
2878. 그들은 볼륨을 돌렸다. - 他们转动了音量。
2879. 나는 뚜껑을 돌린다. - 我转动盖子。
2880. 너는 핸들을 돌릴 것이다. - 你来转动把手。

2881. 돌려야 돼? - 我一定要转吗？
2882. 응, 돼. - 是的，你可以
2883. 넘기다 - 翻页
2884. 그녀는 페이지를 넘겼다. - 她翻了一页
2885. 우리는 채널을 넘긴다. - 我们转台。
2886. 당신들은 장을 넘길 것이다. - 你来翻篇
2887. 넘길까? - 我们要翻过去吗？
2888. 넘겨. - 翻过去。
2889. 자르다 - 剪
2890. 나는 종이를 자르다. - 我剪纸。
2891. 너는 천을 자른다. - 你剪布。
2892. 그는 나무를 자를 것이다. - 他要切木头
2893. 자를까? - 我们来剪？
2894. 자르자. - 剪吧
2895. 저다 - 搅拌
2896. 그녀는 국물을 저었다. - 她搅拌肉汤。
2897. 우리는 음료를 젓는다. - 我们搅拌饮料
2898. 당신들은 소스를 저을 것이다. - 你们来搅拌酱汁
2899. 더 저을까? - 要再搅拌一下吗？
2900. 응, 저어. - 是的，搅拌
2901. 맛보다 - 品尝
2902. 그들은 새 요리를 맛보았다. - 他们品尝新菜
2903. 나는 스무디를 맛본다. - 我尝尝冰沙
2904. 너는 케이크를 맛볼 것이다. - 你来尝尝蛋糕。
2905. 맛있어? - 好吃吗？
2906. 맛있어. - 很好吃
2907. 목욕하다 - 洗澡
2908. 그녀는 긴 목욕을 했다. - 她洗了很久的澡
2909. 우리는 온천에서 목욕한다. - 我们在温泉里洗澡。
2910. 당신들은 집에서 목욕할 것이다. - 你们会在家里洗澡。
2911. 뜨거워? - 热吗？
2912. 적당해. - 刚刚好。
2913. 32. 명사 단어들 외우기, 필수 10개 동사의 단어들을 가지고 50문장 연습하기 - 背诵名词性单词，用 10 个基本动词的单词练习 50 个句子

2914. 샤워 - 洗澡
2915. 드레스 - 穿衣
2916. 유니폼 - 制服
2917. 옷 - 衣服
2918. 잠옷 - 睡衣
2919. 신발 - 鞋子
2920. 코트 - 外套
2921. 파티복 - 派对服装
2922. 운동복 - 运动服
2923. 머리 - 头
2924. 고양이 - 猫
2925. 말 - 字
2926. 방 - 房间
2927. 트리 - 树
2928. 집 - 房子
2929. 문서 - 文档
2930. 보고서 - 报告
2931. 이메일 - 电子邮件
2932. 그림 - 绘画
2933. 스케치 - 素描
2934. 만화 - 漫画书
2935. 길 - 道路
2936. 눈길 - 视线
2937. 정글 - 丛林
2938. 샤워하다 - 洗澡
2939. 나는 아침에 샤워했다. - 我早上洗过澡了。
2940. 너는 지금 샤워한다. - 你现在洗澡。
2941. 그는 저녁에 샤워할 것이다. - 他晚上会洗澡。
2942. 빨리 할까? - 要快点吗？
2943. 빨리 해. - 快点洗
2944. 입다 - 穿上
2945. 그녀는 드레스를 입었다. - 她穿上裙子。
2946. 우리는 유니폼을 입는다. - 我们穿制服。
2947. 당신들은 새 옷을 입을 것이다. - 你们要穿新衣服了

2948. 예뻐? - 漂亮吗？
2949. 예뻐. - 很漂亮
2950. 벗다 - 要脱掉
2951. 그들은 잠옷을 벗었다. - 他们脱下睡衣
2952. 나는 신발을 벗는다. - 我脱鞋
2953. 너는 코트를 벗을 것이다. - 你要脱掉外套
2954. 춥지 않아? - 你不冷吗？
2955. 괜찮아. - 我没事
2956. 갈아입다 - 换衣服
2957. 그녀는 파티복으로 갈아입었다. - 她换上派对服装。
2958. 우리는 운동복으로 갈아입는다. - 我们会换上运动服
2959. 당신들은 편안한 옷으로 갈아입을 것이다. - 你要换上舒适的衣服。
2960. 빨리 할 수 있어? - 你能做得很快吗？
2961. 할 수 있어. - 我能做到。
2962. 빗다 - 梳头
2963. 나는 머리를 빗었다. - 我梳头了
2964. 너는 고양이를 빗는다. - 你给猫梳头。
2965. 그는 말을 빗을 것이다. - 他会给马梳毛
2966. 도와줄까? - 要我帮你吗？
2967. 좋아. - 好吧
2968. 꾸미다 - 装饰
2969. 그녀는 방을 꾸몄다. - 她装饰她的房间。
2970. 우리는 트리를 꾸민다. - 我们装饰圣诞树。
2971. 당신들은 집을 꾸밀 것이다. - 你来装饰房子
2972. 예쁘게 할까? - 我们要让它漂亮吗？
2973. 그래, 예쁘게. - 是的，装点。
2974. 단장하다 - 装扮
2975. 그들은 축제에 맞춰 단장했다. - 他们为节日盛装打扮。
2976. 나는 면접에 맞춰 단장한다. - 我要盛装参加求职面试。
2977. 너는 결혼식에 맞춰 단장할 것이다. - 你要盛装出席婚礼。
2978. 준비 됐어? - 你准备好了吗？
2979. 됐어. - 我准备好了
2980. 교정하다 - 校对
2981. 그녀는 문서를 교정했다. - 她校对了文件。

2982. 우리는 보고서를 교정한다. - 我们校对报告。
2983. 당신들은 이메일을 교정할 것이다. - 你们校对邮件
2984. 오류 있어? - 有错误吗
2985. 없어. - 没有
2986. 채색하다 - 上色
2987. 나는 그림에 채색했다. - 我给图片上色。
2988. 너는 스케치를 채색한다. - 你给素描上色
2989. 그는 만화를 채색할 것이다. - 他给漫画上色
2990. 끝났어? - 你涂好了吗？
2991. 거의. - 差不多了
2992. 헤치다 - 对冲
2993. 그녀는 길을 헤쳤다. - 她对冲她的方式。
2994. 우리는 눈길을 헤친다. - 我们在雪地里耕耘
2995. 당신들은 정글을 헤칠 것이다. - 你们会穿过丛林的
2996. 힘들어? - 艰难？
2997. 좀 힘들어. - 是有点难。
2998. 33. 명사 단어들 외우기, 필수 10개 동사의 단어들을 가지고 50문장 연습하기 - 33. 背诵名词，用 10 个基本动词的单词练习 50 个句子
2999. 팬케이크 - 煎饼
3000. 책장 - 书架
3001. 매트 - 垫子
3002. 공원 - 公园
3003. 해변 - 海滩
3004. 산길 - 山路
3005. 줄넘기 - 跳绳
3006. 장애물 - 障碍
3007. 역사 - 历史
3008. 수학 - 数学
3009. 과학 - 科学
3010. 기술 - 技术
3011. 레시피 - 食谱
3012. 노래 - 唱歌
3013. 시 - 城市
3014. 공식 - 官方

3015. 단어 - 字
3016. 시장 - 市场
3017. 문화 - 文化
3018. 생태계 - 生态系统
3019. 우주 - 宇宙
3020. 인간 마음 - 人类思维
3021. 심해 - 深海
3022. 방법 - 方法
3023. 화학 반응 - 化学反应
3024. 생물학적 실험 - 生物实验
3025. 제품 - 产品
3026. 능력 - 能力
3027. 뒤집다 - 翻转
3028. 그들은 팬케이크를 뒤집었다. - 他们翻转煎饼。
3029. 나는 책장을 뒤집는다. - 我翻转书架。
3030. 너는 매트를 뒤집을 것이다. - 你会翻转垫子。
3031. 잘 됐어? - 顺利吗？
3032. 잘 됐어. - 很顺利。
3033. 뛰다 - 跑
3034. 그녀는 공원을 뛰었다. - 她在公园里跑。
3035. 우리는 해변을 뛴다. - 我们在沙滩上跑。
3036. 당신들은 산길을 뛸 것이다. - 你们在山间小路上跑。
3037. 피곤해? - 你累了吗？
3038. 아니, 괜찮아. - 不，我很好
3039. 점프하다 - 跳
3040. 나는 높이 점프했다. - 我跳得很高。
3041. 너는 줄넘기를 점프한다. - 你会跳绳。
3042. 그는 장애물을 점프할 것이다. - 他要跳栏。
3043. 할 수 있어? - 你能做到吗？
3044. 할 수 있어. - 我能做到
3045. 공부하다 - 学习
3046. 그녀는 역사를 공부했다. - 她学习历史。
3047. 우리는 수학을 공부한다. - 我们学习数学。
3048. 당신들은 과학을 공부할 것이다. - 你们要学习科学。

3049. 어려워? - 难吗？
3050. 조금 어려워. - 有点难。
3051. 익히다 - 掌握
3052. 그들은 새로운 기술을 익혔다. - 他们掌握了一项新技能。
3053. 나는 레시피를 익힌다. - 我掌握了一种食谱。
3054. 너는 노래를 익힐 것이다. - 你将掌握这首歌。
3055. 쉬워? - 容易吗？
3056. 쉬워. - 很容易
3057. 암기하다 - 背诵
3058. 그녀는 시를 암기했다. - 她背下了这首诗。
3059. 우리는 공식을 암기한다. - 我们背公式。
3060. 당신들은 단어를 암기할 것이다. - 你会背单词。
3061. 외웠어? - 你背了吗？
3062. 외웠어. - 我背下来了。
3063. 연구하다 - 研究
3064. 나는 시장을 연구했다. - 我研究市场。
3065. 너는 문화를 연구한다. - 你研究文化。
3066. 그는 생태계를 연구할 것이다. - 他会研究生态系统。
3067. 발견했어? - 你找到了吗？
3068. 발견했어. - 我找到了
3069. 탐구하다 - 去探索
3070. 그녀는 우주를 탐구했다. - 她探索宇宙。
3071. 우리는 인간 마음을 탐구한다. - 我们探索人类的心灵。
3072. 당신들은 심해를 탐구할 것이다. - 你们将探索深海
3073. 무엇을 탐구해? - 探索什么？
3074. 심해를 탐구해. - 探索深海。
3075. 실험하다 - 进行实验
3076. 나는 새로운 방법을 실험했다. - 我用一种新方法做实验。
3077. 너는 화학 반응을 실험한다. - 你们将实验化学反应。
3078. 그는 생물학적 실험을 할 것이다. - 他将做生物实验。
3079. 성공했어? - 你成功了吗？
3080. 네, 성공했어. - 是的，成功了。
3081. 시험하다 - 进行测试
3082. 그들은 제품을 시험했다. - 他们测试了产品。

3083. 나는 내 능력을 시험한다. - 我测试我的能力。
3084. 너는 새 기술을 시험할 것이다. - 你将测试你的新技能。
3085. 어때? - 怎么样？
3086. 잘 작동해. - 效果不错。
3087. 34. 명사 단어들 외우기, 필수 10개 동사의 단어들을 가지고 50문장 연습하기 - 背诵名词性单词，用 10 个基本动词性单词练习 50 个句子
3088. 친구 - 朋友
3089. 대화 - 对话
3090. 주제 - 主题
3091. 세계 평화 - 世界和平
3092. 팀 - 团队
3093. 가족 - 家庭
3094. 다국어 - 多语言
3095. 질문 - 问题
3096. 퀴즈 - 小测验
3097. 인터뷰 질문 - 面试问题
3098. 사건 - 活动
3099. 독립 기념일 - 第四次
3100. 업적 - 成就
3101. 졸업 - 毕业
3102. 승진 - 晋升
3103. 생일 - 生日
3104. 영웅 - 英雄
3105. 역사적 사건 - 历史事件
3106. 인물 - 人物
3107. 사람 - 人物
3108. 학생 - 学生
3109. 노력 - 努力
3110. 성취 - 成就
3111. 성공 - 成功
3112. 실수 - 错误
3113. 부정적 행동 - 消极行为
3114. 불공정 - 不公平
3115. 대화하다 - 对匡威

3116. 그녀는 친구와 깊은 대화를 했다. - 她与朋友进行了深入的交谈。
3117. 우리는 중요한 주제에 대해 대화한다. - 我们谈论重要的话题。
3118. 당신들은 세계 평화에 대해 대화할 것이다. - 你们会谈论世界和平。
3119. 흥미로워? - 有趣吗？
3120. 매우 흥미로워. - 非常有趣。
3121. 소통하다 - 沟通
3122. 나는 팀과 효과적으로 소통했다. - 我与我的团队进行了有效的沟通。
3123. 너는 가족과 소통한다. - 你与家人沟通。
3124. 그는 다국어로 소통할 것이다. - 他会用多种语言沟通。
3125. 쉬워? - 这容易吗？
3126. 노력이 필요해. - 需要努力。
3127. 답하다 - 来回答
3128. 그들은 내 질문에 답했다. - 他们回答了我的问题
3129. 나는 퀴즈에 답한다. - 我回答问答题。
3130. 너는 인터뷰 질문에 답할 것이다. - 您将回答面试问题。
3131. 준비됐어? - 你准备好了吗？
3132. 예, 준비됐어. - 是的，我准备好了。
3133. 기념하다 - 纪念
3134. 그녀는 중요한 사건을 기념했다. - 她纪念了一个重要事件。
3135. 우리는 독립 기념일을 기념한다. - 我们庆祝独立日。
3136. 당신들은 업적을 기념할 것이다. - 你们将庆祝一项成就。
3137. 언제야? - 是什么时候？
3138. 내일이야. - 明天。
3139. 경축하다 - 来庆祝
3140. 나는 졸업을 경축했다. - 我庆祝毕业。
3141. 너는 승진을 경축한다. - 你将庆祝你的晋升。
3142. 그는 생일을 경축할 것이다. - 他会庆祝他的生日。
3143. 파티 할 거야? - 你们要去派对吗？
3144. 그래, 파티할 거야. - 是的，我们要去聚会。
3145. 추모하다 - 纪念
3146. 그녀는 영웅을 추모했다. - 她纪念英雄。
3147. 우리는 역사적 사건을 추모한다. - 我们纪念历史事件。
3148. 당신들은 위대한 인물을 추모할 것이다. - 你们将纪念一位伟人。
3149. 슬픈 날이야? - 这是悲伤的一天吗？

3150. 네, 매우 슬퍼. - 是的，非常悲伤
3151. 위로하다 - 以示安慰
3152. 나는 친구를 위로했다. - 我安慰我的朋友
3153. 너는 슬픈 이를 위로한다. - 你安慰悲伤的人
3154. 그는 가족을 위로할 것이다. - 他会安慰他的家人
3155. 괜찮아졌어? - 你感觉好些了吗？
3156. 조금 나아졌어. - 我感觉好一点了。
3157. 격려하다 - 鼓励
3158. 그들은 서로를 격려했다. - 他们互相鼓励。
3159. 나는 너를 격려한다. - 我鼓励你
3160. 너는 팀을 격려할 것이다. - 你要鼓励队员们。
3161. 힘낼래? - 你会加油吗？
3162. 네, 힘낼게! - 是的，我会为你加油！
3163. 칭찬하다 - 表扬
3164. 그녀는 학생의 노력을 칭찬했다. - 她表扬了学生的努力。
3165. 우리는 성취를 칭찬한다. - 我们表扬取得的成绩。
3166. 당신들은 성공을 칭찬할 것이다. - 你会表扬你的成功。
3167. 잘했어? - 你做得好吗？
3168. 너무 잘했어! - 你做得很好！
3169. 비난하다 - 批评
3170. 나는 실수를 비난했다. - 我指责错误。
3171. 너는 부정적 행동을 비난한다. - 你会谴责消极行为。
3172. 그는 불공정을 비난할 것이다. - 他会谴责不公正的行为。
3173. 그게 맞아? - 这样对吗？
3174. 아니, 잘못됐어. - 不，这是错的。
3175. 35. 명사 단어들 외우기, 필수 10개 동사의 단어들을 가지고 50문장 연습하기 - 背诵名词性单词，用 10 个基本动词性单词练习 50 个句子
3176. 정책 - 政策
3177. 아이디어 - 想法
3178. 계획 - 计划
3179. 동료 - 同事
3180. 리더 - 领导
3181. 파트너 - 伙伴
3182. 경고 - 警告

3183. 조언 - 建议
3184. 위험 - 危险
3185. 변경사항 - 变化
3186. 결정 - 决定
3187. 결과 - 结果
3188. 회의 일정 - 会议日程
3189. 이벤트 - 事件
3190. 변경 - 变化
3191. 데이터 - 数据
3192. 시스템 - 系统
3193. 기계 - 机器
3194. 스케줄 - 时间表
3195. 전략 - 策略
3196. 규칙 - 规则
3197. 방침 - 政策
3198. 기회 - 机会
3199. 자원 - 资源
3200. 정보 - 信息
3201. 계약 - 合同
3202. 멤버십 - 会员资格
3203. 라이선스 - 许可证
3204. 비판하다 - 批评
3205. 그들은 정책을 비판했다. - 他们批评政策。
3206. 나는 아이디어를 비판한다. - 我批评想法。
3207. 너는 계획을 비판할 것이다. - 你会批评计划。
3208. 개선 필요해? - 需要改进吗？
3209. 네, 필요해. - 是的，需要。
3210. 신뢰하다 - 信任
3211. 그녀는 동료를 신뢰했다. - 她信任她的同事。
3212. 우리는 리더를 신뢰한다. - 我们信任我们的领导。
3213. 당신들은 파트너를 신뢰할 것이다. - 你会信任你的搭档。
3214. 믿을 수 있어? - 你能信任他们吗？
3215. 물론이야. - 当然可以。
3216. 주의하다 - 注意

3217. 나는 경고를 주의했다. - 我听从了警告。
3218. 너는 조언을 주의한다. - 你听从了建议。
3219. 그는 위험을 주의할 것이다. - 他会小心危险的。
3220. 조심해야 해? - 我应该小心吗？
3221. 예, 조심해. - 是的，要小心。
3222. 통보하다 - 通知
3223. 그들은 변경사항을 통보했다. - 他们通知了变化。
3224. 나는 결정을 통보한다. - 我会通知决定。
3225. 너는 결과를 통보할 것이다. - 您将通知结果。
3226. 알려줄 거야? - 你会通知我吗？
3227. 네, 알려줄게. - 是的，我会通知您。
3228. 공지하다 - 要通知
3229. 그녀는 회의 일정을 공지했다. - 她发出了会议通知。
3230. 우리는 이벤트를 공지한다. - 我们将宣布这一事件。
3231. 당신들은 변경을 공지할 것이다. - 您将宣布这一变化。
3232. 언제 시작해? - 什么时候开始？
3233. 내일 시작해. - 明天开始
3234. 조작하다 - 操纵
3235. 나는 데이터를 조작했다. - 我操纵数据。
3236. 너는 시스템을 조작한다. - 你操纵系统。
3237. 그는 기계를 조작할 것이다. - 他会操作机器
3238. 쉬워? - 容易吗？
3239. 아니, 어려워. - 不，很难
3240. 조정하다 - 协调
3241. 그들은 계획을 조정했다. - 他们协调他们的计划。
3242. 나는 스케줄을 조정한다. - 我调整时间表。
3243. 너는 전략을 조정할 것이다. - 你要调整策略。
3244. 변경됐어? - 改变了吗？
3245. 네, 변경됐어. - 是的，改变了
3246. 적용하다 - 应用
3247. 그녀는 규칙을 적용했다. - 她应用了规则。
3248. 우리는 정책을 적용한다. - 我们执行政策。
3249. 당신들은 방침을 적용할 것이다. - 你们将执行政策。
3250. 필요해? - 你需要吗？

3251. 네, 필요해. - 是的，我需要。
3252. 활용하다 - 利用
3253. 나는 기회를 활용했다. - 我利用了机会。
3254. 너는 자원을 활용한다. - 你将利用资源。
3255. 그는 정보를 활용할 것이다. - 他将利用信息。
3256. 유용해? - 有用吗？
3257. 매우 유용해. - 非常有用。
3258. 갱신하다 - 续约
3259. 그들은 계약을 갱신했다. - 他们续签了合同。
3260. 나는 멤버십을 갱신한다. - 我续签了会员资格。
3261. 너는 라이선스를 갱신할 것이다. - 您将续签驾照。
3262. 필요한 거야? - 你需要吗？
3263. 예, 필요해. - 是的，我需要。
3264. 36. 명사 단어들 외우기, 필수 10개 동사의 단어들을 가지고 50문장 연습하기 - 36. 记住名词性单词，用 10 个基本动词性单词练习 50 个句子
3265. 소프트웨어 - 软件
3266. 시스템 - 系统
3267. 하드웨어 - 硬件
3268. 파일 - 文件
3269. 아이콘 - 图标
3270. 이미지 - 图像
3271. 그룹 - 组
3272. 경로 - 路线
3273. 계획 - 计划
3274. 위험 - 危险
3275. 루틴(습관) - 常规 (习惯)
3276. 지루함 - 无聊
3277. 문제 - 问题
3278. 책임 - 责任
3279. 현장 - 现场
3280. 도둑 - 小偷
3281. 꿈 - 梦想
3282. 목표 - 目标
3283. 고양이 - 猫

3284. 행복 - 幸福
3285. 성공 - 成功
3286. 순간 - 时刻
3287. 기회 - 机会
3288. 장면 - 场景
3289. 변화 - 变化
3290. 상황 - 形势
3291. 필요 - 必要
3292. 업그레이드하다 - 升级
3293. 그녀는 소프트웨어를 업그레이드했다. - 她升级了软件。
3294. 우리는 시스템을 업그레이드한다. - 我们升级系统。
3295. 당신들은 하드웨어를 업그레이드할 것이다. - 你们要升级硬件。
3296. 더 좋아질까? - 会更好吗？
3297. 분명히 그래. - 肯定会的
3298. 드래그하다 - 拖动
3299. 나는 파일을 드래그했다. - 我拖动了一个文件。
3300. 너는 아이콘을 드래그한다. - 你拖的是图标
3301. 그는 이미지를 드래그할 것이다. - 他会拖动图像
3302. 쉬운 일이야? - 容易吗？
3303. 네, 매우 쉬워. - 是的，非常简单
3304. 이탈하다 - 以离开
3305. 그들은 그룹에서 이탈했다. - 他们偏离了队伍
3306. 나는 경로에서 이탈한다. - 我偏离了道路
3307. 너는 계획에서 이탈할 것이다. - 你会偏离计划。
3308. 계획 변경해? - 改变计划？
3309. 네, 변경해. - 是的，改变它
3310. 탈출하다 - 逃离
3311. 그녀는 위험에서 탈출했다. - 她从危险中逃脱。
3312. 우리는 루틴에서 탈출한다. - 我们从例行公事中逃脱。
3313. 당신들은 지루함에서 탈출할 것이다. - 你会从无聊中逃脱。
3314. 벗어날 수 있어? - 你能逃脱吗？
3315. 예, 벗어날 수 있어. - 是的，你能逃脱。
3316. 도망치다 - 逃避
3317. 나는 문제에서 도망쳤다. - 我逃避问题。

3318. 너는 책임에서 도망친다. - 你逃避责任。
3319. 그는 현장에서 도망칠 것이다. - 他会逃离现场
3320. 두려워? - 你害怕吗？
3321. 아니, 두렵지 않아. - 不，我不怕
3322. 추격하다 - 追赶
3323. 그들은 도둑을 추격했다. - 他们追赶小偷。
3324. 나는 꿈을 추격한다. - 我追逐梦想。
3325. 너는 목표를 추격할 것이다. - 你要追逐你的目标。
3326. 따라잡을 수 있어? - 你追得上吗？
3327. 네, 할 수 있어. - 是的，我能。
3328. 쫓다 - 追逐
3329. 그녀는 고양이를 쫓았다. - 她追逐猫
3330. 우리는 행복을 쫓는다. - 我们追逐幸福。
3331. 당신들은 성공을 쫓을 것이다. - 你将追逐成功。
3332. 성공할까? - 你会成功吗？
3333. 네, 분명히 성공해. - 是的，你一定会成功。
3334. 포착하다 - 抓住
3335. 나는 순간을 포착했다. - 我抓住了时机
3336. 너는 기회를 포착한다. - 你抓住了机会。
3337. 그는 장면을 포착할 것이다. - 他会抓住这个场景。
3338. 멋진 사진이야? - 这张照片好看吗？
3339. 네, 정말 멋져. - 是的，真的很不错。
3340. 감지하다 - 感觉
3341. 나는 변화를 감지했다. - 我感觉到了变化。
3342. 너는 위험을 감지한다. - 你感觉到了危险
3343. 그는 기회를 감지할 것이다. - 他会感觉到机会
3344. 뭔가 느껴져? - 你感觉到什么了吗？
3345. 네, 뭔가 느껴져. - 是的，我感觉到了什么。
3346. 인지하다 - 去感知
3347. 그녀는 문제를 인지했다. - 她察觉到了一个问题。
3348. 우리는 상황을 인지한다. - 我们感知到一种情况。
3349. 당신들은 필요를 인지할 것이다. - 你会认识到需要。
3350. 알고 있어? - 你认识到了吗？
3351. 네, 알고 있어. - 是的，我意识到了。

3352. 37. 명사 단어들 외우기, 필수 10개 동사의 단어들을 가지고 50문장 연습하기 - 37. 背诵名词，用 10 个基本动词词练习 50 个句子
3353. 핵심 - 核心
3354. 진실 - 真理
3355. 해결책 - 解决方案
3356. 발표 - 介绍
3357. 기타 - 等等
3358. 스피치(말) - 演讲
3359. 영어 - 英语
3360. 코딩 - 编码
3361. 요리 - 烹饪
3362. 게임 - 游戏
3363. 악기 - 乐器
3364. 기술 - 技术
3365. 환경 - 环境
3366. 변화 - 改变
3367. 도전 - 挑战
3368. 규칙 - 规则
3369. 조건 - 条件
3370. 기준 - 标准
3371. 칼 - 刀
3372. 배트 - 球棒
3373. 막대기 - 棒
3374. 공 - 球
3375. 종이비행기 - 纸飞机
3376. 주사위 - 骰子
3377. 손 - 手
3378. 기회 - 机会
3379. 아기 - 宝宝
3380. 강아지 - 小狗
3381. 책 - 书
3382. 파악하다 - 把握
3383. 우리는 핵심을 파악했다. - 我们把握核心。
3384. 당신들은 진실을 파악한다. - 你们把握真理。

3385. 그들은 해결책을 파악할 것이다. - 他们会想出解决办法的
3386. 이해했어? - 你明白吗？
3387. 네, 이해했어. - 是的，我明白
3388. 연습하다 - 练习
3389. 나는 발표를 연습했다. - 我练习演讲
3390. 너는 기타를 연습한다. - 你练习吉他
3391. 그는 스피치를 연습할 것이다. - 他要练习演讲
3392. 열심히 하고 있니? - 你在认真练习吗？
3393. 응, 열심히 해. - 是的，我在认真练习。
3394. 숙달하다 - 掌握
3395. 그녀는 영어를 숙달했다. - 她掌握了英语。
3396. 우리는 코딩을 숙달한다. - 我们掌握了编码。
3397. 당신들은 요리를 숙달할 것이다. - 你们会掌握烹饪
3398. 잘하게 됐어? - 你掌握了吗？
3399. 네, 잘하게 됐어. - 是的，我掌握了
3400. 마스터하다 - 掌握
3401. 우리는 게임을 마스터했다. - 我们掌握了游戏
3402. 당신들은 악기를 마스터한다. - 你们掌握了一种乐器
3403. 그들은 기술을 마스터할 것이다. - 他们将掌握一门技能
3404. 전문가야? - 你是专家吗？
3405. 네, 전문가야. - 是的，他们是专家。
3406. 적응하다 - 适应
3407. 나는 새 환경에 적응했다. - 我适应了新环境。
3408. 너는 변화에 적응한다. - 你适应变化。
3409. 그는 도전에 적응할 것이다. - 他会适应挑战。
3410. 괜찮아지고 있어? - 你变得更好了吗？
3411. 네, 괜찮아지고 있어. - 是的，我越来越好了。
3412. 순응하다 - 顺应
3413. 그녀는 규칙에 순응했다. - 她顺应规则。
3414. 우리는 조건에 순응한다. - 我们符合条件。
3415. 당신들은 기준에 순응할 것이다. - 你们要符合标准。
3416. 쉽게 따라가? - 你很容易遵守？
3417. 응, 쉽게 따라가. - 是的，我很容易遵守。
3418. 휘두르다 - 挥舞

3419. 나는 칼을 휘두렀다. - 我挥舞着剑。
3420. 너는 배트를 휘두른다. - 你挥动球棒。
3421. 그는 막대기를 휘두를 것이다. - 他会挥棒。
3422. 잘 할 수 있어? - 你能做好吗？
3423. 네, 잘 할 수 있어. - 是的，我能做好。
3424. 던지다 - 投掷
3425. 그녀는 공을 던졌다. - 她把球扔了出去。
3426. 우리는 종이비행기를 던진다. - 我们扔纸飞机。
3427. 당신들은 주사위를 던질 것이다. - 你来扔骰子
3428. 멀리 갈까? - 会扔得远吗？
3429. 응, 멀리 갈 거야. - 是的，会扔得很远。
3430. 잡다 - 接住
3431. 그는 공을 잡았다. - 他接住了球。
3432. 너는 손을 잡는다. - 你们手牵手
3433. 그녀는 기회를 잡을 것이다. - 她会抓住机会的
3434. 공 잡을래? - 你会接住球吗？
3435. 네, 잡을게. - 是的，我会接住
3436. 눕히다 - 放下
3437. 나는 아기를 눕혔다. - 我把孩子放下来
3438. 우리는 강아지를 눕힌다. - 我们把小狗放下
3439. 당신들은 책을 눕힐 것이다. - 你把书放下
3440. 아기 재울래? - 你想让宝宝上床睡觉吗？
3441. 네, 지금 할게. - 是的，我现在就做。
3442. 38. 명사 단어들 외우기, 필수 10개 동사의 단어들을 가지고 50문장 연습하기 - 背诵名词，用 10 个基本动词词练习 50 个句子
3443. 인형 - 娃娃
3444. 모형 - 模型
3445. 자전거 - 自行车
3446. 음식 - 食物
3447. 책 - 书籍
3448. 차 - 汽车
3449. 창문 - 窗户
3450. 문 - 门
3451. 상자 - 盒子

3452. 가방 - 包
3453. 불 - 消防
3454. 컴퓨터 - 电脑
3455. 텔레비전 - 电视机
3456. 라디오 - 收音机
3457. 등 - 等
3458. 엔진 - 机房
3459. 방 - 机房
3460. 길 - 道路
3461. 화면 - 屏幕
3462. 눈 - 眼睛
3463. 그림 - 画
3464. 감정 - 情感
3465. 실력 - 技巧
3466. 성과 - 结果
3467. 세우다 - 布置
3468. 그녀는 인형을 세웠다. - 她摆好了娃娃。
3469. 그들은 모형을 세운다. - 他们设置了一个模型。
3470. 나는 자전거를 세울 것이다. - 我来摆放一辆自行车。
3471. 모형 세울까? - 我们来摆一个模型？
3472. 좋아, 세우자. - 好，我们来摆
3473. 덮다 - 来覆盖
3474. 우리는 음식을 덮었다. - 我们盖住食物
3475. 당신은 책을 덮는다. - 你盖住书。
3476. 그들은 차를 덮을 것이다. - 他们会把车盖上
3477. 이불 덮을래? - 你要盖被子吗？
3478. 아니, 괜찮아. - 不用了
3479. 열다 - 打开
3480. 그녀는 창문을 열었다. - 她打开窗户
3481. 나는 문을 연다. - 我打开门
3482. 우리는 상자를 열 것이다. - 我们来打开盒子
3483. 문 열까? - 要我开门吗？
3484. 네, 열어줘. - 是的，帮我打开。
3485. 닫다 - 合上

3486. 그는 책을 닫았다. - 他合上书。
3487. 그녀는 상자를 닫는다. - 她关上盒子
3488. 너는 가방을 닫을 것이다. - 你把包合上。
3489. 창문 닫을래? - 你会关上窗户吗？
3490. 네, 닫을게. - 是的，我会关上。
3491. 켜다 - 打开
3492. 우리는 불을 켰다. - 我们把灯打开。
3493. 당신들은 컴퓨터를 켠다. - 你们打开电脑
3494. 그들은 텔레비전을 켤 것이다. - 他们会打开电视
3495. 불 켤까? - 我们开灯吧？
3496. 좋아, 켜자. - 好，我们开
3497. 끄다 - 要关掉
3498. 나는 라디오를 껐다. - 我把收音机关了
3499. 그녀는 등을 끈다. - 她把灯关了
3500. 그는 차의 엔진을 끌 것이다. - 他会关掉汽车引擎。
3501. 등 끌래? - 你要关灯吗？
3502. 네, 끌게. - 是的，我来关。
3503. 밝히다 - 照亮
3504. 그녀는 방을 밝혔다. - 她点亮了房间。
3505. 우리는 등을 밝힌다. - 我们把灯点亮
3506. 당신들은 길을 밝힐 것이다. - 你来照亮道路
3507. 더 밝게 할까? - 要不要再亮一点？
3508. 그래, 좋아. - 好的
3509. 어둡게 하다 - 变暗
3510. 그는 화면을 어둡게 했다. - 他让屏幕变暗
3511. 너는 방을 어둡게 한다. - 你把房间变暗。
3512. 그녀는 불빛을 어둡게 할 것이다. - 她会把灯光调暗
3513. 조명 낮출까? - 你想让我调暗灯光吗？
3514. 네, 부탁해. - 是的，请
3515. 가리다 - 捂住
3516. 나는 눈을 가렸다. - 我遮住眼睛
3517. 우리는 창문을 가린다. - 我们遮住窗户
3518. 그들은 그림을 가릴 것이다. - 它们会遮住画
3519. 이걸로 가릴까? - 我们用这个盖上好吗？

3520. 좋아, 그게 좋겠어. - 好，这样就好了
3521. 보이다 - 以显示
3522. 그녀는 감정을 보였다. - 她表现出情感。
3523. 그는 실력을 보인다. - 他展示技巧。
3524. 너는 성과를 보일 것이다. - 你要展示表现。
3525. 잘 보였어? - 我表现得好吗？
3526. 응, 완벽해. - 是的，很完美。
3527. 39. 명사 단어들 외우기, 필수 10개 동사의 단어들을 가지고 50문장 연습하기 - 背诵名词性单词，用 10 个基本动词的单词练习 50 个句子
3528. 요리 - 烹饪
3529. 음료 - 饮料
3530. 디저트 - 甜点
3531. 천 - 布
3532. 표면 - 表面
3533. 소재 - 材料
3534. 마음 - 头脑
3535. 주제 - 主题
3536. 문제 - 问题
3537. 피아노 - 钢琴
3538. 드럼 - 鼓
3539. 기타 - 等等
3540. 문 - 门
3541. 탁자 - 桌子
3542. 어깨 - 肩
3543. 벌레 - 小虫
3544. 머리 - 头
3545. 등 - 等
3546. 눈 - 眼睛
3547. 손 - 手
3548. 팔 - 八
3549. 창문 - 窗
3550. 거울 - 镜
3551. 바닥 - 地板
3552. 마당 - 庭院

3553. 길 - 路
3554. 침대 - 床
3555. 소파 - 沙发
3556. 해먹 - 吊床
3557. 맛보다 - 品尝
3558. 우리는 새로운 요리를 맛보았다. - 我们品尝一道新菜。
3559. 당신들은 음료를 맛본다. - 你们品尝一种饮料。
3560. 그들은 디저트를 맛볼 것이다. - 他们将品尝甜点。
3561. 맛 좀 볼래? - 您想尝尝吗？
3562. 네, 감사해. - 好的，谢谢。
3563. 만지다 - 触摸
3564. 그는 부드러운 천을 만졌다. - 他触摸软布。
3565. 그녀는 표면을 만진다. - 她触摸表面。
3566. 나는 새로운 소재를 만질 것이다. - 我要摸一种新材料。
3567. 이거 만져도 돼? - 我能摸这个吗？
3568. 네, 괜찮아. - 可以
3569. 건드리다 - 要触摸
3570. 나는 그의 마음을 건드렸다. - 我触摸到了他的心
3571. 우리는 주제를 건드린다. - 我们触及一个话题
3572. 당신들은 문제를 건드릴 것이다. - 你要触及这个问题
3573. 이걸 건드려도 될까? - 我能碰这个吗？
3574. 아니, 말아줘. - 不，请不要
3575. 치다 - 触动
3576. 그녀는 피아노를 쳤다. - 她弹钢琴
3577. 그는 드럼을 친다. - 他打鼓
3578. 너는 기타를 칠 것이다. - 你来弹吉他
3579. 음악 칠까? - 我们来演奏音乐吧？
3580. 좋아, 시작해. - 好，开始吧
3581. 두드리다 - 敲门
3582. 그녀는 문을 두드렸다. - 她敲门
3583. 우리는 탁자를 두드린다. - 我们敲桌子
3584. 그들은 어깨를 두드릴 것이다. - 他们会拍你的肩膀。
3585. 더 두드려 볼까? - 要再敲几下吗？
3586. 아니, 됐어. - 不用了，谢谢

3587. 긁다 - 抓挠
3588. 나는 벌레 물린 곳을 긁었다. - 我挠了挠虫咬的地方。
3589. 그는 머리를 긁는다. - 他挠头。
3590. 그녀는 등을 긁을 것이다. - 她会挠背。
3591. 여기 긁어줄까? - 你想让我挠这里吗？
3592. 네, 부탁해. - 是的，请
3593. 문지르다 - 来揉
3594. 그녀는 눈을 문지렀다. - 她揉眼睛
3595. 우리는 손을 문지른다. - 我们搓手。
3596. 너는 팔을 문지를 것이다. - 你要搓你的手臂。
3597. 더 문지를까? - 要不要再搓几下？
3598. 아니, 괜찮아. - 不用了
3599. 닦다 - 来擦
3600. 그는 창문을 닦았다. - 他擦窗户
3601. 그녀는 거울을 닦는다. - 她擦镜子。
3602. 우리는 바닥을 닦을 것이다. - 我们来拖地
3603. 이제 닦을까? - 我们现在拖吗？
3604. 좋아, 해줘. - 好，就这么做
3605. 쓸다 - 扫地
3606. 나는 바닥을 쓸었다. - 我扫地
3607. 당신들은 마당을 쓴다. - 你们扫院子
3608. 그들은 길을 쓸 것이다. - 他们扫小路
3609. 계속 쓸까? - 要我继续扫吗？
3610. 네, 계속해. - 是的，继续
3611. 눕다 - 躺下
3612. 그녀는 침대에 누웠다. - 她躺在床上。
3613. 너는 소파에 눕는다. - 你躺在沙发上。
3614. 그는 해먹에 누울 것이다. - 他会躺在吊床上。
3615. 이제 누울까? - 我们现在躺下好吗？
3616. 응, 편해. - 是的，我很舒服。
3617. 40. 명사 단어들 외우기, 필수 10개 동사의 단어들을 가지고 50문장 연습하기 - 背诵名词性单词，用 10 个基本动词的单词练习 50 个句子
3618. 새벽 - 黎明
3619. 잠 - 睡觉

3620. 꿈 - 梦
3621. 손 - 手
3622. 얼굴 - 脸
3623. 발 - 脚
3624. 물 - 水
3625. 샤워 - 淋浴
3626. 아이 - 孩子
3627. 친구 - 朋友
3628. 사람 - 人
3629. 기금 - 资金
3630. 옷 - 衣服
3631. 돈 - 钱
3632. 책 - 书
3633. 장난감 - 玩具
3634. 컴퓨터 - 电脑
3635. 프로젝트 - 项目
3636. 학생 - 学生
3637. 이벤트 - 活动
3638. 깨다 - 醒来
3639. 우리는 새벽에 깼다. - 我们在黎明时分醒来。
3640. 그는 잠에서 깬다. - 他从睡梦中醒来。
3641. 그녀는 꿈에서 깰 것이다. - 她将从梦中醒来。
3642. 벌써 깼어? - 你已经醒了吗？
3643. 아니, 아직이야. - 不，还没有。
3644. 잠들다 - 入睡
3645. 그는 빠르게 잠들었다. - 他很快就睡着了。
3646. 그녀는 조용히 잠든다. - 她安静地睡着了。
3647. 우리는 일찍 잠들 것이다. - 我们早点睡吧。
3648. 잘 수 있을까? - 你能睡着吗？
3649. 응, 잘 수 있어. - 是的，我能睡。
3650. 씻다 - 洗脸
3651. 나는 얼굴을 씻었다. - 我洗了脸。
3652. 당신들은 손을 씻는다. - 你洗手
3653. 그들은 발을 씻을 것이다. - 他们会洗脚

3654. 손 씻었어? - 你洗手了吗？
3655. 네, 씻었어. - 是的，我洗了
3656. 목욕하다 - 洗澡
3657. 그녀는 긴 목욕을 했다. - 她洗了很久的澡。
3658. 우리는 따뜻한 물에 목욕한다. - 我们用温水洗澡。
3659. 너는 편안하게 목욕할 것이다. - 您将洗一个舒舒服服的澡。
3660. 목욕할 시간이야? - 是时候洗澡了吗？
3661. 그래, 지금이야. - 是的，现在是时候了。
3662. 샤워하다 - 洗澡
3663. 그는 아침에 샤워했다. - 他早上洗了个澡。
3664. 그녀는 빠르게 샤워한다. - 她匆匆洗了个澡。
3665. 우리는 저녁에 샤워할 것이다. - 我们晚上洗澡。
3666. 샤워 해야 하나? - 我应该洗澡吗？
3667. 응, 해야 해. - 是的，我必须洗。
3668. 달래다 - 安抚
3669. 나는 울고 있는 아이를 달랬다. - 我安抚哭泣的孩子。
3670. 그는 친구를 달랜다. - 他会安慰他的朋友。
3671. 그녀는 슬픈 사람을 달랠 것이다. - 她会安慰伤心的人。
3672. 조금 달랠까? - 要我安抚她吗？
3673. 네, 부탁해. - 是的，请
3674. 미소짓다 - 微笑
3675. 그녀는 따뜻하게 미소지었다. - 她温暖地微笑
3676. 우리는 서로에게 미소짓는다. - 我们彼此微笑。
3677. 너는 행복을 느끼며 미소질 것이다. - 你幸福地微笑
3678. 미소질래? - 你会微笑吗？
3679. 응, 물론이지. - 当然会
3680. 기부하다 - 捐献
3681. 그녀는 기금을 기부했다. - 她捐出了资金。
3682. 우리는 옷을 기부한다. - 我们捐衣服
3683. 당신들은 돈을 기부할 것이다. - 你们捐钱
3684. 기부 할래? - 你要捐吗？
3685. 네, 할래. - 是的，我来
3686. 기증하다 - 来捐
3687. 나는 책을 기증했다. - 我捐书

3688. 너는 장난감을 기증한다. - 你将捐出一个玩具。
3689. 그는 컴퓨터를 기증할 것이다. - 他将捐出他的电脑
3690. 책 줄까? - 要我把书给他吗？
3691. 네, 줘. - 是的，给吧。
3692. 후원하다 - 赞助
3693. 그들은 프로젝트를 후원했다. - 他们赞助了这个项目。
3694. 나는 학생을 후원한다. - 我赞助一名学生。
3695. 너는 이벤트를 후원할 것이다. - 您将赞助一项活动。
3696. 후원할래? - 你想赞助吗？
3697. 네, 할래. - 是的，我愿意。
3698. 41. 명사 단어들 외우기, 필수 10개 동사의 단어들을 가지고 50문장 연습하기 - 背诵名词性单词，用 10 个基本动词性单词练习 50 个句子
3699. 친구 - 朋友
3700. 팀 - 团队
3701. 프로그램 - 计划
3702. 동료 - 同事
3703. 파트너 - partner
3704. 조직 - 团体
3705. 목표 - 目标
3706. 커뮤니티 - 社区
3707. 회의 - 会议
3708. 워크숍(공동 연수) - 研讨会 (联合培训)
3709. 세미나 - 研讨会
3710. 파티 - 聚会
3711. 모임 - 课堂
3712. 이벤트 - 活动
3713. 프로젝트 - 项目
3714. 논의 - 论证
3715. 결정 - 决定
3716. 분쟁 - 争议
3717. 협상 - 谈判
3718. 문제해결 - 解决问题
3719. 대화 - 对话
3720. 논쟁 - 争论

3721. 계획 - 计划
3722. 작업 - 工作
3723. 집중 - 集中精力
3724. 싸움 - 争吵
3725. 오해 - 误解
3726. 지원하다 - 支持
3727. 그녀는 친구를 지원했다. - 她支持她的朋友。
3728. 우리는 팀을 지원한다. - 我们支持团队。
3729. 당신들은 프로그램을 지원할 것이다. - 你们将支持该计划。
3730. 도울까? - 你想帮忙吗？
3731. 네, 도와줘. - 是的，帮我。
3732. 협력하다 - 合作
3733. 나는 동료와 협력했다. - 我与同事合作。
3734. 너는 파트너와 협력한다. - 您与您的伙伴合作。
3735. 그는 조직과 협력할 것이다. - 他将与组织合作。
3736. 같이 할래? - 你想加入我们吗？
3737. 네, 할래. - 是的，我愿意。
3738. 협동하다 - 合作
3739. 그들은 공동의 목표를 위해 협동했다. - 他们为了共同的目标而合作。
3740. 나는 팀과 협동한다. - 我与团队合作。
3741. 너는 커뮤니티와 협동할 것이다. - 你将与社区合作。
3742. 협력할까? - 我们合作好吗？
3743. 네, 해. - 是的，我会的。
3744. 참석하다 - 参加
3745. 그녀는 회의에 참석했다. - 她出席会议。
3746. 우리는 워크숍에 참석한다. - 我们将参加研讨会。
3747. 당신들은 세미나에 참석할 것이다. - 你们将参加研讨会。
3748. 갈까? - 我们走吧？
3749. 네, 가자. - 是的，走吧。
3750. 불참하다 - 缺席
3751. 나는 파티에 불참했다. - 我没有参加聚会
3752. 너는 모임에 불참한다. - 你会缺席会议的
3753. 그는 이벤트에 불참할 것이다. - 他会缺席的
3754. 안 갈래? - 你不想去吗？

3755. 네, 안 갈래. - 不，我不去。
3756. 관여하다 - 参与
3757. 그들은 프로젝트에 관여했다. - 他们参与了这个项目。
3758. 나는 논의에 관여한다. - 我参与讨论。
3759. 너는 결정에 관여할 것이다. - 你将参与决定。
3760. 참여할래? - 你会参与吗？
3761. 네, 할래. - 是的，我来做。
3762. 개입하다 - 介入
3763. 그녀는 분쟁에 개입했다. - 她介入了争端。
3764. 우리는 협상에 개입한다. - 我们介入谈判。
3765. 당신들은 문제해결에 개입할 것이다. - 你将介入问题的解决。
3766. 도울까? - 要我帮忙吗？
3767. 네, 도와줘. - 是的，帮我。
3768. 참견하다 - 介入
3769. 나는 그들의 대화에 참견했다. - 我介入了他们的谈话。
3770. 너는 논쟁에 참견한다. - 你插手争论。
3771. 그는 계획에 참견할 것이다. - 他要插手计划
3772. 끼어들까? - 要我插嘴吗？
3773. 아니, 말아줘. - 不，请不要
3774. 방해하다 - 来打断
3775. 그들은 작업을 방해했다. - 他们打断了工作
3776. 나는 집중을 방해한다. - 我让人分心
3777. 너는 회의를 방해할 것이다. - 你会扰乱会议
3778. 멈출까? - 要停下来吗？
3779. 네, 멈춰. - 是的，停
3780. 저지하다 - 阻挠
3781. 그녀는 계획을 저지했다. - 她挫败了计划
3782. 우리는 싸움을 저지한다. - 我们将停止争吵
3783. 당신들은 오해를 저지할 것이다. - 你们要阻止这场误会
3784. 막을까? - 停止？
3785. 네, 막아. - 是的，停止。
3786. 42. 명사 단어들 외우기, 필수 10개 동사의 단어들을 가지고 50문장 연습하기 - 背诵名词，用 10 个基本动词词练习 50 个句子
3787. 길 - 路

3788. 진입 - 进入
3789. 문제 - 问题
3790. 출구 - exit
3791. 소리 - sound
3792. 소음 - 噪音
3793. 광고 - 广告
3794. 속도 - 速度
3795. 사용 - 使用
3796. 접근 - 访问
3797. 시간 - 小时
3798. 조건 - 条件
3799. 선택 - 选择
3800. 가능성 - 可能性
3801. 규칙 - 规则
3802. 행동 - 行动
3803. 자유 - 自由
3804. 감정 - 情感
3805. 충동 - 冲动
3806. 성장 - 成长
3807. 정보 - 信息
3808. 사실 - 实际上
3809. 증거 - 证据
3810. 패턴 - 模式
3811. 위험 - 危险
3812. 기회 - 机会
3813. 상황 - 形势
3814. 개념 - 概念
3815. 진실 - 真理
3816. 중요성 - 重要性
3817. 가치 - 价值
3818. 막다 - 阻挡
3819. 그는 길을 막았다. - 他挡住了去路。
3820. 그녀는 진입을 막는다. - 她挡住了入口。
3821. 우리는 문제를 막을 것이다. - 我们将阻止这个问题。

3822. 출구 막혔나요? - 出口堵住了吗？
3823. 네, 막혔어요. - 是的，堵住了。
3824. 차단하다 - 堵住
3825. 그녀는 소리를 차단했다. - 她堵住了声音。
3826. 우리는 소음을 차단한다. - 我们会堵住噪音。
3827. 당신들은 광고를 차단할 것이다. - 你们要挡住广告。
3828. 소음 차단 됐나요? - 噪音被屏蔽了吗？
3829. 네, 됐어요. - 是的，我们很好
3830. 제한하다 - 以限制
3831. 그는 속도를 제한했다. - 他限制了他的速度。
3832. 그녀는 사용을 제한한다. - 她限制使用。
3833. 우리는 접근을 제한할 것이다. - 我们将限制进入。
3834. 시간 제한 있나요? - 有时间限制吗？
3835. 네, 있어요. - 是的，有。
3836. 제약하다 - 以制约
3837. 그녀는 조건을 제약했다. - 她制约条件。
3838. 우리는 선택을 제약한다. - 我们制约选择。
3839. 당신들은 가능성을 제약할 것이다. - 你们会约束可能性。
3840. 조건 제약 있나요? - 你们制约条件吗？
3841. 네, 있어요. - 是的，有。
3842. 구속하다 - 以制约
3843. 그는 규칙을 구속했다. - 他约束规则。
3844. 그녀는 행동을 구속한다. - 她约束行为。
3845. 우리는 자유를 구속할 것이다. - 我们将约束自由。
3846. 자유 구속됐나요? - 赎回自由？
3847. 네, 됐어요. - 是的，就是这样。
3848. 억제하다 - 来约束
3849. 그녀는 감정을 억제했다. - 她克制自己的情绪。
3850. 우리는 충동을 억제한다. - 我们将抑制冲动
3851. 당신들은 성장을 억제할 것이다. - 你会抑制自己的成长
3852. 감정 억제되나요? - 你会抑制自己的情绪吗？
3853. 네, 되요. - 是的
3854. 검증하다 - 去核实
3855. 그는 정보를 검증했다. - 他核实了信息。

3856. 그녀는 사실을 검증한다. - 她核实事实。
3857. 우리는 증거를 검증할 것이다. - 我们会核实证据
3858. 사실 검증됐나요? - 你核实事实了吗？
3859. 네, 됐어요. - 是的，没问题
3860. 식별하다 - 以确定
3861. 그녀는 패턴을 식별했다. - 她识别出一种模式。
3862. 우리는 위험을 식별한다. - 我们识别风险
3863. 당신들은 기회를 식별할 것이다. - 你们来识别机会
3864. 위험 식별됐나요? - 识别出风险？
3865. 네, 됐어요. - 是的，我们很好。
3866. 이해하다 - 以了解
3867. 그는 문제를 이해했다. - 他了解问题。
3868. 그녀는 상황을 이해한다. - 她了解情况。
3869. 우리는 개념을 이해할 것이다. - 我们会理解这个概念。
3870. 상황 이해돼요? - 你了解情况吗？
3871. 네, 이해돼요. - 是的，我了解。
3872. 깨닫다 - 意识到
3873. 그녀는 진실을 깨달았다. - 她意识到了真相。
3874. 우리는 중요성을 깨닫는다. - 我们意识到重要性。
3875. 당신들은 가치를 깨달을 것이다. - 你会意识到价值。
3876. 진실 깨달았나요? - 你意识到真相了吗？
3877. 네, 깨달았어요. - 是的，我意识到了。
3878. 43. 명사 단어들 외우기, 필수 10개 동사의 단어들을 가지고 50문장 연습하기 - 背诵名词性单词，用 10 个基本动词的单词练习 50 个句子
3879. 변화 - 改变
3880. 실수 - 错误
3881. 기회 - 机会
3882. 규칙 - 规则
3883. 세부사항 - 细节
3884. 절차 - 程序
3885. 기술 - 技术
3886. 발표 - 演示
3887. 공연 - 展示
3888. 언어 - 语言

3889. 전략 - 策略
3890. 게임 - 游戏
3891. 악기 - 仪表
3892. 분야 - 场地
3893. 집 - 房屋
3894. 프로젝트 - 项目
3895. 시스템 - 系统
3896. 팀 - 团队
3897. 네트워크 - 网络
3898. 관계 - 关系
3899. 영상 - 视频
3900. 콘텐츠 - 内容
3901. 제품 - 产品
3902. 물건 - 东西
3903. 아이디어 - 理念
3904. 에너지 - 能源
3905. 기계 - 机器
3906. 시설 - 设备
3907. 알아차리다 - 注意到
3908. 그는 변화를 알아차렸다. - 他注意到了变化。
3909. 그녀는 실수를 알아차린다. - 她注意到了错误。
3910. 우리는 기회를 알아차릴 것이다. - 我们会认识到机会。
3911. 실수 알아차렸나요? - 你注意到错误了吗？
3912. 네, 알아차렸어요. - 是的，我注意到了。
3913. 숙지하다 - 熟悉
3914. 그녀는 규칙을 숙지했다. - 她熟悉规则。
3915. 우리는 세부사항을 숙지한다. - 我们熟悉细节。
3916. 당신들은 절차를 숙지할 것이다. - 你要熟悉程序。
3917. 규칙 숙지됐나요? - 你知道规则吗？
3918. 네, 숙지됐어요. - 是的，我记下来了。
3919. 연습하다 - 练习
3920. 그는 기술을 연습했다. - 他练习了技巧。
3921. 그녀는 발표를 연습한다. - 她练习了演讲。
3922. 우리는 공연을 연습할 것이다. - 我们将排练表演。

3923. 발표 연습했나요? - 你们练习演讲了吗？
3924. 네, 연습했어요. - 是的，我们练习了。
3925. 숙달하다 - 掌握
3926. 그녀는 언어를 숙달했다. - 她掌握了语言。
3927. 우리는 기술을 숙달한다. - 我们掌握了一项技能。
3928. 당신들은 전략을 숙달할 것이다. - 你将掌握策略。
3929. 기술 숙달됐나요? - 你掌握了技能吗？
3930. 네, 숙달됐어요. - 是的，我已经掌握了。
3931. 마스터하다 - 掌握
3932. 그는 게임을 마스터했다. - 他掌握了游戏
3933. 그녀는 악기를 마스터한다. - 她掌握了乐器
3934. 우리는 분야를 마스터할 것이다. - 我们将掌握这门学科
3935. 악기 마스터했나요? - 你掌握了乐器？
3936. 네, 마스터했어요. - 是的，我掌握了它。
3937. 설계하다 - 设计
3938. 그녀는 집을 설계했다. - 她设计了房子。
3939. 우리는 프로젝트를 설계한다. - 我们将设计一个项目。
3940. 당신들은 시스템을 설계할 것이다. - 你们将设计一个系统。
3941. 프로젝트 설계됐나요? - 项目设计好了吗？
3942. 네, 설계됐어요. - 是的，已经设计好了。
3943. 구축하다 - 建立
3944. 그는 팀을 구축했다. - 他建立一个团队。
3945. 그녀는 네트워크를 구축한다. - 她建立一个网络。
3946. 우리는 관계를 구축할 것이다. - 我们要建立一种关系。
3947. 네트워크 구축됐나요? - 网络建立了吗？
3948. 네, 구축됐어요. - 是的，建立了。
3949. 제작하다 - 制作
3950. 그녀는 영상을 제작했다. - 她制作了一个视频。
3951. 우리는 콘텐츠를 제작한다. - 我们将制作内容。
3952. 당신들은 제품을 제작할 것이다. - 你们要制作产品。
3953. 콘텐츠 제작됐나요? - 内容制作好了吗？
3954. 네, 제작됐어요. - 是的，制作了。
3955. 생산하다 - 来生产
3956. 그는 물건을 생산했다. - 他生产东西。

3957. 그녀는 아이디어를 생산한다. - 她生产想法。
3958. 우리는 에너지를 생산할 것이다. - 我们将产生能量。
3959. 아이디어 생산되나요? - 思想被生产出来了吗？
3960. 네, 생산돼요. - 是的，它们被生产出来了。
3961. 보수하다 - 修理
3962. 그녀는 집을 보수했다. - 她修理房子。
3963. 우리는 기계를 보수한다. - 我们修理机器。
3964. 당신들은 시설을 보수할 것이다. - 你们要整修设备。
3965. 기계 보수됐나요? - 机器修好了吗？
3966. 네, 보수됐어요. - 是的，已经修好了。
3967. 44. 명사 단어들 외우기, 필수 10개 동사의 단어들을 가지고 50문장 연습하기 - 背诵名词性单词，用 10 个基本动词性单词练习 50 个句子
3968. 차 - 汽车
3969. 장비 - 设备
3970. 시스템 - 系统
3971. 창문 - 窗户
3972. 바닥 - 地板
3973. 가구 - 家具
3974. 마당 - 庭院
3975. 방 - 房间
3976. 거리 - 距离
3977. 테이블 - 桌子
3978. 유리 - 玻璃
3979. 집 - 房子
3980. 축제 - 节日
3981. 풍경 - 视线
3982. 아이디어 - 创意
3983. 디자인 - 设计
3984. 옷 - 服装
3985. 웹사이트 - 网站
3986. 앱 - 应用程序
3987. 나무 - 树
3988. 돌 - 石头
3989. 얼음 - 冰

3990. 시 - 城市
3991. 음악 - 音乐
3992. 이야기 - 故事
3993. 산 - 山
3994. 계단 - 阶梯
3995. 봉우리 - 山峰
3996. 정비하다 - 维护
3997. 그는 차를 정비했다. - 他维修他的汽车。
3998. 그녀는 장비를 정비한다. - 她维护设备。
3999. 우리는 시스템을 정비할 것이다. - 我们将检修系统。
4000. 장비 정비됐나요? - 设备维修过吗？
4001. 네, 정비됐어요. - 是的，已经维修过了。
4002. 닦다 - 擦拭
4003. 그녀는 창문을 닦았다. - 她洗了窗户。
4004. 우리는 바닥을 닦는다. - 我们拖地
4005. 당신들은 가구를 닦을 것이다. - 你们擦家具
4006. 바닥 닦았나요? - 你拖地了吗
4007. 네, 닦았어요. - 是的，我拖了
4008. 쓸다 - 扫地
4009. 그는 마당을 쓸었다. - 他扫了院子。
4010. 그녀는 방을 쓴다. - 她扫房间。
4011. 우리는 거리를 쓸 것이다. - 我们要扫大街。
4012. 방 쓸었나요? - 你扫房间了吗？
4013. 네, 쓸었어요. - 是的，我扫了。
4014. 문지르다 - 擦
4015. 그녀는 테이블을 문지렀다. - 她擦了桌子。
4016. 우리는 유리를 문지른다. - 我们擦了玻璃
4017. 당신들은 바닥을 문지를 것이다. - 你们擦地板
4018. 유리 문지렀나요? - 你擦玻璃了吗？
4019. 네, 문지렀어요. - 是的，我擦了。
4020. 장식하다 - 装饰
4021. 그녀는 방을 장식했다. - 她装饰了房间。
4022. 우리는 집을 장식한다. - 我们装饰房子。
4023. 당신들은 축제를 장식할 것이다. - 你要装饰节日。

4024. 장식 좋아해? - 你喜欢装饰吗？
4025. 네, 좋아해. - 是的，我喜欢。
4026. 스케치하다 - 素描
4027. 그는 풍경을 스케치했다. - 他勾画风景。
4028. 우리는 아이디어를 스케치한다. - 我们勾画想法。
4029. 그들은 새로운 디자인을 스케치할 것이다. - 他们会画出新的设计草图。
4030. 그림 그리기 좋아해? - 你喜欢画画吗？
4031. 응, 좋아해. - 是的，我喜欢。
4032. 디자인하다 - 设计
4033. 그녀는 옷을 디자인했다. - 她设计衣服。
4034. 우리는 웹사이트를 디자인한다. - 我们设计网站。
4035. 당신들은 새로운 앱을 디자인할 것이다. - 你们要设计一个新的应用程序。
4036. 디자인 재밌어? - 设计好玩吗？
4037. 네, 재밌어. - 是的，很好玩。
4038. 조각하다 - 来雕刻
4039. 그는 나무를 조각했다. - 他雕刻木头
4040. 우리는 돌을 조각한다. - 我们雕刻石头
4041. 그들은 얼음을 조각할 것이다. - 他们会雕刻冰。
4042. 조각하기 어려워? - 雕刻难吗？
4043. 아니, 쉬워. - 不，很容易。
4044. 창작하다 - 创作
4045. 그녀는 시를 창작했다. - 她创作了一首诗
4046. 우리는 음악을 창작한다. - 我们创作音乐。
4047. 당신들은 이야기를 창작할 것이다. - 你将创造一个故事。
4048. 창작 즐거워? - 你喜欢创作吗？
4049. 응, 즐거워. - 是的，我乐在其中。
4050. 오르다 - 攀登
4051. 그는 산을 올랐다. - 他爬上了山。
4052. 우리는 계단을 오른다. - 我们爬楼梯。
4053. 그들은 높은 봉우리를 오를 것이다. - 他们将攀登高峰。
4054. 등산 좋아해? - 你喜欢爬山吗？
4055. 네, 좋아해. - 是的，我喜欢。
4056. 45. 명사 단어들 외우기, 필수 10개 동사의 단어들을 가지고 50문장 연습하기 - 45. 背诵名词单词，用 10 个基本动词单词练习 50 个句子

4057. 영어 실력 - 英语技能
4058. 기술 - 技术
4059. 통신 - 交流
4060. 계획 - 计划
4061. 방향 - 方向
4062. 생각 - 思想
4063. 디자인 - 设计
4064. 구조 - 结构
4065. 아이디어 - 理念
4066. 부품 - 部分
4067. 재료 - 成分
4068. 시스템 - 系统
4069. 일정 - 时间表
4070. 프로젝트 - 项目
4071. 알람 - 警报
4072. 규칙 - 规则
4073. 비밀번호 - 密码
4074. 기기 - 设备
4075. 컴퓨터 - 计算机
4076. 설정 - 设置
4077. 데이터 - 数据
4078. 기계 - 机器
4079. 프로그램 - 程序
4080. 장치 - 设备
4081. 앱 - 应用程序
4082. 기능 - 功能
4083. 향상하다 - 提高
4084. 그녀는 영어 실력을 향상시켰다. - 她提高了英语水平。
4085. 우리는 기술을 향상시킨다. - 我们提高了我们的技能。
4086. 당신들은 통신을 향상시킬 것이다. - 你将提高你的交流能力。
4087. 실력 늘었어? - 你提高了你的技能吗？
4088. 응, 늘었어. - 是的，我提高了。
4089. 변화하다 - 改变
4090. 나는 계획을 변화했다. - 我改变了计划。

4091. 너는 방향을 변화한다. - 你将改变方向。
4092. 그는 생각을 변화할 것이다. - 他会改变主意。
4093. 계획 바꿀래? - 你想改变计划吗？
4094. 네, 바꿀래. - 是的，我想改变
4095. 변형하다 - 改变
4096. 그녀는 디자인을 변형했다. - 她转变了设计。
4097. 우리는 구조를 변형한다. - 我们将转变结构。
4098. 당신들은 아이디어를 변형할 것이다. - 你将转变想法。
4099. 디자인 바뀌었어? - 你改变了设计？
4100. 네, 바뀌었어. - 是的，改了。
4101. 대체하다 - 以替代
4102. 그들은 부품을 대체했다. - 他们替换了零件。
4103. 나는 재료를 대체한다. - 我替换材料。
4104. 너는 시스템을 대체할 것이다. - 你来替换系统。
4105. 부품 바꿀까? - 要替换零件吗？
4106. 네, 바꿀까. - 是的，我来替换。
4107. 조율하다 - 协调
4108. 그녀는 계획을 조율했다. - 她协调计划。
4109. 우리는 일정을 조율한다. - 我们将协调时间表。
4110. 당신들은 프로젝트를 조율할 것이다. - 你们将协调项目。
4111. 일정 맞출 수 있어? - 你能按期完成吗？
4112. 네, 맞출 수 있어. - 是的，我能做到。
4113. 설정하다 - 建立
4114. 그들은 시스템을 설정했다. - 他们设置系统
4115. 나는 알람을 설정한다. - 我设定闹钟
4116. 너는 규칙을 설정할 것이다. - 你来设定规则
4117. 알람 켤까? - 要我打开闹钟吗？
4118. 네, 켤까. - 是的，打开吧
4119. 재설정하다 - 重新设置
4120. 그녀는 비밀번호를 재설정했다. - 她重设了密码
4121. 우리는 기기를 재설정한다. - 我们重置了设备
4122. 당신들은 계획을 재설정할 것이다. - 你们要重设计划
4123. 다시 시작할까? - 要重新开始吗
4124. 네, 시작할까. - 是的，开始吧

4125. 초기화하다 - 进行初始化
4126. 그들은 컴퓨터를 초기화했다. - 他们重置了电脑
4127. 나는 설정을 초기화한다. - 我会初始化设置
4128. 너는 데이터를 초기화할 것이다. - 你将初始化你的数据。
4129. 전부 지울까? - 你想删除所有内容吗？
4130. 네, 지울까. - 是的，擦除吧
4131. 가동하다 - 启动
4132. 그녀는 기계를 가동했다. - 她启动了机器
4133. 우리는 시스템을 가동한다. - 我们将启动系统
4134. 당신들은 프로그램을 가동할 것이다. - 你来运行程序
4135. 시작할 시간이야? - 是时候启动了吗？
4136. 네, 시작할 시간이야. - 是的，是时候启动了。
4137. 작동하다 - 来操作
4138. 그들은 장치를 작동했다. - 他们操作设备。
4139. 나는 앱을 작동한다. - 我将操作应用程序。
4140. 너는 기능을 작동할 것이다. - 你来操作功能。
4141. 잘 되고 있어? - 进展如何？
4142. 네, 잘 되고 있어. - 是的，进展顺利。
4143. 46. 명사 단어들 외우기, 필수 10개 동사의 단어들을 가지고 50문장 연습하기 - 46. 记住名词性单词，用 10 个基本动词性单词练习 50 个句子
4144. 공부 - 学习
4145. 작업 - 工作
4146. 프로그램 - 计划
4147. 프로젝트 - 项目
4148. 회의 - 会议
4149. 시스템 - 系统
4150. 연습 - 实践
4151. 논의 - 论证
4152. 계획 - 计划
4153. 대화 - 对话
4154. 이야기 - 故事
4155. 이벤트 - 事件
4156. 아이디어 - 观点
4157. 전략 - 策略

4158. 꿈 - 梦想
4159. 목표 - 目标
4160. 작품 - 工作
4161. 보고서 - 报告
4162. 과제 - 任务
4163. 준비 - 准备工作
4164. 과정 - 流程
4165. 재개하다 - 复学
4166. 그녀는 공부를 재개했다. - 她恢复了学习。
4167. 우리는 작업을 재개한다. - 我们恢复工作。
4168. 당신들은 프로그램을 재개할 것이다. - 你们将恢复课程。
4169. 다시 시작할까? - 我们继续吗？
4170. 네, 시작하자. - 是的，开始吧
4171. 재시작하다 - 重新开始
4172. 그는 프로젝트를 재시작했다. - 他重启了项目
4173. 우리는 회의를 재시작한다. - 我们要重启会议
4174. 당신들은 시스템을 재시작할 것이다. - 你们要重启系统。
4175. 다시 할 준비 됐어? - 你准备好再来一次了吗？
4176. 네, 준비 됐어. - 是的，我准备好了
4177. 계속하다 - 继续
4178. 그녀는 연습을 계속했다. - 她继续练习
4179. 우리는 논의를 계속한다. - 我们继续讨论。
4180. 당신들은 계획을 계속할 것이다. - 你们继续执行计划
4181. 계속 진행해도 돼? - 我们能继续吗？
4182. 네, 계속해. - 可以，继续
4183. 이어가다 - 继续
4184. 그들은 회의를 이어갔다. - 他们继续开会
4185. 우리는 프로젝트를 이어간다. - 我们继续计划
4186. 당신들은 대화를 이어갈 것이다. - 你们继续谈话
4187. 더 할 말 있어? - 还有别的事吗？
4188. 아니, 괜찮아. - 没有了，谢谢
4189. 진행하다 - 继续
4190. 그녀는 계획을 진행했다. - 她继续执行计划。
4191. 우리는 작업을 진행한다. - 我们将继续执行任务。

4192. 당신들은 프로그램을 진행할 것이다. - 你们将按计划进行
4193. 잘 되고 있어? - 进展如何？
4194. 네, 잘 되고 있어. - 是的，进展顺利。
4195. 전개하다 - 展开
4196. 그는 이야기를 전개했다. - 他制定了故事。
4197. 우리는 계획을 전개한다. - 我们制定一个计划。
4198. 당신들은 이벤트를 전개할 것이다. - 你将展开一个事件。
4199. 어떻게 될까? - 会如何发展？
4200. 잘 될 거야. - 会成功的。
4201. 구현하다 - 实施
4202. 그녀는 아이디어를 구현했다. - 她实施了这个想法。
4203. 우리는 전략을 구현한다. - 我们将实施战略。
4204. 당신들은 시스템을 구현할 것이다. - 你来执行系统。
4205. 실행 가능해? - 你们能做到吗？
4206. 네, 가능해. - 是的，可以。
4207. 실현하다 - 实现
4208. 그들은 꿈을 실현했다. - 他们实现了梦想。
4209. 우리는 목표를 실현한다. - 我们实现我们的目标。
4210. 당신들은 계획을 실현할 것이다. - 你将实现你的计划。
4211. 꿈 이뤄질까? - 我的梦想会实现吗？
4212. 네, 이뤄질 거야. - 是的，会实现的。
4213. 완성하다 - 完成
4214. 그녀는 작품을 완성했다. - 她完成了她的工作。
4215. 우리는 보고서를 완성한다. - 我们将完成报告。
4216. 당신들은 프로젝트를 완성할 것이다. - 你将完成项目。
4217. 다 됐어? - 你完成了吗？
4218. 네, 다 됐어. - 是的，我完成了
4219. 완료하다 - 完成
4220. 그는 과제를 완료했다. - 他完成了任务。
4221. 우리는 준비를 완료한다. - 我们将完成准备工作。
4222. 당신들은 과정을 완료할 것이다. - 你将完成课程。
4223. 끝났어? - 你完成了吗？
4224. 네, 끝났어. - 是的，我完成了。
4225. 47. 명사 단어들 외우기, 필수 10개 동사의 단어들을 가지고 50문장 연습

하기 - 背诵名词性单词，用 10 个基本动词的单词练习 50 个句子
4226. 회의 - 会议
4227. 세션(시간, 기간) - 会话
4228. 서비스 - 服务
4229. 프로젝트 - 项目
4230. 논의 - 论证
4231. 작업 - 工作
4232. 연구 - 研究
4233. 프로그램 - 程序
4234. 기계 - 机器
4235. 계획 - 计划
4236. 프로세스(처리기) - 处理程序
4237. 활동 - 活动
4238. 결정 - 决策
4239. 발표 - 介绍
4240. 공부 - 研究
4241. 노래 - 唱歌
4242. 게임 - 游戏
4243. 기록 - 记录
4244. 사진 - 图片
4245. 문서 - 记录
4246. 경험 - 体验
4247. 지식 - 知识
4248. 자원 - 资源
4249. 종료하다 - 结束 (退出)
4250. 그들은 회의를 종료했다. - 他们结束了会议。
4251. 우리는 세션을 종료한다. - 我们要结束会议了。
4252. 당신들은 서비스를 종료할 것이다. - 你要关闭服务了。
4253. 이제 끝낼까? - 我们现在结束吗？
4254. 네, 끝내자. - 是的，我们结束吧
4255. 마무리하다 - 敲定
4256. 그녀는 프로젝트를 마무리했다. - 她敲定了项目。
4257. 우리는 논의를 마무리한다. - 我们要结束讨论了
4258. 당신들은 작업을 마무리할 것이다. - 你们来收尾

4259. 모두 정리됐어? - 东西都整理好了吗？
4260. 네, 정리됐어. - 是的，井井有条
4261. 개시하다 - 以启动
4262. 그는 연구를 개시했다. - 他宣布研究开始
4263. 우리는 회의를 개시한다. - 我们宣布会议开始
4264. 당신들은 프로그램을 개시할 것이다. - 你将启动一个程序。
4265. 시작해도 괜찮아? - 可以开始了吗？
4266. 네, 시작해. - 是的，开始吧
4267. 발동하다 - 启动
4268. 그녀는 기계를 발동했다. - 她启动了机器
4269. 우리는 계획을 발동한다. - 我们将启动一个计划
4270. 당신들은 프로세스를 발동할 것이다. - 你来触发程序
4271. 작동할까? - 会成功吗？
4272. 네, 작동할 거야. - 是的，会成功的
4273. 정지하다 - 停止
4274. 그들은 작업을 정지했다. - 他们停止了任务。
4275. 우리는 활동을 정지한다. - 我们停止一项活动。
4276. 당신들은 프로젝트를 정지할 것이다. - 你要停止项目。
4277. 멈출 시간이야? - 是时候停止了吗？
4278. 네, 멈출 시간이야. - 是的，是时候停止了。
4279. 보류하다 - 搁置
4280. 그녀는 결정을 보류했다. - 她搁置了她的决定。
4281. 우리는 계획을 보류한다. - 我们搁置了计划
4282. 당신들은 발표를 보류할 것이다. - 你要搁置演讲。
4283. 조금 기다릴까? - 我们要等吗？
4284. 네, 기다리겠습니다. - 是的，我们等
4285. 중단하다 - 中断
4286. 나는 공부를 중단했다. - 我中断了学习
4287. 너는 노래를 중단한다. - 你别唱了
4288. 그는 게임을 중단할 것이다. - 他会停止玩游戏
4289. 멈출까? - 他会停下来吗？
4290. 아니, 안 멈출 거야. - 不，我不会停
4291. 중지하다 - 停止
4292. 그녀는 작업을 중지했다. - 她停止工作了

4293. 우리는 회의를 중지한다. - 我们要取消会议
4294. 당신들은 프로젝트를 중지할 것이다. - 你们要停止项目
4295. 중지할까? - 我们停吗？
4296. 아니, 안 할 거야. - 不，我们不会
4297. 보관하다 - 保持
4298. 그들은 기록을 보관했다. - 他们保留记录。
4299. 나는 사진을 보관한다. - 我保留照片。
4300. 너는 문서를 보관할 것이다. - 你要保存文件。
4301. 보관해둘까? - 要我保存吗？
4302. 아니, 안 해도 돼. - 不，你不必。
4303. 축적하다 - 积累
4304. 그녀는 경험을 축적했다. - 她积累经验。
4305. 우리는 지식을 축적한다. - 我们积累知识。
4306. 당신들은 자원을 축적할 것이다. - 你将积累资源。
4307. 축적할까? - 我们要积累吗？
4308. 아니, 필요 없어. - 不，我们不需要。
4309. 48. 명사 단어들 외우기, 필수 10개 동사의 단어들을 가지고 50문장 연습하기 - 背诵名词性单词，用 10 个基本动词的单词练习 50 个句子
4310. 용기 - 勇气
4311. 능력 - 能力
4312. 진심 - 真诚
4313. 구덩이 - 坑
4314. 정원 - 花园
4315. 채널 - 通道
4316. 휴식 - 休息
4317. 휴가 - 假期
4318. 창문 - 窗户
4319. 장난감 - 玩具
4320. 장벽 - 屏障
4321. 저녁 - 晚餐
4322. 식사 - 用餐
4323. 평화 - 和平
4324. 변화 - 改变
4325. 음식 - 食物

4326. 책 - 书
4327. 우산 - 伞
4328. 기회 - 机会
4329. 쓰레기 - 垃圾
4330. 선물 - 礼物
4331. 위험 - 危险
4332. 논쟁 - 争论
4333. 책임 - 责任
4334. 보이다 - 展示
4335. 나는 용기를 보였다. - 我展示勇气
4336. 너는 능력을 보인다. - 你展示能力
4337. 그는 진심을 보일 것이다. - 他会表现出诚意。
4338. 보여줄까? - 要我表现出来吗？
4339. 아니, 괜찮아. - 不，没关系
4340. 소리치다 - 来喊
4341. 그녀는 기쁨을 소리쳤다. - 她欢呼雀跃
4342. 우리는 승리를 소리친다. - 我们高呼胜利
4343. 당신들은 이름을 소리칠 것이다. - 你要喊出你的名字
4344. 소리쳐도 돼? - 我能喊吗？
4345. 아니, 조용히 해. - 不，安静。
4346. 파다 - 挖坑
4347. 그들은 구덩이를 팠다. - 他们挖了一个坑。
4348. 나는 정원을 파낸다. - 我挖一个花园
4349. 너는 채널을 파낼 것이다. - 你要挖一条通道
4350. 계속 파도 될까? - 要我继续挖吗？
4351. 아니, 그만 파. - 不，别挖了。
4352. 쉬다 - 休息
4353. 그녀는 잠시 쉬었다. - 她休息了一会儿。
4354. 우리는 휴식을 취한다. - 我们休息一下
4355. 당신들은 휴가를 취할 것이다. - 你们要休假。
4356. 잠깐 쉴까? - 我们休息一下？
4357. 아니, 계속할게. - 不，我继续
4358. 부수다 - 要打破
4359. 그는 창문을 부쉈다. - 他打破了窗户

4360. 그녀는 장난감을 부수고 있다. - 她在砸她的玩具
4361. 우리는 장벽을 부술 것이다. - 我们要打破障碍
4362. 부술까요? - 我们要打破它吗？
4363. 그래, 부셔요. - 是的，我们来打破它。
4364. 요리하다 - 做饭
4365. 나는 저녁을 요리했다. - 我做饭了
4366. 너는 요리하고 있다. - 你在做饭。
4367. 그는 식사를 요리할 것이다. - 他会做饭
4368. 뭐 요리할까? - 我做什么饭？
4369. 간단한 거로 해. - 简单的东西。
4370. 원하다 - 想
4371. 그녀는 휴식을 원했다. - 她想休息。
4372. 우리는 평화를 원한다. - 我们想要平静。
4373. 당신들은 변화를 원할 것이다. - 你们想要改变。
4374. 무엇을 원해요? - 你想要什么？
4375. 조용한 시간이요. - 一些安静的时间。
4376. 가져오다 - 带来
4377. 그들은 음식을 가져왔다. - 他们带来食物
4378. 나는 책을 가져온다. - 我带书来。
4379. 너는 우산을 가져올 것이다. - 你来带伞。
4380. 가져올까요? - 要我带吗？
4381. 네, 부탁해요. - 好的
4382. 가져가다 - 拿着吧
4383. 그녀는 기회를 가져갔다. - 她在冒险
4384. 우리는 쓰레기를 가져간다. - 我们把垃圾带走
4385. 당신들은 선물을 가져갈 것이다. - 你要收下礼物
4386. 가져갈게요? - 你们会收下？
4387. 좋아요, 가져가세요. - 好，收下吧
4388. 회피하다 - 以避免
4389. 나는 위험을 회피했다. - 我避开了危险
4390. 너는 논쟁을 회피하고 있다. - 你在回避争论。
4391. 그는 책임을 회피할 것이다. - 他会逃避责任
4392. 회피해야 하나요? - 我该回避吗？
4393. 아니요, 마주해요. - 不，面对它。

4394. 49. 명사 단어들 외우기, 필수 10개 동사의 단어들을 가지고 50문장 연습하기 - 背诵名词性单词，用 10 个基本动词的单词练习 50 个句子
4395. 기쁨 - 乐趣
4396. 어려움 - 困难
4397. 성공 - 成功
4398. 추위 - 寒冷
4399. 성취감 - 成就
4400. 도움 - 帮助
4401. 지원 - 支持
4402. 협력 - 合作
4403. 결과 - 结果
4404. 여행 - 旅行
4405. 실패 - 失败
4406. 어둠 - 黑暗
4407. 위험 - 危险
4408. 문제 - 问题
4409. 슬픔 - 悲伤
4410. 과학 - 科学
4411. 예술 - 艺术
4412. 취미 - 爱好
4413. 주말 - 周末
4414. 선생님 - 教师
4415. 부모님 - 家长
4416. 리더 - 领导
4417. 상황 - 情况
4418. 경험하다 - 体验
4419. 그녀는 기쁨을 경험했다. - 她体验到了快乐。
4420. 우리는 어려움을 경험하고 있다. - 我们正在经历困难。
4421. 당신들은 성공을 경험할 것이다. - 你将体验成功。
4422. 경험해 볼래요? - 你想体验一下吗？
4423. 예, 해보고 싶어요. - 是的，我想试试。
4424. 느끼다 - 去感受
4425. 그는 기쁨을 느꼈다. - 他感受到了快乐。
4426. 나는 추위를 느낀다. - 我感到寒冷。

4427. 너는 성취감을 느낄 것이다. - 你会感到成就感。
4428. 행복해요? - 你快乐吗？
4429. 네, 매우 그래요. - 是的，非常开心。
4430. 약속하다 - 承诺
4431. 그녀는 도움을 약속했다. - 她答应帮忙。
4432. 우리는 지원을 약속한다. - 我们承诺支持。
4433. 당신들은 협력을 약속할 것이다. - 你答应合作
4434. 늦지 않겠죠? - 你不会迟到吧？
4435. 아니요, 시간 맞출게요. - 不会，我会准时的
4436. 기대하다 - 以期望
4437. 그들은 좋은 결과를 기대했다. - 他们期待一个好结果。
4438. 나는 여행을 기대한다. - 我期待旅行。
4439. 너는 성공을 기대할 것이다. - 你会期待成功。
4440. 설레나요? - 你兴奋吗？
4441. 네, 정말로요. - 是的，真的。
4442. 두려워하다 - 害怕
4443. 나는 실패를 두려워했다. - 我害怕失败。
4444. 너는 어둠을 두려워한다. - 你害怕黑暗。
4445. 그는 위험을 두려워할 것이다. - 他害怕风险
4446. 겁나나요? - 你害怕吗？
4447. 조금요, 괜찮아요. - 有一点，但没关系
4448. 웃어대다 - 一笑置之
4449. 그녀는 문제를 웃어넘겼다. - 她对问题一笑而过。
4450. 우리는 슬픔을 웃어낸다. - 我们笑对忧愁。
4451. 당신들은 어려움을 웃어넘길 것이다. - 你会笑着面对困难。
4452. 웃을 수 있어요? - 你能笑吗？
4453. 네, 물론이죠. - 当然能
4454. 관심가지다 - 感兴趣
4455. 그는 과학에 관심을 가졌다. - 他对科学感兴趣。
4456. 나는 예술에 관심을 가진다. - 我对艺术感兴趣。
4457. 너는 새 취미에 관심을 가질 것이다. - 你会对新的爱好感兴趣。
4458. 관심 있어요? - 你感兴趣吗？
4459. 네, 많이요. - 是的，非常感兴趣。
4460. 휴식하다 - 来放松

4461. 그들은 주말에 휴식했다. - 他们周末休息了。
4462. 나는 지금 휴식한다. - 我现在正在休息。
4463. 너는 여행 후 휴식할 것이다. - 旅行结束后你会休息的。
4464. 쉬고 싶어요? - 你想休息吗？
4465. 예, 필요해요. - 是的，我需要
4466. 존경하다 - 敬重
4467. 나는 선생님을 존경했다. - 我尊敬我的老师
4468. 너는 부모님을 존경한다. - 你尊敬父母。
4469. 그는 리더를 존경할 것이다. - 他会尊敬领导
4470. 존경해요? - 你尊敬吗？
4471. 네, 존경해요. - 是的，我敬佩他们。
4472. 절망하다 - 对绝望
4473. 그녀는 실패에 절망했다. - 她对失败感到绝望。
4474. 우리는 상황을 절망한다. - 我们对现状绝望。
4475. 당신들은 결과에 절망할 것이다. - 你会对结果绝望。
4476. 희망이 있어? - 还有希望吗？
4477. 네, 여전히 있어. - 是的，还有。
4478. 50. 명사 단어들 외우기, 필수 10개 동사의 단어들을 가지고 50문장 연습하기 - 背诵名词，用 10 个基本动词词练习 50 个句子
4479. 대회 - 比赛
4480. 경기 - 游戏
4481. 시합 - 比赛
4482. 도전 - 挑战
4483. 시험 - 测试
4484. 어린 시절 - 童年
4485. 추억 - 记忆
4486. 순간 - 时刻
4487. 도움 - 帮助
4488. 정보 - 信息
4489. 지원 - 支持
4490. 조심 - 细心
4491. 성실 - 真诚
4492. 주의 - 谨慎
4493. 사업 - 业务

4494. 집 - 家庭
4495. 작업 - 工作
4496. 자격 - 资质
4497. 기술 - 技术
4498. 능력 - 能力
4499. 강좌 - 讲座
4500. 프로그램 - 课程
4501. 관계 - 关系
4502. 건강 - 健康
4503. 균형 - 平衡
4504. 전통 - 传统
4505. 환경 - 环境
4506. 문화 - 文化
4507. 승리하다 - 获胜
4508. 그는 대회에서 승리했다. - 他赢得了比赛。
4509. 나는 경기를 승리한다. - 我赢得了比赛。
4510. 너는 시합을 승리할 것이다. - 你将赢得比赛。
4511. 기분 좋아요? - 你感觉好吗？
4512. 네, 매우 좋아요. - 是的，我感觉非常好。
4513. 패배하다 - 输
4514. 그들은 경기에서 패배했다. - 他们输掉了比赛
4515. 나는 도전에서 패배한다. - 我输掉了挑战。
4516. 너는 시험에서 패배할 것이다. - 你会输掉考试
4517. 괜찮아요? - 你还好吗？
4518. 네, 괜찮아요. - 是的，我没事
4519. 회상하다 - 回忆
4520. 나는 어린 시절을 회상했다. - 我回忆起我的童年。
4521. 너는 좋은 추억을 회상한다. - 你追忆美好的回忆。
4522. 그는 행복한 순간을 회상할 것이다. - 他会追忆快乐的时光。
4523. 추억 나눌래? - 你想回忆吗？
4524. 네, 좋아요. - 是的，我很想。
4525. 구하다 - 寻求帮助
4526. 그녀는 도움을 구했다. - 她寻求帮助。
4527. 우리는 정보를 구한다. - 我们寻求信息。

4528. 당신들은 지원을 구할 것이다. - 您将寻求支持。
4529. 도와줄까요? - 需要我帮忙吗？
4530. 네, 부탁해요. - 是的，请。
4531. 당부하다 - 请求
4532. 그는 조심을 당부했다. - 他要求谨慎。
4533. 나는 성실을 당부한다. - 我请求真诚。
4534. 너는 주의를 당부할 것이다. - 你会要求谨慎的。
4535. 약속해요? - 你答应吗？
4536. 네, 약속해요. - 是的，我保证。
4537. 계약하다 - 签约
4538. 그들은 사업에 계약했다. - 他们承包了生意。
4539. 나는 집을 계약한다. - 我承包一栋房子。
4540. 너는 작업을 계약할 것이다. - 你将承包一份工作。
4541. 성공할까요? - 能行吗？
4542. 네, 분명해요. - 行，我肯定行。
4543. 인증하다 - 认证
4544. 그녀는 자격을 인증했다. - 她认证了她的资格。
4545. 우리는 기술을 인증한다. - 我们认证技能
4546. 당신들은 능력을 인증할 것이다. - 你将认证你的技能。
4547. 준비됐나요? - 准备好了吗？
4548. 네, 완벽해요. - 是的，完美。
4549. 등록하다 - 注册
4550. 나는 강좌에 등록했다. - 我报名参加了一门课程。
4551. 너는 대회에 등록한다. - 你报名参加比赛
4552. 그는 프로그램에 등록할 것이다. - 他将报名参加该课程。
4553. 참여할래? - 你想加入吗？
4554. 네, 신나요. - 是的，我很兴奋。
4555. 유지하다 - 维持
4556. 그들은 관계를 유지했다. - 他们保持关系。
4557. 나는 건강을 유지한다. - 我保持健康。
4558. 너는 균형을 유지할 것이다. - 你将保持平衡。
4559. 쉽나요? - 这容易吗？
4560. 네, 쉬어요. - 是的，很容易。
4561. 보존하다 - 以保持

4562. 그녀는 전통을 보존했다. - 她保存了传统。
4563. 우리는 환경을 보존한다. - 我们保护环境。
4564. 당신들은 문화를 보존할 것이다. - 你们要保存文化
4565. 중요하죠? - 这很重要，对吗？
4566. 네, 매우 중요해요. - 是的，非常重要。
4567. 51. 명사 단어들 외우기, 필수 10개 동사의 단어들을 가지고 50문장 연습하기 - 背诵名词，用 10 个基本动词词练习 50 个句子
4568. 차 - 汽车
4569. 옷 - 衣服
4570. 신발 - 鞋子
4571. 자동차 - 汽车
4572. 방 - 房间
4573. 집 - 房屋
4574. 제품 - 产品
4575. 앱 - 应用程序
4576. 게임 - 游戏
4577. 계획 - 计划
4578. 정보 - 信息
4579. 사실 - 实际上
4580. 편지 - 信件
4581. 상품 - 商品
4582. 초대장 - 邀请
4583. 신호 - 信号
4584. 데이터 - 数据
4585. 메시지 - 信息
4586. 뉴스 - 新闻
4587. 프로그램 - 节目
4588. 쇼 - 节目
4589. 영화 - 电影
4590. 음악 - 音乐
4591. 콘서트 - 音乐会
4592. 조건 - 条件
4593. 계약 - 合同
4594. 가격 - 价格

4595. 목표 - 目标
4596. 방침 - 政策
4597. 세척하다 - 洗车
4598. 그는 차를 세척했다. - 他洗车。
4599. 나는 옷을 세척한다. - 我洗衣服。
4600. 너는 신발을 세척할 것이다. - 你要洗鞋子。
4601. 깨끗해졌나요? - 它们干净吗？
4602. 네, 반짝반짝해요. - 是的，它们很亮。
4603. 개조하다 - 翻新
4604. 그는 자동차를 개조했다. - 他翻新了汽车。
4605. 나는 방을 개조한다. - 我会翻新房间。
4606. 너는 집을 개조할 것이다. - 你要翻新房子。
4607. 새로워 보이나요? - 它看起来焕然一新吗？
4608. 네, 완전히 달라요. - 是的，完全不一样了。
4609. 출시하다 - 推出
4610. 그녀는 새 제품을 출시했다. - 她推出了一款新产品。
4611. 우리는 앱을 출시한다. - 我们推出一个应用程序。
4612. 당신들은 게임을 출시할 것이다. - 你们要推出一款游戏
4613. 관심 있어요? - 你感兴趣吗？
4614. 네, 궁금해요. - 是的，我感兴趣
4615. 비밀하다 - 保密
4616. 그들은 계획을 비밀했다. - 他们对计划保密。
4617. 나는 정보를 비밀한다. - 我对信息保密。
4618. 너는 사실을 비밀할 것이다. - 你要对事实保密。
4619. 알고 싶어요? - 你想知道吗？
4620. 아니요, 괜찮아요. - 不，谢谢
4621. 발송하다 - 要寄
4622. 그녀는 편지를 발송했다. - 她把信运走了。
4623. 우리는 상품을 발송한다. - 我们发货
4624. 당신들은 초대장을 발송할 것이다. - 你们要发请柬了
4625. 받았어요? - 你收到了吗
4626. 네, 잘 받았어요. - 是的，我收到得很好。
4627. 송출하다 - 传送
4628. 그는 신호를 송출했다. - 他传送了信号

4629. 나는 데이터를 송출한다. - 我在发送数据
4630. 너는 메시지를 송출할 것이다. - 你来播报信息
4631. 작동하나요? - 有用吗？
4632. 네, 잘 되요. - 是的，能用
4633. 방송하다 - 广播
4634. 그들은 뉴스를 방송했다. - 他们播报新闻
4635. 나는 프로그램을 방송한다. - 我播放节目。
4636. 너는 쇼를 방송할 것이다. - 你将播出一个节目。
4637. 볼래요? - 你想看吗？
4638. 네, 흥미로워요. - 是的，很有趣。
4639. 스트리밍하다 - 流
4640. 그녀는 영화를 스트리밍했다. - 她在播放电影
4641. 우리는 음악을 스트리밍한다. - 我们播放音乐
4642. 당신들은 콘서트를 스트리밍할 것이다. - 你们要播放音乐会
4643. 즐기나요? - 你们喜欢吗？
4644. 네, 많이요. - 是的，非常喜欢
4645. 협상하다 - 谈判
4646. 그는 조건을 협상했다. - 他就条款进行谈判。
4647. 나는 계약을 협상한다. - 我谈判合同
4648. 너는 가격을 협상할 것이다. - 你来谈价格
4649. 합의했나요? - 我们达成协议了吗？
4650. 네, 도달했어요. - 是的，我们已经达成协议。
4651. 합의하다 - 同意
4652. 그들은 목표에 합의했다. - 他们就目标达成了一致。
4653. 나는 방침에 합의한다. - 我将就政策达成一致。
4654. 너는 계획에 합의할 것이다. - 您将就计划达成一致。
4655. 만족해요? - 你们满意吗？
4656. 네, 완전히요. - 是的，完全满意。
4657. 52. 명사 단어들 외우기, 필수 10개 동사의 단어들을 가지고 50문장 연습하기 - 背诵名词性单词，用 10 个基本动词性单词练习 50 个句子
4658. 프로젝트 - 项目
4659. 발전 - 发展
4660. 성공 - 成功
4661. 사진 - 图片

4662. 아이디어 - 想法
4663. 경험 - 体验
4664. 건물 - 建筑
4665. 회의실 - 会议室
4666. 도서관 - 图书馆
4667. 파티 - 聚会
4668. 회의 - 会议
4669. 강당 - 礼堂
4670. 목록 - 名单
4671. 보고서 - 报告
4672. 계획 - 计划
4673. 명단 - 清单
4674. 주제 - 主题
4675. 옵션 - 选项
4676. 시험 - 测试
4677. 비상사태 - 紧急情况
4678. 경쟁 - 竞争
4679. 예산 - 预算
4680. 기대 - 预期
4681. 목표 - 目标
4682. 극한 - 限额
4683. 한계 - 限额
4684. 정상 - 正常
4685. 합의 - 协议
4686. 결론 - 结论
4687. 기여하다 - 贡献
4688. 그녀는 프로젝트에 기여했다. - 她为项目做出了贡献。
4689. 우리는 발전에 기여한다. - 我们为开发做出了贡献。
4690. 당신들은 성공에 기여할 것이다. - 你们将为成功做出贡献。
4691. 도움됐나요? - 有帮助吗？
4692. 네, 많이요. - 是的，帮助很大。
4693. 공유하다 - 分享
4694. 그는 사진을 공유했다. - 他分享了照片。
4695. 나는 아이디어를 공유한다. - 我分享想法。

4696. 너는 경험을 공유할 것이다. - 你将分享你的经验。
4697. 보여줄래요? - 你会给我看吗？
4698. 네, 기꺼이요. - 好的，我很乐意。
4699. 출입하다 - 进出
4700. 그들은 건물에 출입했다. - 他们进入大楼。
4701. 나는 회의실에 출입한다. - 我进入会议室。
4702. 너는 도서관에 출입할 것이다. - 你进入图书馆。
4703. 허용되나요? - 可以吗？
4704. 네, 가능해요. - 可以
4705. 퇴장하다 - 离开
4706. 그녀는 파티에서 퇴장했다. - 她离开了聚会
4707. 우리는 회의에서 퇴장한다. - 我们要离开会场
4708. 당신들은 강당에서 퇴장할 것이다. - 你们可以离开礼堂了
4709. 끝났나요? - 你说完了吗？
4710. 네, 끝났어요. - 是的，结束了
4711. 포함하다 - 列入
4712. 그는 목록에 이름을 포함했다. - 他把名字列入了名单。
4713. 나는 보고서에 결과를 포함한다. - 我把结果写进了报告。
4714. 너는 계획에 이 아이디어를 포함할 것이다. - 你要把想法写进你的计划里。
4715. 필요해요? - 有必要吗？
4716. 네, 중요해요. - 是的，这很重要。
4717. 배제하다 - 排除
4718. 그들은 명단에서 그를 배제했다. - 他们把他排除在名单之外。
4719. 나는 논의에서 주제를 배제한다. - 我把这个话题排除在讨论之外。
4720. 너는 제안에서 그 옵션을 배제할 것이다. - 您将从提案中排除该选项。
4721. 제외되나요? - 排除？
4722. 네, 그렇게 결정했어요. - 是的，我们就是这么决定的。
4723. 대비하다 - 准备
4724. 그녀는 시험에 대비했다. - 她为考试做了准备。
4725. 우리는 비상사태에 대비한다. - 我们为紧急情况做准备。
4726. 당신들은 경쟁에 대비할 것이다. - 你们要为比赛做准备。
4727. 준비됐나요? - 你准备好了吗？
4728. 네, 완벽해요. - 是的，我很完美。

4729. 초과하다 - 超出
4730. 그는 예산을 초과했다. - 他超出了预算。
4731. 나는 기대를 초과한다. - 我超出预期。
4732. 너는 목표를 초과할 것이다. - 你会超出你的目标。
4733. 문제 있나요? - 有问题吗？
4734. 아니요, 괜찮아요. - 没有，我很好。
4735. 미치다 - 疯狂
4736. 그는 극한에 미쳤다. - 他疯狂到了极致。
4737. 나는 한계에 미친다. - 我疯狂到极致。
4738. 너는 목표에 미칠 것이다. - 你会为你的目标而疯狂。
4739. 미쳤어? - 你疯了吗？
4740. 아니, 정상이야. - 不，这很正常。
4741. 도달하다 - 达到
4742. 그녀는 정상에 도달했다. - 她达到了顶峰。
4743. 우리는 합의에 도달한다. - 我们达成协议。
4744. 당신들은 결론에 도달할 것이다. - 你们会达成结论的
4745. 도착했니? - 我们到了吗？
4746. 네, 여기야. - 是的，我们到了。
4747. 53. 명사 단어들 외우기, 필수 10개 동사의 단어들을 가지고 50문장 연습하기 - 53. 背诵名词，用 10 个基本动词词练习 50 个句子
4748. 자원 - 资源
4749. 정보 - 信息
4750. 지지 - 支持
4751. 미래 - 未来
4752. 가능성 - 可能性
4753. 세계 - 世界
4754. 새로운 것 - 新事物
4755. 해결 - 解决
4756. 변화 - 改变
4757. 목표 - 目标
4758. 계획 - 计划
4759. 시험 - 测试
4760. 사업 - 业务
4761. 노력 - 努力

4762. 프로젝트 - 项目
4763. 결정 - 决策
4764. 방향 - 方向
4765. 선택 - 选择
4766. 경고 - 警告
4767. 위험 - 危险
4768. 조언 - 建议
4769. 세부사항 - 详细信息
4770. 결과 - 结果
4771. 작업 - 工作
4772. 공부 - 研究
4773. 공원 - 公园
4774. 생각 - 思想
4775. 감정 - 情感
4776. 확보하다 - 确保
4777. 그들은 자원을 확보했다. - 他们确保了资源。
4778. 나는 정보를 확보한다. - 我确保信息。
4779. 너는 지지를 확보할 것이다. - 你将确保支持。
4780. 준비됐니? - 你准备好了吗？
4781. 네, 다 됐어. - 是的，我准备好了。
4782. 상상하다 - 想象
4783. 그녀는 미래를 상상했다. - 她想象未来。
4784. 우리는 가능성을 상상한다. - 我们想象各种可能性。
4785. 당신들은 세계를 상상할 것이다. - 你将想象世界。
4786. 꿈꿔? - 你会做梦吗？
4787. 네, 가끔. - 是的，有时会
4788. 시도하다 - 尝试
4789. 그는 새로운 것을 시도했다. - 他尝试新的东西。
4790. 나는 해결을 시도한다. - 我尝试解决。
4791. 너는 변화를 시도할 것이다. - 你会尝试改变。
4792. 해봤어? - 你试过了吗？
4793. 아직 안 해. - 我还没有。
4794. 실패하다 - 失败
4795. 그들은 목표에 실패했다. - 他们的目标失败了。

4796. 나는 계획에 실패한다. - 我的计划失败了。
4797. 너는 시험에 실패할 것이다. - 你会失败的
4798. 실패했니? - 你失败了吗？
4799. 네, 아쉽게도. - 是的，唉。
4800. 성공하다 - 成功
4801. 그녀는 사업에서 성공했다. - 她事业有成。
4802. 우리는 노력에서 성공한다. - 我们事业有成。
4803. 당신들은 프로젝트에서 성공할 것이다. - 你将在项目中取得成功。
4804. 성공했어? - 你成功了吗？
4805. 네, 됐어! - 是的，完成了！
4806. 확신하다 - 确定
4807. 그는 결정에 확신했다. - 他对自己的决定很肯定。
4808. 나는 방향에 확신한다. - 我确信方向。
4809. 너는 선택에 확신할 것이다. - 你会确信你的选择。
4810. 확실해? - 你确定吗？
4811. 네, 확실해. - 是的，我确定。
4812. 무시하다 - 无视
4813. 그들은 경고를 무시했다. - 他们无视警告。
4814. 나는 위험을 무시한다. - 我无视风险。
4815. 너는 조언을 무시할 것이다. - 你会无视建议。
4816. 무시해? - 无视？
4817. 아니, 들어. - 不，是听
4818. 주목하다 - 注意到
4819. 그녀는 변화에 주목했다. - 她注意到了变化。
4820. 우리는 세부사항에 주목한다. - 我们关注细节。
4821. 당신들은 결과에 주목할 것이다. - 你会注意到结果的。
4822. 보고 있니? - 你在注意吗？
4823. 네, 주목해. - 是的，我在注意。
4824. 집중하다 - 集中注意力
4825. 그는 작업에 집중했다. - 他专注于任务。
4826. 나는 목표에 집중한다. - 我专注于目标。
4827. 너는 공부에 집중할 것이다. - 你要集中精力学习。
4828. 집중돼? - 你专心了吗？
4829. 네, 잘 돼. - 是的，很顺利

4830. 흩어지다 - 分散
4831. 그들은 공원에서 흩어졌다. - 他们分散在公园里。
4832. 나는 생각에 흩어진다. - 我的思想分散了。
4833. 너는 감정에 흩어질 것이다. - 你的感情会分散
4834. 헤어졌어? - 你们分手了吗？
4835. 네, 이제 그래. - 是的，我现在分手了。
4836. 54. 명사 단어들 외우기, 필수 10개 동사의 단어들을 가지고 50문장 연습하기 - 54. 背诵名词，用 10 个基本动词词练习 50 个句子
4837. 자원 - 资源
4838. 관심 - 兴趣
4839. 투자 - 投资
4840. 데이터 - 数据
4841. 시스템 - 系统
4842. 노력 - 努力
4843. 색상 - 颜色
4844. 재료 - 成分
4845. 아이디어 - 想法
4846. 문제 - 问题
4847. 과정 - 程序
4848. 절차 - 程序
4849. 계획 - 计划
4850. 상황 - 情况
4851. 설명 - 解释
4852. 작업 - 工作
4853. 생각 - 思想
4854. 보고서 - 报告
4855. 내용 - 细节
4856. 결과 - 结果
4857. 용어 - 条款
4858. 목적 - 目的
4859. 개념 - 概念
4860. 주장 - 意见
4861. 의견 - 意见
4862. 결론 - 结论

4863. 이론 - 理论
4864. 가설 - 假设
4865. 분산하다 - 分散
4866. 그들은 자원을 분산했다. - 他们分散资源。
4867. 우리는 관심을 분산한다. - 我们分散注意力。
4868. 당신들은 투자를 분산할 것이다. - 您将分散投资。
4869. 관심 있어? - 你有兴趣吗？
4870. 조금 있어. - 我有一些
4871. 통합하다 - 整合
4872. 그녀는 데이터를 통합했다. - 她整合了数据。
4873. 우리는 시스템을 통합한다. - 我们整合系统。
4874. 당신들은 노력을 통합할 것이다. - 你们将整合你们的努力。
4875. 쉬웠어? - 这容易吗？
4876. 아니, 어려웠어. - 不，很难。
4877. 혼합하다 - 混合
4878. 그는 색상을 혼합했다. - 他混合颜色。
4879. 나는 재료를 혼합한다. - 我混合配料。
4880. 너는 아이디어를 혼합할 것이다. - 你要混合想法。
4881. 잘 됐어? - 进行得顺利吗？
4882. 네, 잘 됐어. - 是的，很顺利。
4883. 단순화하다 - 简化
4884. 그들은 문제를 단순화했다. - 他们简化了问题。
4885. 우리는 과정을 단순화한다. - 我们简化流程。
4886. 당신들은 절차를 단순화할 것이다. - 你们要简化流程。
4887. 필요해? - 你需要吗？
4888. 네, 필요해. - 是的，我需要。
4889. 복잡하게 하다 - 复杂化
4890. 그녀는 계획을 복잡하게 했다. - 她把计划复杂化了
4891. 나는 상황을 복잡하게 한다. - 我把情况复杂化。
4892. 너는 설명을 복잡하게 할 것이다. - 你会把解释复杂化。
4893. 문제 있어? - 有问题吗？
4894. 아니, 괜찮아. - 没有，我很好
4895. 간소화하다 - 以简化
4896. 그는 절차를 간소화했다. - 他简化了程序。

4897. 나는 작업을 간소화한다. - 我简化了任务。
4898. 너는 생각을 간소화할 것이다. - 你将简化思维。
4899. 도움 돼? - 有帮助吗？
4900. 네, 도움 돼. - 是的，有帮助。
4901. 요약하다 - 总结
4902. 그들은 보고서를 요약했다. - 他们总结报告。
4903. 우리는 내용을 요약한다. - 我们总结内容。
4904. 당신들은 결과를 요약할 것이다. - 你们总结结果。
4905. 간단해? - 简单吗？
4906. 응, 간단해. - 是的，很简单。
4907. 정의하다 - 来定义
4908. 그녀는 용어를 정의했다. - 她定义术语。
4909. 나는 목적을 정의한다. - 我定义目的。
4910. 너는 개념을 정의할 것이다. - 你来定义概念。
4911. 이해했어? - 你明白吗？
4912. 네, 이해했어. - 是的，我明白。
4913. 반박하다 - 反驳
4914. 그는 주장을 반박했다. - 他驳斥了论点。
4915. 나는 의견을 반박한다. - 我驳斥了观点。
4916. 너는 결론을 반박할 것이다. - 你要反驳结论。
4917. 확실해? - 你确定吗？
4918. 네, 확실해. - 是的，我确定
4919. 논박하다 - 反驳
4920. 그들은 이론을 논박했다. - 他们驳斥了理论。
4921. 우리는 가설을 논박한다. - 我们驳斥了假设。
4922. 당신들은 주장을 논박할 것이다. - 你们要驳斥主张。
4923. 가능해? - 这可能吗？
4924. 어렵지만 가능해. - 很难，但有可能。
4925. 55. 명사 단어들 외우기, 필수 10개 동사의 단어들을 가지고 50문장 연습하기 - 背诵名词性单词，用 10 个基本动词的单词练习 50 个句子
4926. 문헌 - 文学
4927. 연구 - 研究
4928. 전문가 - 专家
4929. 사건 - 事件

4930. 이슈 - 问题
4931. 사실 - 实际上
4932. 행복 - 幸福
4933. 목표 - 目标
4934. 성공 - 成功
4935. 기술 - 技术
4936. 학문 - 奖学金
4937. 경력 - 职业
4938. 발전 - 发展
4939. 계획 - 计划
4940. 집 - 办公室
4941. 사무실 - 办公室
4942. 공간 - 空间
4943. 작품 - 工作
4944. 데이터 - 数据
4945. 디자인 - 设计
4946. 실수 - 错误
4947. 과정 - 程序
4948. 패턴 - 模式
4949. 스타일 - 样式
4950. 방식 - 方法
4951. 기법 - 技巧
4952. 동작 - 动作
4953. 말투 - 语言
4954. 절차 - 程序
4955. 인용하다 - 引用
4956. 그녀는 문헌을 인용했다. - 她引用了文献。
4957. 나는 연구를 인용한다. - 我引用一项研究。
4958. 너는 전문가를 인용할 것이다. - 您将引用一位专家。
4959. 필요한 거야? - 这有必要吗？
4960. 네, 필요해. - 是的，有必要。
4961. 언급하다 - 提及
4962. 그는 사건을 언급했다. - 他提到了案件。
4963. 나는 이슈를 언급한다. - 我提及问题。

4964. 너는 사실을 언급할 것이다. - 你将提及事实。
4965. 언급됐어? - 提及？
4966. 네, 언급됐어. - 是的，提到了。
4967. 추구하다 - 去追求
4968. 그들은 행복을 추구했다. - 他们追求幸福。
4969. 우리는 목표를 추구한다. - 我们追求目标。
4970. 당신들은 성공을 추구할 것이다. - 你们要追求成功。
4971. 성공했어? - 你们成功了吗？
4972. 아직은 모르겠어. - 我还不知道。
4973. 진보하다 - 取得进步
4974. 그녀는 기술에서 진보했다. - 她在技术上取得了进步。
4975. 나는 학문에서 진보한다. - 我在学习上进步了。
4976. 너는 경력에서 진보할 것이다. - 你会在事业上进步。
4977. 어떻게 됐어? - 进展如何？
4978. 잘 되고 있어. - 进展顺利。
4979. 후퇴하다 - 退步
4980. 그는 발전에서 후퇴했다. - 他从前进中后退。
4981. 나는 계획에서 후퇴한다. - 我从计划中后退。
4982. 너는 목표에서 후퇴할 것이다. - 你将从目标中退缩。
4983. 괜찮아? - 你还好吗？
4984. 괜찮아, 다시 해볼게. - 没事，我再试一次。
4985. 리모델링하다 - 重塑
4986. 그들은 집을 리모델링했다. - 他们改造了房子。
4987. 우리는 사무실을 리모델링한다. - 我们改造办公室。
4988. 당신들은 공간을 리모델링할 것이다. - 你要改造你的空间。
4989. 비쌌어? - 贵吗？
4990. 네, 좀 비쌌어. - 是的，有点贵。
4991. 복제하다 - 复制
4992. 그녀는 작품을 복제했다. - 她让人复制了她的艺术品。
4993. 나는 데이터를 복제한다. - 我复制数据。
4994. 너는 디자인을 복제할 것이다. - 你要复制设计。
4995. 허락됐어? - 你被允许了吗？
4996. 네, 허락됐어. - 是的，我被允许
4997. 반복하다 - 重复

4998. 그는 실수를 반복했다. - 他重复他的错误。
4999. 나는 과정을 반복한다. - 我重复这个过程。
5000. 너는 패턴을 반복할 것이다. - 你要重复这个模式。
5001. 배웠어? - 你学会了吗？
5002. 네, 배웠어. - 是的，我学会了。
5003. 모방하다 - 模仿
5004. 그들은 스타일을 모방했다. - 他们模仿风格。
5005. 우리는 방식을 모방한다. - 我们模仿方法。
5006. 당신들은 기법을 모방할 것이다. - 你们会模仿技巧。
5007. 좋았어? - 还行吗？
5008. 응, 괜찮았어. - 嗯，还行
5009. 따라하다 - 模仿
5010. 그녀는 동작을 따라했다. - 她模仿动作
5011. 나는 말투를 따라한다. - 我模仿语气
5012. 너는 절차를 따라할 것이다. - 你要按照程序来。
5013. 쉬웠어? - 简单吗？
5014. 응, 쉬웠어. - 是的，很容易。
5015. 56. 명사 단어들 외우기, 필수 10개 동사의 단어들을 가지고 50문장 연습하기 - 56. 背诵名词，用 10 个基本动词词练习 50 个句子
5016. 정보 - 信息
5017. 아이 - 孩子
5018. 환경 - 环境
5019. 시장 - 市场
5020. 행동 - 行动
5021. 프로세스 - 过程
5022. 위험 - 危险
5023. 오류 - 错误
5024. 실패 - 失败
5025. 질병 - 疾病
5026. 사고 - 事故
5027. 문제 - 问题
5028. 아이디어 - 想法
5029. 시스템 - 系统
5030. 의견 - 意见

5031. 자원 - 资源
5032. 데이터 - 数据
5033. 옵션 - 选择
5034. 후보 - 候选人
5035. 보상 - 补偿
5036. 비용 - 费用
5037. 권리 - 权利
5038. 계획 - 计划
5039. 제안 - 提案
5040. 주장 - 意见
5041. 포지션 - 立场
5042. 영역 - 地区
5043. 보호하다 - 保护
5044. 그는 정보를 보호했다. - 他保护信息。
5045. 나는 아이를 보호한다. - 我保护孩子。
5046. 너는 환경을 보호할 것이다. - 你要保护环境。
5047. 중요해? - 这很重要吗？
5048. 네, 매우 중요해. - 是的，非常重要。
5049. 감시하다 - 监控
5050. 그들은 시장을 감시했다. - 他们监控市场。
5051. 우리는 행동을 감시한다. - 我们监控行为。
5052. 당신들은 프로세스를 감시할 것이다. - 你们要监控过程。
5053. 필요했어? - 有必要吗？
5054. 네, 필요했어. - 是的，有必要。
5055. 경계하다 - 警惕
5056. 그녀는 위험을 경계했다. - 她在提防危险。
5057. 나는 오류를 경계한다. - 我在警惕错误。
5058. 너는 실패를 경계할 것이다. - 你要警惕失败。
5059. 조심해야 해? - 我应该小心吗？
5060. 네, 조심해야 해. - 是的，你应该小心。
5061. 예방하다 - 预防
5062. 그녀는 질병을 예방했다. - 她预防了疾病。
5063. 우리는 사고를 예방한다. - 我们预防意外。
5064. 당신들은 문제를 예방할 것이다. - 你要预防麻烦。

5065. 감기 걸렸어? - 你感冒了吗？
5066. 아니, 괜찮아. - 没有，我很好。
5067. 혁신하다 - 创新
5068. 그는 프로세스를 혁신했다. - 他创新了一种工艺。
5069. 나는 아이디어를 혁신한다. - 我创新想法。
5070. 너는 시스템을 혁신할 것이다. - 你将创新一个系统。
5071. 새로워? - 创新？
5072. 응, 새로워. - 是的，新的。
5073. 교환하다 - 交换
5074. 그녀는 정보를 교환했다. - 她交换信息。
5075. 우리는 의견을 교환한다. - 我们交换意见。
5076. 당신들은 자원을 교환할 것이다. - 你们将交换资源。
5077. 바꿨어? - 你交换了吗？
5078. 응, 바꿨어. - 是的，我交换了
5079. 선별하다 - 筛选
5080. 그는 데이터를 선별했다. - 他筛选数据。
5081. 나는 옵션을 선별한다. - 我会筛选选项。
5082. 너는 후보를 선별할 것이다. - 你来筛选候选人
5083. 선택했어? - 你选了吗？
5084. 네, 했어. - 是的，我选了
5085. 청구하다 - 索赔
5086. 그녀는 보상을 청구했다. - 她索要赔偿金。
5087. 우리는 비용을 청구한다. - 我们将索赔费用。
5088. 당신들은 권리를 청구할 것이다. - 你会要求你的权利。
5089. 비싸? - 贵吗？
5090. 아니, 적당해. - 不，负担得起。
5091. 동조하다 - 表示同情
5092. 그는 의견에 동조했다. - 他同情这个意见。
5093. 나는 계획에 동조한다. - 我同意这个计划。
5094. 너는 제안에 동조할 것이다. - 你会同情这个提议。
5095. 동의해? - 你同意吗？
5096. 응, 동의해. - 是的，我同意。
5097. 방어하다 - 辩护
5098. 그녀는 주장을 방어했다. - 她为自己的主张辩护。

5099. 우리는 포지션을 방어한다. - 我们捍卫立场。
5100. 당신들은 영역을 방어할 것이다. - 你们要捍卫自己的领土
5101. 준비됐어? - 你准备好了吗？
5102. 네, 준비됐어. - 是的，我准备好了。
5103. 57. 명사 단어들 외우기, 필수 10개 동사의 단어들을 가지고 50문장 연습하기 - 57. 背诵名词，用规定的 10 个动词词练习 50 个句子
5104. 오류 - 错误
5105. 변화 - 改变
5106. 위험 - 危险
5107. 기술 - 技术
5108. 방법 - 方法
5109. 지식 - 知识
5110. 학생들 - 学生
5111. 주제 - 主题
5112. 서류 - 文件
5113. 방 - 房间
5114. 일정 - 时间表
5115. 정책 - 政策
5116. 계획 - 计划
5117. 규칙 - 规则
5118. 목표 - 目标
5119. 프로젝트 - 项目
5120. 꿈 - 梦想
5121. 결과 - 结果
5122. 성공 - 成功
5123. 예약 - 保留
5124. 주문 - 订单
5125. 규정 - 规则
5126. 시스템 - 系统
5127. 프로그램 - 程序
5128. 병 - 党
5129. 상처 - 伤口
5130. 조건 - 条件
5131. 탐지하다 - 检测

5132. 그는 오류를 탐지했다. - 他检测到一个错误。
5133. 나는 변화를 탐지한다. - 我侦测到变化。
5134. 너는 위험을 탐지할 것이다. - 你会检测到危险。
5135. 봤어? - 你看到了吗？
5136. 응, 봤어. - 是的，我看到了
5137. 학습하다 - 学习
5138. 그녀는 기술을 학습했다. - 她学会了技巧
5139. 우리는 방법을 학습한다. - 我们学习方法
5140. 당신들은 지식을 학습할 것이다. - 你要学习知识。
5141. 이해해? - 你明白了吗？
5142. 네, 이해해. - 是的，我明白。
5143. 교육하다 - 教育
5144. 그는 학생들을 교육했다. - 他教育学生。
5145. 나는 주제를 교육한다. - 我教育学生。
5146. 너는 기술을 교육할 것이다. - 你将教育技能。
5147. 잘 가르쳐? - 教得好吗？
5148. 응, 잘 가르쳐. - 是的，教得好。
5149. 정돈하다 - 整理
5150. 그녀는 서류를 정돈했다. - 她把文件整理得井井有条。
5151. 우리는 방을 정돈한다. - 我们整理房间。
5152. 당신들은 일정을 정돈할 것이다. - 你要整理好你的日程表。
5153. 깨끗해? - 干净吗？
5154. 네, 깨끗해. - 是的，很干净。
5155. 시행하다 - 执行
5156. 그는 정책을 시행했다. - 他执行政策。
5157. 나는 계획을 시행한다. - 我执行计划。
5158. 너는 규칙을 시행할 것이다. - 你要执行规则。
5159. 작동해? - 有用吗？
5160. 응, 작동해. - 是的，管用。
5161. 성취하다 - 完成
5162. 그녀는 목표를 성취했다. - 她完成了她的目标。
5163. 우리는 프로젝트를 성취한다. - 我们将完成项目。
5164. 당신들은 꿈을 성취할 것이다. - 你将实现你的梦想。
5165. 성공했어? - 你成功了吗？

5166. 네, 성공했어. - 是的，我成功了。
5167. 달성하다 - 完成
5168. 그는 결과를 달성했다. - 他取得了成果。
5169. 나는 목표를 달성한다. - 我实现了目标。
5170. 너는 성공을 달성할 것이다. - 你将取得成功。
5171. 됐어? - 完成了吗？
5172. 응, 됐어. - 是的，完成了。
5173. 취소하다 - 取消
5174. 그녀는 계획을 취소했다. - 她取消了她的计划。
5175. 우리는 예약을 취소한다. - 我们取消预订
5176. 당신들은 주문을 취소할 것이다. - 你们要取消订单
5177. 멈췄어? - 停了吗？
5178. 네, 멈췄어. - 是的，停了
5179. 폐지하다 - 取消
5180. 그는 규정을 폐지했다. - 他废除了规定。
5181. 나는 시스템을 폐지한다. - 我废除了制度
5182. 너는 프로그램을 폐지할 것이다. - 你将废除程序。
5183. 없어졌어? - 它消失了吗？
5184. 응, 없어졌어. - 是的，没有了
5185. 치료하다 - 治愈
5186. 그녀는 병을 치료했다. - 她的病治好了
5187. 우리는 상처를 치료한다. - 我们治愈伤口
5188. 당신들은 조건을 치료할 것이다. - 你会治愈病情的
5189. 나았어? - 你好些了吗？
5190. 네, 나았어. - 是的，我好多了。
5191. 58. 명사 단어들 외우기, 필수 10개 동사의 단어들을 가지고 50문장 연습하기 - 58. 背诵名词，用 10 个基本动词词练习 50 个句子
5192. 데이터 - 数据
5193. 시스템 - 系统
5194. 기능 - 功能
5195. 중요 파일 - 重要文件
5196. 자료 - 数据
5197. 잡지 - 杂志
5198. 뉴스레터 - 通讯

5199. 채널 - 渠道
5200. 계약 - 合同
5201. 멤버십 - 会员
5202. 서비스 - 服务
5203. 클럽 - 俱乐部
5204. 조직 - 团体
5205. 그룹 - 团体
5206. 인터넷 - 互联网
5207. 사이트 - 网站
5208. 계정 - 账户
5209. 앱 - 应用程序
5210. 플랫폼 - 平台
5211. 웹사이트 - 网站
5212. 정책 - 政策
5213. 결정 - 决定
5214. 조치 - 行动
5215. 조정 - 调整
5216. 정확한 정보 - 准确信息
5217. 적절한 조치 - 适当行动
5218. 복원하다 - 恢复
5219. 그는 데이터를 복원했다. - 他恢复了数据。
5220. 나는 시스템을 복원한다. - 我将恢复系统。
5221. 너는 기능을 복원할 것이다. - 您将恢复功能。
5222. 돌아왔어? - 你回来了吗？
5223. 응, 돌아왔어. - 是的，我回来了
5224. 백업하다 - 进行备份
5225. 그는 데이터를 백업했다. - 他备份了他的数据。
5226. 그녀는 중요 파일을 백업한다. - 她备份了她的重要文件。
5227. 우리는 자료를 백업할 것이다. - 我们会备份数据
5228. 자료 안전해? - 数据安全吗？
5229. 네, 백업됐어. - 是的，已经备份了。
5230. 구독하다 - 订阅
5231. 그녀는 잡지를 구독했다. - 她订阅了一本杂志。
5232. 우리는 뉴스레터를 구독한다. - 我们订阅了时事通讯。

5233. 당신들은 채널을 구독할 것이다. - 您将订阅频道。
5234. 새 소식 있어? - 有新闻吗？
5235. 예, 업데이트 됐어. - 有，我已经更新了。
5236. 해지하다 - 终止
5237. 그는 계약을 해지했다. - 他取消了合同
5238. 그녀는 멤버십을 해지한다. - 她要取消会员资格。
5239. 우리는 서비스를 해지할 것이다. - 我们将终止服务。
5240. 계약 끝났어? - 合同结束了吗？
5241. 아니, 진행 중이야. - 不，还在进行中。
5242. 탈퇴하다 - 要离开
5243. 그녀는 클럽을 탈퇴했다. - 她退出俱乐部
5244. 우리는 조직을 탈퇴한다. - 我们要退出组织
5245. 당신들은 그룹을 탈퇴할 것이다. - 你要退团
5246. 아직 멤버야? - 你还是成员吗？
5247. 아니, 탈퇴했어. - 不，我离开了
5248. 접속하다 - 访问
5249. 그는 인터넷에 접속했다. - 他访问了互联网。
5250. 그녀는 사이트에 접속한다. - 她访问网站。
5251. 우리는 시스템에 접속할 것이다. - 我们将连接到系统。
5252. 인터넷 연결됐어? - 您连接到互联网了吗？
5253. 네, 연결됐어. - 是的，我连接上了。
5254. 로그인하다 - 登录
5255. 그녀는 계정에 로그인했다. - 她登录自己的账户。
5256. 우리는 앱에 로그인한다. - 我们登录应用程序。
5257. 당신들은 플랫폼에 로그인할 것이다. - 您将登录平台。
5258. 로그인 문제 있어? - 登录有问题吗？
5259. 아니, 잘 됐어. - 没有，一切正常。
5260. 로그아웃하다 - 退出登录
5261. 그는 웹사이트에서 로그아웃했다. - 他注销了网站。
5262. 그녀는 시스템에서 로그아웃한다. - 她要注销系统。
5263. 우리는 계정에서 로그아웃할 것이다. - 我们将注销账户。
5264. 로그아웃 했어? - 你注销了吗？
5265. 예, 했어. - 是的
5266. 항의하다 - 以示抗议

5267. 그녀는 정책에 항의했다. - 她抗议这项政策。
5268. 우리는 결정에 항의한다. - 我们抗议这个决定。
5269. 당신들은 조치에 항의할 것이다. - 你们将抗议这一行动
5270. 불만 있어? - 你有异议吗？
5271. 예, 있어. - 是的，我有。
5272. 요구하다 - 要求
5273. 그는 조정을 요구했다. - 他要求调整。
5274. 그녀는 정확한 정보를 요구한다. - 她要求准确的信息。
5275. 우리는 적절한 조치를 요구할 것이다. - 我们将要求采取适当的行动。
5276. 더 필요한 거 있어? - 你还需要什么吗？
5277. 아뇨, 다 됐어요. - 不，我问完了。
5278. 59. 명사 단어들 외우기, 필수 10개 동사의 단어들을 가지고 50문장 연습하기 - 背诵名词性单词，用 10 个基本动词性单词练习 50 个句子
5279. 업무 우선순위 - 工作重点
5280. 프로젝트의 우선순위 - 项目优先级
5281. 일의 순서 - 工作顺序
5282. 회의 - 会议
5283. 이벤트 - 活动
5284. 행사 - 活动
5285. 파티 - 聚会
5286. 대회 - 竞赛
5287. 경연 - 竞赛
5288. 워크숍 - 研讨会
5289. 세미나 - 研讨会
5290. 포럼 - 论坛
5291. 회사 - 企业
5292. 단체 - 组织
5293. 조직 - 团体
5294. 재단 - 基金会
5295. 기관 - 机构
5296. 학교 - 学校
5297. 클럽 - 俱乐部
5298. 협회 - 协会
5299. 프로젝트 - 项目

5300. 캠페인 - 活动
5301. 운동 - 锻炼
5302. 사업 - 业务
5303. 파트너십 - 伙伴关系
5304. 모임 - 类别
5305. 조합 - 组合
5306. 집단 - 小组
5307. 우선순위를 정하다 - 优先
5308. 그녀는 업무 우선순위를 정했다. - 她优先考虑她的工作。
5309. 우리는 프로젝트의 우선순위를 정한다. - 我们确定项目的优先次序。
5310. 당신들은 일의 순서를 정할 것이다. - 你来安排工作顺序。
5311. 뭐부터 할까? - 我们先做什么？
5312. 이거부터 해요. - 先做这个吧。
5313. 개최하다 - 举行
5314. 그는 회의를 개최했다. - 他召开了一次会议。
5315. 그녀는 이벤트를 개최한다. - 她正在举行活动。
5316. 우리는 행사를 개최할 것이다. - 我们将举行一次活动。
5317. 장소 예약됐어? - 地方订了吗？
5318. 네, 예약됐어요. - 是的，已经订好了。
5319. 주최하다 - 主办
5320. 그녀는 파티를 주최했다. - 她组织了一个聚会。
5321. 우리는 대회를 주최한다. - 我们要举办一场比赛。
5322. 당신들은 경연을 주최할 것이다. - 你们将组织一场比赛。
5323. 시간 되나요? - 你有时间吗？
5324. 네, 괜찮아요. - 有，我很好
5325. 주관하다 - 组织
5326. 그는 워크숍을 주관했다. - 他组织一个研讨会。
5327. 그녀는 세미나를 주관한다. - 她将组织一次研讨会。
5328. 우리는 포럼을 주관할 것이다. - 我们将组织一个论坛。
5329. 자료 준비됐어? - 材料准备好了吗？
5330. 네, 다 됐어요. - 是的，已经准备好了
5331. 창립하다 - 创办公司
5332. 그녀는 회사를 창립했다. - 她成立了一家公司
5333. 우리는 단체를 창립한다. - 我们成立了一个组织

5334. 당신들은 조직을 창립할 것이다. - 你们要成立一个组织
5335. 명칭 정해졌어? - 名字想好了吗？
5336. 예, 정해졌어요. - 是的，已经决定了
5337. 설립하다 - 要成立
5338. 그는 재단을 설립했다. - 他创立了一个基金会
5339. 그녀는 기관을 설립한다. - 她创立了一个组织
5340. 우리는 학교를 설립할 것이다. - 我们将建立一所学校。
5341. 위치 결정됐어? - 地点决定了吗？
5342. 네, 결정됐어요. - 是的，已经决定了。
5343. 창설하다 - 要创建
5344. 그는 조직을 창설했다. - 他创立了一个组织。
5345. 그녀는 클럽을 창설한다. - 她要创立一个俱乐部。
5346. 우리는 협회를 창설할 것이다. - 我们将创建一个协会。
5347. 이름 정했어? - 你们有名字吗？
5348. 아직이야. - 还没有
5349. 발기하다 - 竖立
5350. 그녀는 프로젝트를 발기했다. - 她启动了一个项目。
5351. 우리는 캠페인을 발기한다. - 我们将发起一场运动。
5352. 당신들은 운동을 발기할 것이다. - 你们将竖立一个运动。
5353. 누가 돕나요? - 谁在帮忙？
5354. 모두 함께해. - 我们所有人。
5355. 청산하다 - 清算
5356. 그는 사업을 청산했다. - 他清算了他的生意。
5357. 그녀는 회사를 청산한다. - 她要清算公司。
5358. 우리는 파트너십을 청산할 것이다. - 我们要清算合伙公司。
5359. 이유 알 수 있어? - 你能猜到原因吗？
5360. 비밀이야. - 这是个秘密
5361. 해산하다 - 解散
5362. 그녀는 모임을 해산했다. - 她解散了会议
5363. 우리는 조합을 해산한다. - 我们要解散工会
5364. 당신들은 집단을 해산할 것이다. - 你们要解散小组
5365. 끝난 거야? - 结束了吗？
5366. 그래, 끝났어. - 是的，结束了。
5367. 60. 명사 단어들 외우기, 필수 10개 동사의 단어들을 가지고 50문장 연습

하기 - 背诵名词性单词，用 10 个基本动词中的单词练习 50 个句子
5368. 두 회사 - 两家公司
5369. 기업들 - 公司
5370. 조직 - 组
5371. 부서 - 部门
5372. 회사 - 公司
5373. 사업 - 业务
5374. 새로운 정부 - 新政府
5375. 프로그램 - 计划
5376. 기관 - 机构
5377. 책 - 书籍
5378. 잡지 - 杂志
5379. 가이드 - 指南
5380. 신문 - 报纸
5381. 보고서 - 报告
5382. 뉴스레터 - 通讯
5383. 포스터 - 海报
5384. 초대장 - 邀请函
5385. 메뉴 - 菜单
5386. 영상 - 视频
5387. 문서 - 文件
5388. 콘텐츠 - 内容
5389. 원고 - 手稿
5390. 번역 - 翻译
5391. 글 - 写作
5392. 꿈 - 梦想
5393. 데이터 - 数据
5394. 결과 - 结果
5395. 합병하다 - 合并
5396. 그는 두 회사를 합병했다. - 他合并了两家公司。
5397. 그녀는 기업들을 합병한다. - 她合并了公司。
5398. 우리는 조직을 합병할 것이다. - 我们将合并组织。
5399. 잘 될까요? - 会成功吗？
5400. 잘 될 거예요. - 会成功的。

5401. 분할하다 - 分割
5402. 그녀는 부서를 분할했다. - 她拆分了部门。
5403. 우리는 회사를 분할한다. - 我们要拆分公司。
5404. 당신들은 사업을 분할할 것이다. - 你们将分拆业务。
5405. 필요한가요? - 有必要吗？
5406. 네, 필요해요. - 是的，有必要
5407. 출범하다 - 就职
5408. 그는 새로운 정부를 출범했다. - 他为新政府揭幕。
5409. 그녀는 프로그램을 출범한다. - 她正在启动一项计划。
5410. 우리는 기관을 출범할 것이다. - 我们将启动一个机构
5411. 준비됐나요? - 准备好了吗？
5412. 다 준비됐어요. - 一切准备就绪。
5413. 출판하다 - 出版
5414. 그녀는 책을 출판했다. - 她出版了一本书。
5415. 우리는 잡지를 출판한다. - 我们出版一本杂志
5416. 당신들은 가이드를 출판할 것이다. - 你们要出版一本指南。
5417. 새 책 나왔어? - 你们的新书出版了吗？
5418. 네, 나왔어요. - 是的，已经出了
5419. 발행하다 - 要出版
5420. 그는 신문을 발행했다. - 他出版了一份报纸
5421. 그녀는 보고서를 발행한다. - 她出版一份报告。
5422. 우리는 뉴스레터를 발행할 것이다. - 我们将出版一份通讯。
5423. 언제 나와? - 什么时候出？
5424. 내일 나와. - 明天出。
5425. 인쇄하다 - 印刷
5426. 그녀는 포스터를 인쇄했다. - 她打印了海报。
5427. 우리는 초대장을 인쇄한다. - 我们要印请柬。
5428. 당신들은 메뉴를 인쇄할 것이다. - 你们去印菜单
5429. 색깔 괜찮아? - 颜色没问题吧？
5430. 완벽해요. - 很好
5431. 편집하다 - 编辑
5432. 그는 영상을 편집했다. - 他编辑了视频。
5433. 그녀는 문서를 편집한다. - 她编辑文档。
5434. 우리는 콘텐츠를 편집할 것이다. - 我们将编辑内容。

5435. 얼마나 걸려? - 需要多长时间？
5436. 조금 걸려요. - 需要一点时间。
5437. 감수하다 - 来编辑
5438. 그녀는 원고를 감수했다. - 她校对稿件。
5439. 우리는 번역을 감수한다. - 我们将校对译文。
5440. 당신들은 보고서를 감수할 것이다. - 你们将校对报告。
5441. 검토 끝났어? - 你审完了吗？
5442. 거의 다 됐어. - 快审完了
5443. 번역하다 - 翻译
5444. 그는 문서를 번역했다. - 他翻译文件。
5445. 그녀는 글을 번역한다. - 她翻译文章。
5446. 우리는 책을 번역할 것이다. - 我们将翻译这本书。
5447. 이해 돼요? - 有意义吗？
5448. 네, 잘 돼요. - 是的，很通顺。
5449. 해석하다 - 解释
5450. 그녀는 꿈을 해석했다. - 她解释梦境。
5451. 우리는 데이터를 해석한다. - 我们解读数据
5452. 당신들은 결과를 해석할 것이다. - 你们来解释结果
5453. 맞을까요? - 是这样吗？
5454. 네, 맞아요. - 是的，没错。
5455. 61. 명사 단어들 외우기, 필수 10개 동사의 단어들을 가지고 50문장 연습하기 - 背诵名词，用 10 个基本动词词练习 50 个句子
5456. 범위 - 范围
5457. 관심 - 兴趣
5458. 영역 - 地区
5459. 상황 - 情况
5460. 관계 - 关系
5461. 문제 - 问题
5462. 자료 - 数据
5463. 정보 - 信息
5464. 요소들 - 要素
5465. 아이디어 - 想法
5466. 기술 - 技术
5467. 비용 - 费用

5468. 가능성 - 可能性
5469. 결과 - 成果
5470. 가치 - 价值
5471. 상태 - 情况
5472. 품질 - 质量
5473. 변경사항 - 变化
5474. 결정 - 决策
5475. 일정 - 时间表
5476. 옵션 - 方案
5477. 해결책 - 解决方案
5478. 데이터 - 数据
5479. 문서 - 文档
5480. 시스템 - 系统
5481. 설정 - 设置
5482. 시계 - 时钟
5483. 기기 - 设备
5484. 확대하다 - 放大
5485. 나는 범위를 확대했다. - 我放大了范围。
5486. 너는 관심을 확대한다. - 你放大了兴趣。
5487. 그는 영역을 확대할 것이다. - 他会放大范围
5488. 범위 더 넓힐까? - 要放大范围吗？
5489. 네, 더 넓혀요. - 是的，进一步放大
5490. 악화하다 - 加剧
5491. 그녀는 상황을 악화시켰다. - 她使情况恶化。
5492. 우리는 관계를 악화시킨다. - 我们使关系恶化。
5493. 당신들은 문제를 악화시킬 것이다. - 你会使问题恶化。
5494. 상태 더 나빠졌어? - 你让情况变得更糟了吗？
5495. 아니, 안 그래. - 没有
5496. 참고하다 - 查阅
5497. 그들은 자료를 참고했다. - 他们查阅了资料。
5498. 나는 정보를 참고한다. - 我参考了资料。
5499. 너는 자료를 참고할 것이다. - 你会参考资料。
5500. 정보 찾아봤어? - 你查阅了资料？
5501. 응, 찾아봤어. - 是的，我查阅了。

5502. 조합하다 - 组合
5503. 나는 요소들을 조합했다. - 我把这些元素组合在一起。
5504. 너는 아이디어를 조합한다. - 你要把想法结合起来。
5505. 그는 기술을 조합할 것이다. - 他会把技术组合在一起。
5506. 아이디어 합칠까? - 我们要把想法结合起来吗？
5507. 좋아, 합치자. - 好的，我们来组合。
5508. 추정하다 - 估算
5509. 그녀는 비용을 추정했다. - 她估算成本。
5510. 우리는 가능성을 추정한다. - 我们估计可能性。
5511. 당신들은 결과를 추정할 것이다. - 你来估算结果。
5512. 비용 얼마로 봐? - 你觉得要花多少钱？
5513. 몇 만원 될 거야. - 几千韩元。
5514. 감정하다 - 估价
5515. 그들은 가치를 감정했다. - 他们估价。
5516. 나는 상태를 감정한다. - 我评估条件。
5517. 너는 품질을 감정할 것이다. - 你会鉴定质量。
5518. 가치 평가했어? - 你鉴定了吗？
5519. 예, 평가했어. - 是的，我鉴定了。
5520. 통지하다 - 通知
5521. 나는 변경사항을 통지했다. - 我通知了变化。
5522. 너는 결정을 통지한다. - 你会通知决定。
5523. 그는 일정을 통지할 것이다. - 他会通知日程安排。
5524. 소식 받았어? - 你收到消息了吗？
5525. 아니, 못 받았어. - 没有
5526. 탐색하다 - 去探索
5527. 그녀는 옵션을 탐색했다. - 她探索了她的选择。
5528. 우리는 가능성을 탐색한다. - 我们探索各种可能性。
5529. 당신들은 해결책을 탐색할 것이다. - 你们将探索解决方案。
5530. 더 찾아볼까? - 我们要进一步探索吗？
5531. 응, 더 찾아보자. - 是的，让我们进一步探究。
5532. 검사하다 - 来检查
5533. 그들은 데이터를 검사했다. - 他们检查数据。
5534. 나는 문서를 검사한다. - 我将检查文档。
5535. 너는 시스템을 검사할 것이다. - 你来检查系统

5536. 모두 확인했니? - 你都检查了吗？
5537. 네, 확인했어. - 是的，我检查过了
5538. 리셋하다 - 重置
5539. 나는 설정을 리셋했다. - 我重置设置。
5540. 너는 시계를 리셋한다. - 你重置时钟
5541. 그는 기기를 리셋할 것이다. - 他会重置设备
5542. 다시 시작할까? - 要重启吗？
5543. 응, 다시 시작해. - 是的，让我们重新开始。
5544. 62. 명사 단어들 외우기, 필수 10개 동사의 단어들을 가지고 50문장 연습하기 - 背诵名词性单词，用 10 个基本动词性单词练习 50 个句子
5545. 연락 - 交流
5546. 공급 - 供应
5547. 관계 - 关系
5548. 잠금 - 锁定
5549. 계약 - 合同
5550. 약속 - 承诺
5551. 자리 - 座位
5552. 티켓 - 机票
5553. 방 - 房间
5554. 회의 - 会议
5555. 예약 - 预订
5556. 여행 - 旅行
5557. 보고서 - 报告
5558. 계획 - 计划
5559. 제안 - 建议
5560. 문서 - 文件
5561. 요청 - 申请
5562. 프로젝트 - 项目
5563. 대회 - 竞赛
5564. 경기 - 比赛
5565. 상대 - 对手
5566. 게임 - 游戏
5567. 경쟁 - 比赛
5568. 대결 - 战斗

5569. 끊다 - 切断
5570. 그녀는 연락을 끊었다. - 她切断了联系
5571. 우리는 공급을 끊는다. - 我们切断供应
5572. 당신들은 관계를 끊을 것이다. - 你们将切断联系。
5573. 연결 끊겼어? - 切断联系？
5574. 아니, 아직이야. - 不，还没有
5575. 해제하다 - 来解锁
5576. 그들은 잠금을 해제했다. - 他们解锁了
5577. 나는 계약을 해제한다. - 我解除契约
5578. 너는 약속을 해제할 것이다. - 你来解除约定
5579. 잠금 풀었어? - 你解锁了吗？
5580. 네, 풀었어. - 是的，我解锁了
5581. 예약하다 - 预订
5582. 나는 자리를 예약했다. - 我预订了座位
5583. 너는 티켓을 예약한다. - 你会订票
5584. 그는 방을 예약할 것이다. - 他会订一个房间
5585. 자리 있어? - 有座位吗？
5586. 네, 있어요. - 有
5587. 예약취소하다 - 取消预订
5588. 그녀는 회의를 예약취소했다. - 她取消了会议。
5589. 우리는 예약을 예약취소한다. - 我们要取消预订
5590. 당신들은 여행을 예약취소할 것이다. - 你们要取消行程
5591. 취소해야 하나? - 要取消吗？
5592. 아니, 기다려. - 不，等等
5593. 제출하다 - 至 提交
5594. 그들은 보고서를 제출했다. - 他们提交了报告
5595. 나는 계획을 제출한다. - 我提交计划
5596. 너는 제안을 제출할 것이다. - 你将提交一份计划书。
5597. 제출할 준비 됐어? - 你准备好提交了吗？
5598. 예, 준비됐어. - 是的，我准备好了。
5599. 반려하다 - 拒绝
5600. 나는 문서를 반려했다. - 我拒绝文件
5601. 너는 요청을 반려한다. - 您拒绝请求。
5602. 그는 프로젝트를 반려할 것이다. - 他会拒绝这个项目

5603. 다시 보낼까? - 要我重新发送吗
5604. 아니, 됐어. - 不用了，谢谢。
5605. 이기다 - 赢
5606. 그녀는 대회를 이겼다. - 她赢得了比赛。
5607. 우리는 경기를 이긴다. - 我们赢得了比赛。
5608. 당신들은 상대를 이길 것이다. - 你会战胜对手的
5609. 우리 이겼어? - 我们赢了吗？
5610. 네, 이겼어! - 是的，我们赢了！
5611. 지다 - 输
5612. 그는 게임을 졌다. - 他输掉了比赛。
5613. 너는 경쟁에서 진다. - 你输掉了比赛。
5614. 그녀는 대결에서 질 것이다. - 她会输掉对抗。
5615. 경기 졌어? - 你输掉比赛了吗？
5616. 응, 졌어. - 是的，我输了。
5617. 싸우다 - 战斗
5618. 우리는 자주 싸웠다. - 我们经常打架
5619. 당신들은 매일 싸운다. - 你们每天都吵架
5620. 그들은 내일 싸울 것이다. - 他们明天还会打
5621. 또 싸웠어? - 你们又吵架了？
5622. 아니, 안 그래. - 没有
5623. 다투다 - 吵架
5624. 나는 친구와 다퉜다. - 我和朋友吵架了。
5625. 너는 이유 없이 다툰다. - 你无缘无故就吵架。
5626. 그는 문제를 다룰 것이다. - 他会处理问题的。
5627. 왜 자꾸 다투니? - 你们为什么一直争吵？
5628. 모르겠어. - 我不知道。
5629. 63. 명사 단어들 외우기, 필수 10개 동사의 단어들을 가지고 50문장 연습하기 - 背诵名词性单词，用 10 个基本动词性单词练习 50 个句子
5630. 나 - 我
5631. 우리 - 我们
5632. 당신들 - 你
5633. 계획 - 计划
5634. 친구 - 朋友
5635. 정당 - 聚会

5636. 자신 - 我自己
5637. 노래 - 唱歌
5638. 동영상 - 录像
5639. 기록 - 录制
5640. 그녀 - 她
5641. 의견 - 意见
5642. 회의 - 会议
5643. 교수 - 教授
5644. 세부사항 - 详细内容
5645. 제안 - 建议
5646. 결정 - 决定
5647. 소문 - 传闻
5648. 혐의 - 指控
5649. 주장 - 意见
5650. 변경사항 - 变化
5651. 규칙 - 规则
5652. 도전 - 质疑
5653. 시도 - 审判
5654. 지지하다 - 支持
5655. 그녀는 나를 지지했다. - 她支持我。
5656. 우리는 서로를 지지한다. - 我们相互支持。
5657. 당신들은 계획을 지지할 것이다. - 你会支持这个计划。
5658. 지지해 줄래? - 你会支持吗？
5659. 물론이지. - 当然会
5660. 변호하다 - 捍卫
5661. 나는 친구를 변호했다. - 我捍卫我的朋友
5662. 너는 정당을 변호한다. - 你为党辩护
5663. 그녀는 자신을 변호할 것이다. - 她会为自己辩护
5664. 변호할 수 있어? - 你能辩护吗？
5665. 시도해 볼게. - 我试试
5666. 녹음하다 - 记录
5667. 우리는 회의를 녹음했다. - 我们把会议录下来
5668. 당신들은 강의를 녹음한다. - 你们录制讲座。
5669. 그들은 공연을 녹음할 것이다. - 他们会录制表演。

5670. 녹음 시작했어? - 你开始录音了吗？
5671. 네, 시작했어. - 是的，我已经开始了。
5672. 재생하다 - 要演奏
5673. 나는 노래를 재생했다. - 我播放歌曲
5674. 너는 동영상을 재생한다. - 你播放视频
5675. 그는 기록을 재생할 것이다. - 他会播放录音
5676. 재생할 준비 됐어? - 你准备好播放了吗？
5677. 준비 됐어. - 我准备好了
5678. 발언하다 - 发言
5679. 그녀는 중요한 발언을 했다. - 她说了一句重要的话。
5680. 우리는 의견을 발언한다. - 我们发表意见。
5681. 당신들은 회의에서 발언할 것이다. - 你将在会上发言。
5682. 발언할 거야? - 你要发言吗？
5683. 아직 몰라. - 我还不知道。
5684. 질문하다 - 提问
5685. 나는 교수에게 질문했다. - 我向教授提问。
5686. 너는 어려운 질문을 한다. - 你问的问题很难。
5687. 그녀는 세부사항을 질문할 것이다. - 她会问细节的
5688. 질문 있어? - 有问题吗？
5689. 없어, 괜찮아. - 没有，谢谢
5690. 반문하다 - 要质疑
5691. 우리는 그의 의견을 반문했다. - 我们质疑他的意见。
5692. 당신들은 제안을 반문한다. - 你们质疑提议
5693. 그들은 결정을 반문할 것이다. - 他们会质疑这个决定
5694. 왜 반문해? - 你为什么质疑？
5695. 이해 안 돼서. - 因为我不明白
5696. 부정하다 - 否认
5697. 나는 소문을 부정했다. - 我否认了谣言
5698. 너는 혐의를 부정한다. - 你否认指控
5699. 그는 주장을 부정할 것이다. - 他会否认指控
5700. 사실 부정해? - 否认事实？
5701. 그래, 부정해. - 是的，我否认
5702. 반발하다 - 反抗
5703. 그녀는 결정에 반발했다. - 她反抗这个决定。

5704. 우리는 변경사항에 반발한다. - 我们反抗变革。
5705. 당신들은 규칙에 반발할 것이다. - 你们会反抗规则。
5706. 반발할 이유 있어? - 有反抗的理由吗？
5707. 있어, 분명해. - 有，很明显。
5708. 포기하다 - 放弃
5709. 나는 도전을 포기했다. - 我放弃了挑战。
5710. 너는 시도를 포기한다. - 你放弃尝试。
5711. 그녀는 계획을 포기할 것이다. - 她会放弃计划。
5712. 포기해야 할까? - 我应该放弃吗？
5713. 아니, 계속해. - 不，继续努力。
5714. 64. 명사 단어들 외우기, 필수 10개 동사의 단어들을 가지고 50문장 연습하기 - 64. 背诵名词，用 10 个基本动词词练习 50 个句子
5715. 전략 - 策略
5716. 생각 - 思考
5717. 자원 - 资源
5718. 군대 - 军队
5719. 기술 - 技术
5720. 성공 - 成功
5721. 평화 - 和平
5722. 협력 - 合作
5723. 변화 - 变革
5724. 기회 - 机遇
5725. 해결 - 解决
5726. 미래 - 未来
5727. 결과 - 结果
5728. 영향 - 影响
5729. 상황 - 情况
5730. 질문 - 问题
5731. 발견 - 发现
5732. 말 - 词
5733. 지연 - 拖延
5734. 거부 - 拒绝
5735. 결정 - 决定
5736. 불의 - 炽热

5737. 부정 - 拒绝
5738. 불편함 - 不适
5739. 장애 - 障碍
5740. 태도 - 态度
5741. 반응 - 反应
5742. 재정비하다 - 重组
5743. 우리는 전략을 재정비했다. - 我们重组我们的战略。
5744. 당신들은 생각을 재정비한다. - 你们重组思维。
5745. 그들은 자원을 재정비할 것이다. - 他们将重组资源。
5746. 재정비 필요해? - 我们需要重组吗？
5747. 네, 필요해. - 是的，我们需要。
5748. 배치하다 - 进行部署
5749. 나는 자원을 배치했다. - 我部署资源
5750. 너는 군대를 배치한다. - 你部署部队
5751. 그는 기술을 배치할 것이다. - 他会部署技术
5752. 배치 완료됐니? - 你部署完了吗？
5753. 아직이야. - 还没
5754. 바라다 - 希望
5755. 그녀는 성공을 바랐다. - 她希望成功。
5756. 우리는 평화를 바란다. - 我们希望和平。
5757. 당신들은 협력을 바랄 것이다. - 你们希望合作。
5758. 무엇을 바래? - 你希望什么？
5759. 행복을 바라. - 我希望幸福。
5760. 소망하다 - 希望
5761. 나는 변화를 소망했다. - 我希望改变。
5762. 너는 기회를 소망한다. - 你希望有机会。
5763. 그녀는 해결을 소망할 것이다. - 她将希望得到解决。
5764. 소망 있어? - 你有愿望吗？
5765. 있어, 많아. - 是的，我有很多。
5766. 우려하다 - 关心
5767. 우리는 미래를 우려했다. - 我们关心未来。
5768. 당신들은 결과를 우려한다. - 你担心结果。
5769. 그들은 영향을 우려할 것이다. - 他们会担心影响。
5770. 걱정돼? - 你担心吗？

5771. 응, 걱정돼. - 是的，我担心。
5772. 당황하다 - 恐慌
5773. 나는 상황에 당황했다. - 我对局势感到困惑。
5774. 너는 질문에 당황한다. - 你对问题感到困惑。
5775. 그는 발견에 당황할 것이다. - 他会因为被发现而尴尬
5776. 당황했어? - 你恐慌吗？
5777. 응, 많이. - 是的，非常惊慌
5778. 화나다 - 生气
5779. 그녀는 말에 화났다. - 她对马很生气。
5780. 우리는 지연에 화난다. - 我们对延误感到愤怒。
5781. 당신들은 거부에 화낼 것이다. - 你们会因为被拒绝而生气。
5782. 화났어? - 你们生气吗？
5783. 네, 많이. - 是的，非常生气。
5784. 분노하다 - 生气
5785. 나는 결정에 분노했다. - 我对决定感到愤怒。
5786. 너는 불의에 분노한다. - 你对不公正感到愤怒。
5787. 그녀는 부정에 분노할 것이다. - 她会对不公正感到愤怒。
5788. 분노해? - 愤怒？
5789. 응, 분노해. - 是的，愤怒。
5790. 짜증내다 - 恼怒
5791. 우리는 불편함에 짜증냈다. - 我们因不便而恼火。
5792. 당신들은 지연에 짜증낸다. - 你们为延误而烦恼。
5793. 그들은 장애에 짜증낼 것이다. - 他们会因为障碍而恼火。
5794. 짜증나? - 恼火？
5795. 응, 짜증나. - 是的，恼火。
5796. 실망하다 - 失望
5797. 나는 결과에 실망했다. - 我对结果很失望。
5798. 너는 태도에 실망한다. - 你对态度感到失望。
5799. 그는 반응에 실망할 것이다. - 他会对反应感到失望。
5800. 실망했니? - 你失望吗？
5801. 네, 실망했어. - 是的，我很失望。
5802. 65. 명사 단어들 외우기, 필수 10개 동사의 단어들을 가지고 50문장 연습하기 - 65. 背诵名词，用 10 个基本动词词练习 50 个句子
5803. 성과 - 结果

5804. 서비스 - 服务
5805. 해결 - 解决
5806. 순간 - 时刻
5807. 여기 - 这里
5808. 미래 - 未来
5809. 소식 - 新闻
5810. 모임 - 类别
5811. 성공 - 成功
5812. 이별 - 告别
5813. 상실 - 损失
5814. 사건 - 活动
5815. 손실 - 损失
5816. 결과 - 结果
5817. 고향 - 故乡
5818. 친구 - 朋友
5819. 옛날 - 很久以前
5820. 행동 - 行动
5821. 불의 - 火热的
5822. 거짓 - 谎言
5823. 비행 - 飞行
5824. 무례함 - 粗鲁
5825. 거짓말 - 谎言
5826. 이야기 - 故事
5827. 영화 - 电影
5828. 연설 - 演讲
5829. 만족하다 - 满意
5830. 그녀는 성과에 만족했다. - 她对表演很满意。
5831. 우리는 서비스에 만족한다. - 我们对服务感到满意。
5832. 당신들은 해결에 만족할 것이다. - 您将对解决方案感到满意。
5833. 만족해? - 您满意吗？
5834. 응, 만족해. - 是的，我很满意。
5835. 행복하다 - 高兴
5836. 나는 순간에 행복했다. - 此刻我很快乐
5837. 너는 여기에 행복한다. - 你在这里很快乐。

5838. 그녀는 미래에 행복할 것이다. - 她将来会幸福。
5839. 행복해? - 你快乐吗？
5840. 네, 매우. - 是的，非常开心。
5841. 즐거워하다 - 高兴
5842. 우리는 소식에 즐거워했다. - 我们对这个消息很高兴。
5843. 당신들은 모임에 즐거워한다. - 你们在会上很高兴。
5844. 그들은 성공에 즐거워할 것이다. - 他们会为自己的成功而高兴。
5845. 즐거워? - 高兴？
5846. 응, 즐거워. - 是的，我很高兴。
5847. 슬퍼하다 - 悲伤
5848. 나는 이별에 슬퍼했다. - 我对离别感到悲伤。
5849. 너는 소식에 슬퍼한다. - 你对这个消息感到悲伤。
5850. 그녀는 상실에 슬퍼할 것이다. - 她会为失去你而难过。
5851. 슬퍼? - 悲伤？
5852. 응, 슬퍼. - 是的，悲伤。
5853. 애통하다 - 哀叹
5854. 우리는 사건에 애통해했다. - 我们对这一事件表示哀悼。
5855. 당신들은 손실에 애통한다. - 你们哀悼损失。
5856. 그들은 결과에 애통할 것이다. - 他们会为结果哀悼。
5857. 애통해해? - 哀悼？
5858. 네, 깊이. - 是的，深深地哀悼。
5859. 그리워하다 - 怀念
5860. 나는 고향을 그리워했다. - 我想念我的家乡。
5861. 너는 친구를 그리워한다. - 你会想念你的朋友。
5862. 그는 옛날을 그리워할 것이다. - 他会怀念过去的日子。
5863. 그리워해? - 你怀念吗？
5864. 응, 많이. - 是的，非常怀念
5865. 그립다 - 我怀念
5866. 나는 고향을 그리웠다. - 我想念我的家乡。
5867. 너는 친구를 그립게 생각한다. - 你想念你的朋友
5868. 그는 옛날을 그리울 것이다. - 他会怀念过去的日子
5869. 친구 생각나? - 你还记得你的朋友吗？
5870. 네, 생각나. - 是的，我记得他。
5871. 증오하다 - 憎恨

5872. 너는 행동을 증오했다. - 你讨厌这种行为。
5873. 그는 불의를 증오한다. - 他讨厌不公正的行为。
5874. 그녀는 거짓을 증오할 것이다. - 她会憎恨虚假。
5875. 너 불편해? - 你不舒服吗？
5876. 네, 불편해. - 是的，我不舒服。
5877. 혐오하다 - 憎恶
5878. 그는 비행을 혐오했다. - 他憎恶飞行。
5879. 그녀는 무례함을 혐오한다. - 她憎恶无礼。
5880. 우리는 거짓말을 혐오할 것이다. - 我们会憎恶撒谎。
5881. 이상해? - 这很奇怪吗？
5882. 아니, 괜찮아. - 不，很好。
5883. 감동하다 - 被打动
5884. 그녀는 이야기에 감동했다. - 她被故事感动了。
5885. 우리는 영화에 감동한다. - 我们被电影感动。
5886. 당신들은 연설에 감동할 것이다. - 你会被演讲感动的
5887. 울었어? - 你哭了吗？
5888. 아니, 안 울었어. - 不，我没哭。
5889. 66. 명사 단어들 외우기, 필수 10개 동사의 단어들을 가지고 50문장 연습하기 - 背诵名词性单词，用 10 个基本动词的单词练习 50 个句子
5890. 경치 - 视力
5891. 기술 - 技术
5892. 발전 - 发展
5893. 거짓말 - 谎言
5894. 위선 - 虚伪
5895. 속임수 - 诡计
5896. 실수 - 错误
5897. 무지함 - 无知
5898. 어리석음 - 愚蠢
5899. 노력 - 努力
5900. 실패 - 失败
5901. 용기 - 勇气
5902. 제안 - 建议
5903. 변화 - 改变
5904. 혁신 - 创新

5905. 박물관 - 博物馆
5906. 자연 - 自然
5907. 우주 - 宇宙
5908. 계획 - 计划
5909. 아이디어 - 理念
5910. 정보 - 信息
5911. 경험 - 经验
5912. 지식 - 知识
5913. 프로젝트 - 项目
5914. 작업 - 工作
5915. 친구 - 朋友
5916. 이웃 - 邻居
5917. 사회 - 社会
5918. 감탄하다 - 欣赏
5919. 나는 경치에 감탄했다. - 我欣赏风景。
5920. 너는 기술을 감탄한다. - 你钦佩技术。
5921. 그는 발전을 감탄할 것이다. - 他会羡慕进步。
5922. 멋있어? - 很酷吗？
5923. 네, 멋있어. - 是的，很酷。
5924. 경멸하다 - 鄙视
5925. 너는 거짓말을 경멸했다. - 你鄙视撒谎。
5926. 그는 위선을 경멸한다. - 他会鄙视虚伪。
5927. 그녀는 속임수를 경멸할 것이다. - 她会鄙视欺骗。
5928. 화났어? - 你生气了吗？
5929. 네, 화났어. - 是的，我很生气。
5930. 비웃다 - 嘲笑
5931. 그는 실수를 비웃었다. - 他嘲笑自己的错误。
5932. 그녀는 무지함을 비웃는다. - 她笑自己无知。
5933. 우리는 어리석음을 비웃을 것이다. - 我们会嘲笑自己的愚蠢。
5934. 재밌어? - 好笑吗？
5935. 아니, 안 재밌어. - 不，一点也不好笑。
5936. 조롱하다 - 嘲笑
5937. 그녀는 노력을 조롱했다. - 她嘲笑努力。
5938. 우리는 실패를 조롱한다. - 我们嘲笑失败

5939. 당신들은 용기를 조롱할 것이다. - 你们会嘲笑勇气。
5940. 즐거워? - 你觉得愉快吗？
5941. 아니, 즐겁지 않아. - 不，不愉快。
5942. 배척하다 - 以拒绝
5943. 나는 제안을 배척했다. - 我拒绝了这个建议。
5944. 너는 변화를 배척하게 생각한다. - 你认为要拒绝改变。
5945. 그는 혁신을 배척할 것이다. - 他会拒绝革新。
5946. 거절해? - 拒绝？
5947. 네, 거절해. - 是的，拒绝
5948. 탐방하다 - 探索
5949. 너는 박물관을 탐방했다. - 你探索博物馆。
5950. 그는 자연을 탐방한다. - 他将探索大自然。
5951. 그녀는 우주를 탐방할 것이다. - 她将探索宇宙。
5952. 재밌어? - 好玩吗？
5953. 네, 재밌어. - 是的，很好玩。
5954. 찬성하다 - 赞成
5955. 그는 계획을 찬성했다. - 他赞成这个计划。
5956. 그녀는 아이디어를 찬성한다. - 她赞成这个想法。
5957. 우리는 제안을 찬성할 것이다. - 我们将投票赞成该提议。
5958. 동의해? - 你同意吗？
5959. 네, 동의해. - 是的，我同意。
5960. 교류하다 - 交换
5961. 그녀는 정보를 교류했다. - 她交流信息。
5962. 우리는 경험을 교류한다. - 我们将交流经验。
5963. 당신들은 지식을 교류할 것이다. - 你们将交流知识。
5964. 만났어? - 你们见过面吗？
5965. 아니, 안 만났어. - 不，我没有。
5966. 협조하다 - 合作
5967. 나는 프로젝트에 협조했다. - 我配合计划。
5968. 너는 계획을 협조하게 생각한다. - 您将配合计划。
5969. 그는 작업에 협조할 것이다. - 他会配合工作。
5970. 도울래? - 你会帮忙吗？
5971. 네, 도울게. - 是的，我会帮忙。
5972. 도움을 주다 - 给予帮助

5973. 너는 친구에게 도움을 주었다. - 你帮助你的朋友。
5974. 그는 이웃을 돕는다. - 他帮助他的邻居。
5975. 그녀는 사회를 돕게 될 것이다. - 她会帮助社会。
5976. 필요해? - 你需要吗？
5977. 네, 필요해. - 是的，我需要。
5978. 67. 명사 단어들 외우기, 필수 10개 동사의 단어들을 가지고 50문장 연습하기 - 67. 背诵名词，用 10 个基本动词词练习 50 个句子
5979. 목표 - 目标
5980. 성공 - 成功
5981. 꿈 - 梦想
5982. 보고서 - 报告
5983. 프로젝트 - 项目
5984. 계획 - 计划
5985. 여행 - 旅行
5986. 모임 - 课堂
5987. 학창 시절 - 学校日
5988. 과제 - 任务
5989. 미션 - 任务
5990. 도전 - 挑战
5991. 전시 - 展览
5992. 음악 - 音乐
5993. 예술 - 艺术
5994. 선생님 - 教师
5995. 리더 - 领导者
5996. 선구자 - 先驱
5997. 자유 - 自由
5998. 평화 - 和平
5999. 행복 - 幸福
6000. 제안 - 建议
6001. 초대 - 邀请
6002. 조건 - 条件
6003. 문제 - 问题
6004. 경쟁 - 竞争
6005. 노력하다 - 尝试

6006. 그는 목표를 달성하기 위해 노력했다. - 他努力实现自己的目标。
6007. 그녀는 성공을 위해 노력한다. - 她努力争取成功。
6008. 우리는 꿈을 이루기 위해 노력할 것이다. - 我们会努力让梦想成真。
6009. 힘들어? - 很难？
6010. 네, 힘들어. - 是的，很难。
6011. 작업하다 - 努力
6012. 그녀는 보고서를 작업했다. - 她在写报告。
6013. 우리는 프로젝트를 작업한다. - 我们在做计划。
6014. 당신들은 계획을 작업할 것이다. - 你们研究计划
6015. 바빠? - 忙吗？
6016. 네, 바빠. - 是的，我很忙
6017. 추억하다 - 回忆
6018. 나는 여행을 추억했다. - 我回忆起了这次旅行。
6019. 너는 모임을 추억하게 생각한다. - 你会回忆这次会议。
6020. 그는 학창 시절을 추억할 것이다. - 他会回忆起他的学生时代。
6021. 잊었어? - 你忘了吗？
6022. 아니, 안 잊었어. - 不，我没忘。
6023. 완수하다 - 完成
6024. 너는 과제를 완수했다. - 你完成了任务
6025. 그는 미션을 완수한다. - 他将完成任务。
6026. 그녀는 도전을 완수할 것이다. - 她将完成挑战。
6027. 성공했어? - 你成功了吗？
6028. 네, 성공했어. - 是的，我成功了。
6029. 이루다 - 去完成
6030. 그는 꿈을 이루었다. - 他实现了他的梦想。
6031. 그녀는 목표를 이룬다. - 她将实现她的目标。
6032. 우리는 희망을 이룰 것이다. - 我们将实现我们的希望。
6033. 가능해? - 这可能吗？
6034. 네, 가능해. - 是的，有可能。
6035. 감상하다 - 欣赏
6036. 그녀는 전시를 감상했다. - 她欣赏展览。
6037. 우리는 음악을 감상한다. - 我们欣赏音乐。
6038. 당신들은 예술을 감상할 것이다. - 你们会欣赏艺术。
6039. 좋아해? - 你喜欢吗？

6040. 네, 좋아해. - 是的，我喜欢
6041. 동경하다 - 欣赏
6042. 나는 선생님을 동경했다. - 我钦佩我的老师。
6043. 너는 리더를 동경하게 생각한다. - 你钦佩一位领袖。
6044. 그는 선구자를 동경할 것이다. - 他会钦佩先驱
6045. 원해? - 你想要吗？
6046. 네, 원해. - 是的，我想要
6047. 갈망하다 - 渴望
6048. 너는 자유를 갈망했다. - 你渴望自由。
6049. 그는 평화를 갈망한다. - 他会渴望和平。
6050. 그녀는 행복을 갈망할 것이다. - 她会渴望幸福。
6051. 필요해? - 需要吗？
6052. 네, 필요해. - 是的，我需要
6053. 수락하다 - 接受
6054. 그는 제안을 수락했다. - 他接受邀请
6055. 그녀는 초대를 수락한다. - 她接受邀请
6056. 우리는 조건을 수락할 것이다. - 我们接受条件
6057. 동의해? - 你同意吗？
6058. 네, 동의해. - 是的，我同意
6059. 공격하다 - 攻击
6060. 그녀는 문제를 공격적으로 다루었다. - 她积极地处理问题。
6061. 우리는 경쟁을 공격적으로 대한다. - 我们积极地对待竞争。
6062. 당신들은 도전을 공격할 것이다. - 你们要积极应对挑战。
6063. 준비됐어? - 你准备好了吗？
6064. 네, 준비됐어. - 是的，我准备好了。
6065. 68. 명사 단어들 외우기, 필수 10개 동사의 단어들을 가지고 50문장 연습하기 - 68. 背诵名词，用 10 个基本动词词练习 50 个句子
6066. 대회 - 竞争
6067. 동료 - 同事
6068. 시장 - 市场
6069. 위험 - 危险
6070. 문제 - 问题
6071. 기회 - 机遇
6072. 환경 - 环境

6073. 변화 - 变化
6074. 미래 - 未来
6075. 규칙 - 规则
6076. 기준 - 标准
6077. 요구 - 要求
6078. 권력 - 权力
6079. 영향력 - 影响
6080. 지식 - 知识
6081. 아이 - 孩子
6082. 책 - 书籍
6083. 모형 - 模型
6084. 인형 - 玩偶
6085. 간판 - 标志
6086. 조형물 - 雕塑
6087. 담요 - 毯子
6088. 식탁 - 桌子
6089. 화면 - 屏风
6090. 창문 - 窗户
6091. 눈 - 眼睛
6092. 거울 - 镜子
6093. 정보 - 信息
6094. 경쟁하다 - 参加比赛
6095. 나는 대회에서 경쟁했다. - 我参加了比赛。
6096. 너는 동료와 경쟁하게 생각한다. - 你认为要与同事竞争。
6097. 그는 시장에서 경쟁할 것이다. - 他将在市场上竞争。
6098. 이겼어? - 你赢了吗？
6099. 아니, 안 이겼어. - 不，我没有赢。
6100. 인지하다 - 认识到
6101. 너는 위험을 인지했다. - 你认识到了风险。
6102. 그는 문제를 인지한다. - 他认识到了问题。
6103. 그녀는 기회를 인지할 것이다. - 她会认识到机会
6104. 알아챘어? - 你认识到了吗？
6105. 네, 알아챘어. - 是的，我注意到了。
6106. 적응하다 - 适应

6107. 그는 새 환경에 적응했다. - 他适应了新环境。
6108. 그녀는 변화에 적응한다. - 她适应变化。
6109. 우리는 미래에 적응할 것이다. - 我们将适应未来。
6110. 쉬워? - 这容易吗？
6111. 아니, 어려워. - 不，很难。
6112. 순응하다 - 顺应
6113. 그녀는 규칙에 순응했다. - 她符合规则。
6114. 우리는 기준에 순응한다. - 我们符合标准。
6115. 당신들은 요구에 순응할 것이다. - 你们要遵守要求。
6116. 따라가? - 你会遵守吗？
6117. 네, 따라가. - 是的，遵守。
6118. 휘두르다 - 行使
6119. 나는 권력을 휘두렀다. - 我行使权力。
6120. 너는 영향력을 휘두르게 생각한다. - 你认为要发挥影响力。
6121. 그는 지식을 휘두를 것이다. - 他会掌握知识。
6122. 무서워? - 你害怕吗？
6123. 아니, 안 무서워. - 不，我不怕
6124. 눕히다 - 放下
6125. 나는 아이를 눕혔다. - 我把孩子放下
6126. 너는 책을 눕힌다. - 你放下一本书
6127. 그는 모형을 눕힐 것이다. - 他会放下模型
6128. 편안해? - 舒服吗？
6129. 네, 편안해. - 是的，很舒服
6130. 세우다 - 摆放
6131. 너는 인형을 세웠다. - 你把娃娃竖起来
6132. 그는 간판을 세운다. - 他会竖起标志
6133. 그녀는 조형물을 세울 것이다. - 她会竖起雕塑
6134. 잘 섰어? - 你站得好吗？
6135. 네, 잘 섰어. - 是的，我站得很好
6136. 덮다 - 覆盖
6137. 그는 책을 덮었다. - 他把书盖上。
6138. 그녀는 담요를 덮는다. - 她盖上毯子。
6139. 우리는 식탁을 덮을 것이다. - 我们要盖餐桌。
6140. 춥니? - 冷吗？

6141. 아니, 안 춥다. - 不，不冷。
6142. 어둡게 하다 - 变暗
6143. 그녀는 방을 어둡게 했다. - 她把房间弄暗。
6144. 우리는 화면을 어둡게 한다. - 我们把纱窗拉暗。
6145. 당신들은 창문을 어둡게 할 것이다. - 你们将窗户调暗。
6146. 밝아? - 很亮吗？
6147. 아니, 어두워. - 不，很暗
6148. 가리다 - 遮住
6149. 나는 눈을 가렸다. - 我遮住了眼睛
6150. 너는 거울을 가린다. - 你遮住镜子
6151. 그는 정보를 가릴 것이다. - 他会遮住信息
6152. 보여? - 你看到了吗？
6153. 아니, 안 보여. - 不，我没看见。
6154. 69. 명사 단어들 외우기, 필수 10개 동사의 단어들을 가지고 50문장 연습하기 - 69. 背诵名词，用 10 个基本动词词练习 50 个句子
6155. 고양이 - 猫
6156. 표면 - 表面
6157. 식물 - 植物
6158. 설정 - 设置
6159. 기계 - 机器
6160. 시스템 - 系统
6161. 문 - 门
6162. 탁자 - 桌子
6163. 북 - 北部
6164. 등 - 等
6165. 바닥 - 地板
6166. 복권 - 彩票
6167. 비밀 - 秘密
6168. 데이터 - 数据
6169. 계획 - 计划
6170. 혐의 - 收费
6171. 주장 - 意见
6172. 관계 - 关系
6173. 휴가 - 假期

6174. 자유 - 自由
6175. 성과 - 结果
6176. 만지다 - 触摸
6177. 너는 고양이를 만졌다. - 你摸到了猫。
6178. 그는 표면을 만진다. - 他触摸表面
6179. 그녀는 식물을 만질 것이다. - 她会触摸植物。
6180. 부드러워? - 是软的吗？
6181. 네, 부드러워. - 是的，很软
6182. 건드리다 - 触摸
6183. 그는 설정을 건드렸다. - 他触摸设置。
6184. 그녀는 기계를 건드린다. - 她触摸机器
6185. 우리는 시스템을 건드릴 것이다. - 我们要触摸系统
6186. 괜찮아? - 你没事吧？
6187. 네, 괜찮아. - 是的，我没事
6188. 두드리다 - 敲门
6189. 그녀는 문을 두드렸다. - 她敲门
6190. 우리는 탁자를 두드린다. - 我们敲桌子
6191. 당신들은 북을 두드릴 것이다. - 你要敲鼓
6192. 소리났어? - 你听到了吗？
6193. 네, 소리났어. - 是的，它发出了声音。
6194. 긁다 - 抓挠
6195. 나는 등을 긁었다. - 我挠背
6196. 너는 바닥을 긁는다. - 你会刮地板
6197. 그는 복권을 긁을 것이다. - 他会刮彩票。
6198. 가려워? - 痒吗？
6199. 아니, 안 가려워. - 不，我不痒
6200. 잠들다 - 入睡
6201. 너는 빨리 잠들었다. - 你很快就睡着了。
6202. 그는 조용히 잠든다. - 他安静地睡着了。
6203. 그녀는 편안히 잠들 것이다. - 她会睡得很舒服。
6204. 졸려? - 你困了吗？
6205. 네, 졸려. - 是的，我困了。
6206. 미소짓다 - 微笑
6207. 그는 기쁨에 미소지었다. - 他开心地笑

6208. 그녀는 친절하게 미소짓는다. - 她善意地微笑。
6209. 우리는 성공에 미소질 것이다. - 我们会为自己的成功而微笑。
6210. 행복해? - 你开心吗？
6211. 네, 행복해. - 是的，我很开心。
6212. 새기다 - 题名
6213. 그녀는 이름을 새겼다. - 她刻下自己的名字。
6214. 우리는 메시지를 새긴다. - 我们铭刻信息。
6215. 당신들은 기념을 새길 것이다. - 你要刻字纪念。
6216. 기억나? - 你还记得吗？
6217. 네, 기억나. - 是的，我记得
6218. 노출하다 - 揭露
6219. 나는 비밀을 노출했다. - 我暴露了一个秘密
6220. 너는 데이터를 노출한다. - 你暴露数据
6221. 그는 계획을 노출할 것이다. - 他会暴露计划
6222. 위험해? - 危险吗？
6223. 아니, 안 위험해. - 不，不危险
6224. 부인하다 - 以否认
6225. 너는 혐의를 부인했다. - 你否认指控
6226. 그는 주장을 부인한다. - 他否认指控
6227. 그녀는 관계를 부인할 것이다. - 她会否认这段关系
6228. 거짓말해? - 你在撒谎吗
6229. 아니, 안 해. - 不，我没有
6230. 향유하다 - 去享受
6231. 그는 휴가를 향유했다. - 他享受他的假期。
6232. 그녀는 자유를 향유한다. - 她会享受她的自由。
6233. 우리는 성과를 향유할 것이다. - 我们将享受我们的成就。
6234. 즐거워? - 你在享受吗？
6235. 네, 즐거워. - 是的，我很享受。
6236. 70. 명사 단어들 외우기, 필수 10개 동사의 단어들을 가지고 50문장 연습하기 - 背诵名词性单词，用 10 个基本动词的单词练习 50 个句子
6237. 파티 - 聚会
6238. 여행 - 旅行
6239. 공연 - 表演
6240. 여유 - 空闲

6241. 풍경 - sight
6242. 성공 - 成功
6243. 모임 - 类
6244. 프로젝트 - 项目
6245. 캠페인 - 活动
6246. 기부 - 捐赠
6247. 지식 - 知识
6248. 노력 - 努力
6249. 커뮤니티 - 社区
6250. 단체 - 组织
6251. 이벤트 - 活动
6252. 조사 - 检查
6253. 실험 - 实验
6254. 평가 - 评估
6255. 작품 - 工作
6256. 사진 - 图片
6257. 발명품 - 发明
6258. 자료 - 数据
6259. 환자 - 病人
6260. 물품 - 文章
6261. 권리 - 权利
6262. 이념 - 意识形态
6263. 평화 - 和平
6264. 즐기다 - 享受
6265. 그녀는 파티를 즐겼다. - 她很享受聚会。
6266. 우리는 여행을 즐긴다. - 我们享受旅行。
6267. 당신들은 공연을 즐길 것이다. - 你会享受音乐会的。
6268. 재미있어? - 玩得开心吗？
6269. 네, 재미있어. - 是的，很开心。
6270. 누리다 - 享受
6271. 나는 여유를 누렸다. - 我享受休闲。
6272. 너는 풍경을 누린다. - 你享受风景。
6273. 그는 성공을 누릴 것이다. - 他会享受他的成功。
6274. 만족해? - 您满意吗？

6275. 네, 만족해. - 是的，我很满意。
6276. 동참하다 - 加入
6277. 너는 모임에 동참했다. - 你加入会议。
6278. 그는 프로젝트에 동참한다. - 他将加入这个项目。
6279. 그녀는 캠페인에 동참할 것이다. - 她将加入活动。
6280. 함께할래? - 你会加入我们吗？
6281. 네, 함께할래. - 是的，我会加入你们。
6282. 공헌하다 - 捐款
6283. 그는 기부를 공헌했다. - 他捐款。
6284. 그녀는 지식을 공헌한다. - 她贡献自己的知识。
6285. 우리는 노력을 공헌할 것이다. - 我们将贡献我们的力量。
6286. 도움됐어? - 这有帮助吗？
6287. 네, 도움됐어. - 是的，有帮助。
6288. 봉사하다 - 服务
6289. 그녀는 커뮤니티에 봉사했다. - 她为社区服务。
6290. 우리는 단체에 봉사한다. - 我们为组织服务。
6291. 당신들은 이벤트에 봉사할 것이다. - 您将为活动服务。
6292. 기쁘니? - 你高兴吗？
6293. 네, 기뻐. - 是的，我很高兴。
6294. 착수하다 - 承担
6295. 나는 프로젝트에 착수했다. - 我承担了这个项目。
6296. 너는 작업에 착수한다. - 您将承担任务。
6297. 그는 연구에 착수할 것이다. - 他将开始他的研究。
6298. 준비됐어? - 你准备好了吗？
6299. 네, 준비됐어. - 是的，我准备好了
6300. 실시하다 - 进行
6301. 너는 조사를 실시했다. - 你进行调查。
6302. 그는 실험을 실시한다. - 他将进行实验。
6303. 그녀는 평가를 실시할 것이다. - 她将进行评估。
6304. 성공할까? - 会成功吗？
6305. 네, 성공할 거야. - 是的，会成功的。
6306. 전시하다 - 展览
6307. 그는 작품을 전시했다. - 他展出他的作品。
6308. 그녀는 사진을 전시한다. - 她将展出她的照片。

6309. 우리는 발명품을 전시할 것이다. - 我们将展出我们的发明。
6310. 관심있어? - 你感兴趣吗？
6311. 네, 관심있어. - 是的，我感兴趣。
6312. 이송하다 - 转运
6313. 그녀는 자료를 이송했다. - 她运送材料。
6314. 우리는 환자를 이송한다. - 我们将运送病人。
6315. 당신들은 물품을 이송할 것이다. - 你们来运送物资
6316. 빨라? - 快吗？
6317. 네, 빨라. - 是的，很快。
6318. 옹호하다 - 来辩护
6319. 나는 권리를 옹호했다. - 我维护一种权利
6320. 너는 이념을 옹호한다. - 你倡导一种意识形态。
6321. 그는 평화를 옹호할 것이다. - 他将倡导和平。
6322. 중요해? - 这重要吗？
6323. 네, 중요해. - 是的，很重要。
6324. 71. 명사 단어들 외우기, 필수 10개 동사의 단어들을 가지고 50문장 연습하기 - 71. 背诵名词，用 10 个基本动词词练习 50 个句子
6325. 계획 - 计划
6326. 문제 - 问题
6327. 전략 - 策略
6328. 조건 - 条件
6329. 계약 - 合同
6330. 합의 - 协议
6331. 약속 - 承诺
6332. 규칙 - 规则
6333. 비밀 - 秘密
6334. 사고 - 事故
6335. 오류 - 错误
6336. 손실 - 损失
6337. 결정 - 决定
6338. 제안 - 建议
6339. 가능성 - 可能性
6340. 의견 - 意见
6341. 방안 - 措施

6342. 초콜릿 - 巧克力
6343. 여름 - 夏季
6344. 온라인 수업 - 在线课程
6345. 위험 - 危险
6346. 논쟁 - 争论
6347. 갈등 - 冲突
6348. 상의하다 - 讨论
6349. 너는 계획을 상의했다. - 你们讨论了计划。
6350. 그는 문제를 상의한다. - 他将讨论问题。
6351. 그녀는 전략을 상의할 것이다. - 她将讨论策略。
6352. 동의해? - 你同意吗？
6353. 네, 동의해. - 是的，我同意。
6354. 협의하다 - 讨论
6355. 그는 조건을 협의했다. - 他就条款进行谈判。
6356. 그녀는 계약을 협의한다. - 她将协商合同。
6357. 우리는 합의를 협의할 것이다. - 我们将商谈协议。
6358. 결정났어? - 你们决定了吗？
6359. 네, 결정났어. - 是的，决定了。
6360. 지키다 - 要遵守
6361. 그녀는 약속을 지켰다. - 她信守诺言
6362. 우리는 규칙을 지킨다. - 我们遵守规则
6363. 당신들은 비밀을 지킬 것이다. - 你要保守秘密
6364. 안전해? - 安全吗？
6365. 네, 안전해. - 是的，很安全
6366. 방지하다 - 防止
6367. 나는 사고를 방지했다. - 我防止了一场事故。
6368. 너는 오류를 방지한다. - 你会防止错误。
6369. 그는 손실을 방지할 것이다. - 他将防止损失。
6370. 필요해? - 你需要它吗？
6371. 네, 필요해. - 是的，我需要。
6372. 재검토하다 - 重新考虑
6373. 너는 결정을 재검토했다. - 你重新考虑了你的决定。
6374. 그는 계획을 재검토한다. - 他会重新考虑计划
6375. 그녀는 정책을 재검토할 것이다. - 她会重新考虑政策。

6376. 변했어? - 有变化吗？
6377. 네, 변했어. - 是的，变了。
6378. 고려하다 - 来考虑
6379. 나는 그 제안을 고려했다. - 我考虑了这个提议。
6380. 너는 가능성을 고려한다. - 你考虑了可能性。
6381. 그는 의견을 고려할 것이다. - 他会考虑这个意见。
6382. 생각해봤어? - 你考虑过吗？
6383. 네, 봤어. - 是的，我有。
6384. 숙고하다 - 思考
6385. 너는 결정을 숙고했다. - 你思考了决定。
6386. 그는 방안을 숙고한다. - 他会思索这个计划。
6387. 그녀는 제안을 숙고할 것이다. - 她会思索提议。
6388. 충분히 생각했어? - 你思考够了吗？
6389. 네, 했어. - 是的，我做了。
6390. 의논하다 - 来讨论
6391. 그는 계획을 의논했다. - 他讨论了计划。
6392. 그녀는 문제를 의논한다. - 她将讨论问题。
6393. 우리는 전략을 의논할 것이다. - 我们将讨论策略。
6394. 의견 있어? - 你有意见吗？
6395. 네, 있어. - 是的，我有。
6396. 선호하다 - to 偏好
6397. 그녀는 초콜릿을 선호했다. - 她更喜欢巧克力。
6398. 우리는 여름을 선호한다. - 我们更喜欢夏天。
6399. 당신들은 온라인 수업을 선호할 것이다. - 你更喜欢在线课程。
6400. 좋아해? - 你喜欢吗？
6401. 네, 좋아해. - 是的，我喜欢。
6402. 기피하다 - 回避
6403. 나는 위험을 기피했다. - 我回避风险。
6404. 너는 논쟁을 기피한다. - 你回避争议。
6405. 그는 갈등을 기피할 것이다. - 他会回避冲突。
6406. 싫어해? - 你不喜欢吗？
6407. 네, 싫어해. - 是的，我不喜欢。
6408. 72. 명사 단어들 외우기, 필수 10개 동사의 단어들을 가지고 50문장 연습하기 - 72. 背诵名词，用规定的 10 个动词词练习 50 个句子

6409. 목표 - 目标
6410. 의도 - 意图
6411. 계획 - 计划
6412. 비밀 - 秘密
6413. 진실 - 真相
6414. 결과 - 结果
6415. 세부사항 - 详细内容
6416. 문서 - 文件
6417. 보고서 - 报告
6418. 상품 - 货物
6419. 편지 - 信函
6420. 선물 - 礼物
6421. 하나님 - 父亲
6422. 예수님 - 耶稣
6423. 기여 - 贡献
6424. 능력 - 能力
6425. 아이디어 - 想法
6426. 의견 - 意见
6427. 친구 - 朋友
6428. 이웃 - 邻居
6429. 동료 - 同事
6430. 손실 - 损失
6431. 상실 - 损失
6432. 고인 - 已故
6433. 기술 - 技术
6434. 지원 - 支持
6435. 도움 - 帮助
6436. 성공 - 成功
6437. 소식 - 新闻
6438. 선언하다 - 宣布
6439. 너는 목표를 선언했다. - 你宣布目标
6440. 그는 의도를 선언한다. - 他宣布自己的意图。
6441. 그녀는 계획을 선언할 것이다. - 她将宣布一项计划。
6442. 말했어? - 你说了吗？

6443. 네, 말했어. - 是的，我说了
6444. 드러나다 - to 透露
6445. 그는 비밀을 드러냈다. - 他揭示秘密
6446. 그녀는 진실을 드러낸다. - 她揭示真相
6447. 우리는 결과를 드러낼 것이다. - 我们将揭示结果
6448. 알게 됐어? - 明白了吗？
6449. 네, 됐어. - 是的，明白了
6450. 살피다 - 查看
6451. 그녀는 세부사항을 살폈다. - 她看了细节
6452. 우리는 문서를 살핀다. - 我们看文件
6453. 당신들은 보고서를 살필 것이다. - 你要仔细检查报告
6454. 확인했어? - 你检查了吗？
6455. 네, 했어. - 是的
6456. 배송하다 - 交货
6457. 나는 상품을 배송했다. - 我发货了
6458. 너는 편지를 배송한다. - 你去送信
6459. 그는 선물을 배송할 것이다. - 他会把礼物寄出去
6460. 도착했어? - 到了吗？
6461. 네, 도착했어. - 是的，到了。
6462. 찬양하다 - 赞美
6463. 나는 하나님을 찬양했다. - 我赞美上帝。
6464. 그는 예수님을 찬양한다. - 他赞美耶稣。
6465. 그녀는 기여를 찬양할 것이다. - 她会赞美贡献。
6466. 기뻐해? - 欣喜？
6467. 네, 기뻐해. - 是的，我欢欣鼓舞。
6468. 비하하다 - 贬低
6469. 그는 능력을 비하했다. - 他贬低能力。
6470. 그녀는 아이디어를 비하한다. - 她贬低想法。
6471. 우리는 의견을 비하할 것이다. - 我们将贬低观点。
6472. 나빠? - 坏？
6473. 네, 나빠. - 是的，不好。
6474. 돕다 - 帮助
6475. 그녀는 친구를 도왔다. - 她帮助她的朋友。
6476. 우리는 이웃을 돕는다. - 我们帮助邻居。

6477. 당신들은 동료를 도울 것이다. - 你会帮助你的同事。
6478. 도와줄래? - 你会帮助我吗？
6479. 네, 도와줄게. - 是的，我会帮。
6480. 애도하다 - 哀悼
6481. 나는 손실을 애도했다. - 我哀悼损失。
6482. 너는 상실을 애도한다. - 您哀悼逝者。
6483. 그는 고인을 애도할 것이다. - 他会哀悼逝者。
6484. 슬퍼? - 哀悼？
6485. 네, 슬퍼. - 是的，悲伤。
6486. 의존하다 - 依赖
6487. 너는 기술에 의존했다. - 你依赖技术。
6488. 그는 지원에 의존한다. - 他依赖于支持。
6489. 그녀는 도움에 의존할 것이다. - 她要依靠帮助。
6490. 필요해? - 你需要吗？
6491. 네, 필요해. - 是的，我需要。
6492. 기뻐하다 - 欢欣鼓舞
6493. 그는 성공을 기뻐했다. - 他为自己的成功而欢欣鼓舞。
6494. 그녀는 소식을 기뻐한다. - 她为这个消息欢欣鼓舞。
6495. 우리는 결과를 기뻐할 것이다. - 我们将为结果欢欣鼓舞。
6496. 행복해? - 你高兴吗？
6497. 네, 행복해. - 是的，我很高兴。
6498. 73. 명사 단어들 외우기, 필수 10개 동사의 단어들을 가지고 50문장 연습하기 - 73. 背诵名词，用规定的 10 个动词词练习 50 个句子
6499. 문제 - 问题
6500. 상황 - 情况
6501. 처리 - 过程
6502. 서비스 - 服务
6503. 결정 - 决定
6504. 정책 - 政策
6505. 도움 - 帮助
6506. 지원 - 支持
6507. 기회 - 机会
6508. 실수 - 错误
6509. 오해 - 误解

6510. 불편 - 不便
6511. 제안 - 建议
6512. 변화 - 改变
6513. 조언 - 建议
6514. 순간 - 时机
6515. 가능성 - 可能性
6516. 기준 - 标准
6517. 목소리 - 语音
6518. 가격 - 价格
6519. 모자 - 帽子
6520. 장갑 - 手套
6521. 유니폼 - 制服
6522. 과일 - 水果
6523. 야채 - 蔬菜
6524. 고기 - 肉类
6525. 샐러드 - 沙拉
6526. 재료 - 配料
6527. 반죽 - 面团
6528. 불평하다 - 抱怨
6529. 그녀는 문제를 불평했다. - 她抱怨有问题。
6530. 우리는 상황을 불평한다. - 我们抱怨现状。
6531. 당신들은 처리를 불평할 것이다. - 你们会抱怨治疗。
6532. 불만 있어? - 你有抱怨吗？
6533. 네, 있어. - 是的，我有。
6534. 불만을 표하다 - 抱怨
6535. 나는 서비스에 불만을 표했다. - 我投诉服务。
6536. 너는 결정에 불만을 표한다. - 您对决定表示不满。
6537. 그는 정책에 불만을 표할 것이다. - 他会对政策表示不满。
6538. 안 좋아해? - 您不喜欢吗？
6539. 네, 안 좋아해. - 是的，我不喜欢。
6540. 고맙다고 하다 - 说谢谢
6541. 너는 도움에 고맙다고 했다. - 您说谢谢您的帮助。
6542. 그는 지원에 고맙다고 한다. - 他会说谢谢您的支持。
6543. 그녀는 기회에 고맙다고 할 것이다. - 她会感谢这个机会。

6544. 감사해? - 你感激吗？
6545. 네, 감사해. - 是的，我很感激。
6546. 용서를 구하다 - 请求原谅
6547. 그는 실수에 용서를 구했다. - 他请求原谅他的错误。
6548. 그녀는 오해에 용서를 구한다. - 她为误会请求原谅。
6549. 우리는 불편에 용서를 구할 것이다. - 我们将请求您原谅给我们带来的不便。
6550. 용서해줄래? - 您会原谅我们吗？
6551. 네, 용서해줄게. - 是的，我原谅你们。
6552. 받아들이다 - 接受
6553. 그녀는 제안을 받아들였다. - 她接受了提议。
6554. 우리는 변화를 받아들인다. - 我们接受改变。
6555. 당신들은 조언을 받아들일 것이다. - 你们将接受建议。
6556. 좋아해? - 你喜欢吗？
6557. 네, 좋아해. - 是的，我喜欢
6558. 붙잡다 - 抓住
6559. 나는 기회를 붙잡았다. - 我抓住了机会
6560. 너는 순간을 붙잡는다. - 你抓住了时机。
6561. 그는 가능성을 붙잡을 것이다. - 他会抓住机会的
6562. 준비됐어? - 你准备好了吗？
6563. 네, 됐어. - 是的，我准备好了
6564. 올리다 - 提高
6565. 너는 기준을 올렸다. - 你提高标准
6566. 그는 목소리를 올린다. - 他提高嗓门。
6567. 그녀는 가격을 올릴 것이다. - 她会提高价格
6568. 높아졌어? - 你提高了吗？
6569. 네, 높아졌어. - 是的，提高了
6570. 착용하다 - 戴上
6571. 그는 모자를 착용했다. - 他戴上帽子
6572. 그녀는 장갑을 착용한다. - 她戴上手套
6573. 우리는 유니폼을 착용할 것이다. - 我们要穿制服
6574. 맞아? - 这样对吗？
6575. 네, 맞아. - 是的，没错
6576. 썰다 - 切片

6577. 그녀는 과일을 썼다. - 她把水果切成片。
6578. 우리는 야채를 썬다. - 我们会切蔬菜
6579. 당신들은 고기를 썰 것이다. - 你们来切肉
6580. 잘랐어? - 你切了吗？
6581. 네, 잘랐어. - 是的，我切了
6582. 버무리다 - 拌沙拉
6583. 나는 샐러드를 버무렸다. - 我拌沙拉
6584. 너는 재료를 버무린다. - 你来拌食材
6585. 그는 반죽을 버무릴 것이다. - 他会揉面团
6586. 완성됐어? - 好了吗？
6587. 네, 됐어. - 是的，好了。
6588. 74. 명사 단어들 외우기, 필수 10개 동사의 단어들을 가지고 50문장 연습하기 - 背诵名词性单词，用 10 个基本动词的单词练习 50 个句子
6589. 꽃의 향기 - 花香
6590. 커피의 향기 - 咖啡的香味
6591. 향수의 향기 - 香水的味道
6592. 손가락 - 手指
6593. 발 - 脚
6594. 종이 - 纸
6595. 공 - 球
6596. 문 - 门
6597. 볼 - 脸颊
6598. 기회 - 机遇
6599. 성공 - 成功
6600. 명성 - 名声
6601. 친구 - 朋友
6602. 팀 - 团队
6603. 가족 - 家庭
6604. 자전거 - 自行车
6605. 휴가 - 假期
6606. 대학 입학 - 大学入学
6607. 건강한 생활 - 健康生活
6608. 사업 확장 - 业务拓展
6609. 가구 - 家具

6610. 쓰레기 - 垃圾
6611. 문서 - 文件
6612. 파일 - 文件
6613. 이메일 - 电子邮件
6614. 데이터 - 数据
6615. 메시지 - 信息
6616. 정보 - 信息
6617. 향기를 맡다 - 闻香
6618. 너는 꽃의 향기를 맡았다. - 你闻到了花香。
6619. 그는 커피의 향기를 맡는다. - 他闻到了咖啡的香味。
6620. 그녀는 향수의 향기를 맡을 것이다. - 她会闻到香水的芬芳。
6621. 좋아해? - 你喜欢吗？
6622. 네, 좋아해. - 是的，我喜欢。
6623. 찌르다 - 刺
6624. 그는 손가락을 찔렀다. - 他扎他的手指。
6625. 그녀는 발을 찌른다. - 她扎她的脚。
6626. 우리는 종이로 손을 찔을 것이다. - 我们用纸扎手。
6627. 아파? - 疼吗？
6628. 네, 아파. - 是的，很疼。
6629. 차다 - 踢球
6630. 그녀는 공을 찼다. - 她踢球。
6631. 우리는 문을 찬다. - 我们踢门。
6632. 당신들은 볼을 찰 것이다. - 你们踢球
6633. 세게 찼어? - 你踢得很用力吗？
6634. 네, 세게 찼어. - 是的，我踢得很用力。
6635. 탐발하다 - 抓住机会
6636. 나는 기회를 탐발했다. - 我抓住了机会
6637. 너는 성공을 탐발한다. - 你会获得成功
6638. 그는 명성을 탐발할 것이다. - 他会觊觎名声
6639. 원해? - 你想要吗？
6640. 네, 원해. - 是的，我想要。
6641. 의지하다 - 依靠
6642. 너는 친구에게 의지했다. - 你依靠你的朋友。
6643. 그는 팀에 의지한다. - 他会依靠他的团队。

6644. 그녀는 가족에 의지할 것이다. - 她将依靠她的家人。
6645. 의존해? - 依靠？
6646. 네, 의존해. - 是的，依靠。
6647. 욕망하다 - 渴望
6648. 나는 새로운 자전거를 욕망했다. - 我渴望一辆新自行车。
6649. 너는 성공을 욕망한다. - 你渴望成功。
6650. 그는 휴가를 욕망할 것이다. - 他渴望度假。
6651. 더 필요한 거 있어? - 还需要什么吗？
6652. 모두 좋아, 감사해. - 都好，谢谢。
6653. 목표하다 - 目标
6654. 그녀는 대학 입학을 목표했다. - 她的目标是考上大学。
6655. 우리는 건강한 생활을 목표한다. - 我们的目标是过上健康的生活。
6656. 당신들은 사업 확장을 목표할 것이다. - 你们的目标是扩大业务。
6657. 목표가 뭐야? - 你们的目标是什么？
6658. 행복해지기야. - 要快乐
6659. 폐기하다 - 以处理
6660. 우리는 오래된 가구를 폐기했다. - 我们处理旧家具。
6661. 당신들은 쓰레기를 폐기한다. - 你们处理垃圾。
6662. 그들은 불필요한 문서를 폐기할 것이다. - 他们会处理不必要的文件。
6663. 이거 버려도 돼? - 我可以扔掉这个吗？
6664. 네, 필요 없어. - 可以，我不需要它。
6665. 암호화하다 - 加密
6666. 그는 중요한 파일을 암호화했다. - 他加密了他的重要文件。
6667. 그녀는 이메일을 암호화한다. - 她为她的电子邮件加密。
6668. 나는 내 데이터를 암호화할 것이다. - 我会加密我的数据。
6669. 비밀번호 설정했어? - 你设置密码了吗？
6670. 이미 했어, 안심해. - 我已经设置了，别担心
6671. 복호화하다 - 要解密
6672. 그녀는 메시지를 복호화했다. - 她解密了信息。
6673. 우리는 정보를 복호화한다. - 我们解密信息。
6674. 당신들은 문서를 복호화할 것이다. - 你来解密文件
6675. 열쇠 찾았어? - 你找到密钥了吗
6676. 아직 못 찾았어. - 没有，我还没找到。
6677. 75. 명사 단어들 외우기, 필수 10개 동사의 단어들을 가지고 50문장 연습

하기 - 背诵名词性单词，用 10 个基本动词中的单词练习 50 个句子
6678. 파일들 - 文件
6679. 사진 - 图片
6680. 자료 - 数据
6681. 문서 - 文件
6682. 바코드 - 条形码
6683. 신분증 - ID
6684. 중요한 부분 - 部分
6685. 텍스트 - 文本
6686. 포인트 - 点
6687. 데이터 - 数据
6688. 주소 - 地址
6689. 내 정보 - 我的信息
6690. 보고서 - 报告
6691. 이메일 - 电子邮件
6692. 계획 - 计划
6693. 클럽 - 俱乐部
6694. 프로그램 - 计划
6695. 도서관 - 图书馆
6696. 목표 - 目标
6697. 성공 - 成功
6698. 해결책 - 解决方案
6699. 위험 - 危险
6700. 집 - 房子
6701. 삶 - 生活
6702. 경력 - 职业
6703. 공기 - 空气
6704. 물 - 水
6705. 환경 - 环境
6706. 압축하다 - 压缩
6707. 나는 파일들을 압축했다. - 我压缩文件。
6708. 너는 사진을 압축한다. - 你压缩照片。
6709. 그는 자료를 압축할 것이다. - 他会压缩材料。
6710. 공간 충분해? - 空间够用吗？

6711. 네, 충분해. - 够
6712. 스캔하다 - 扫描
6713. 그녀는 문서를 스캔했다. - 她扫描文件。
6714. 우리는 바코드를 스캔한다. - 我们扫描条形码。
6715. 당신들은 신분증을 스캔할 것이다. - 你们扫描身份证
6716. 다 됐어? - 扫描完了吗？
6717. 네, 다 됐어. - 是的，我们做完了
6718. 하이라이트하다 - 以突出显示
6719. 우리는 중요한 부분을 하이라이트했다. - 我们高亮了重要部分
6720. 당신들은 텍스트를 하이라이트한다. - 你们要高亮文字
6721. 그들은 포인트를 하이라이트할 것이다. - 他们要突出要点
6722. 이 부분 강조할까? - 要我突出显示吗？
6723. 좋아, 해줘. - 好的，照做。
6724. 입력하다 - 要输入
6725. 그는 데이터를 입력했다. - 他输入数据
6726. 그녀는 주소를 입력한다. - 她输入地址
6727. 나는 내 정보를 입력할 것이다. - 我要输入我的信息。
6728. 정보 다 넣었어? - 你输入完了吗？
6729. 네, 다 했어. - 是的，我输入完了。
6730. 타이핑하다 - 输入
6731. 나는 보고서를 타이핑했다. - 我打报告。
6732. 너는 이메일을 타이핑한다. - 你来输入电子邮件。
6733. 그는 계획을 타이핑할 것이다. - 他会打计划书。
6734. 글 쓰고 있어? - 你在写作吗？
6735. 아니, 쉬고 있어. - 不，我在休息。
6736. 가입하다 - 要加入
6737. 나는 클럽에 가입했다. - 我加入了俱乐部
6738. 너는 프로그램에 가입한다. - 你加入计划。
6739. 그는 도서관에 가입할 것이다. - 他将加入图书馆。
6740. 회원 되고 싶어? - 你想加入吗？
6741. 네, 가입할래요. - 是的，我想加入。
6742. 근접하다 - 接近
6743. 그녀는 목표에 근접했다. - 她接近目标了。
6744. 우리는 성공에 근접한다. - 我们接近成功。

6745. 당신들은 해결책에 근접할 것이다. - 你将接近解决方案。
6746. 거의 다 왔어? - 你们快成功了吗？
6747. 네, 거의 다 왔어요. - 是的，我们快到了。
6748. 멀어지다 - 远离
6749. 우리는 위험으로부터 멀어졌다. - 我们已经远离危险。
6750. 당신들은 목표로부터 멀어진다. - 你们正在远离目标。
6751. 그들은 서로로부터 멀어질 것이다. - 他们将彼此远离。
6752. 떠나고 싶어? - 你想离开吗？
6753. 아니요, 여기 있을래요. - 不，我要留在这里
6754. 재건하다 - 重建
6755. 그는 그의 집을 재건했다. - 他重建了他的房子。
6756. 그녀는 그녀의 삶을 재건한다. - 她重建她的生活。
6757. 나는 내 경력을 재건할 것이다. - 我要重建我的事业。
6758. 다시 시작할 준비 됐어? - 你准备好重新开始了吗？
6759. 네, 준비 됐어요. - 是的，我准备好了。
6760. 정화하다 - 净化
6761. 그녀는 공기를 정화했다. - 她净化空气。
6762. 우리는 물을 정화한다. - 我们净化了水。
6763. 당신들은 환경을 정화할 것이다. - 你们将净化环境。
6764. 더 깨끗해졌어? - 更干净了吗？
6765. 네, 훨씬 나아졌어요. - 是的，好多了。
6766. 76. 명사 단어들 외우기, 필수 10개 동사의 단어들을 가지고 50문장 연습하기 - 背诵名词性单词，用 10 个基本动词的单词练习 50 个句子
6767. 상처 - 伤口
6768. 방 - 房间
6769. 장비 - 设备
6770. 여행 - 旅行
6771. 회의 - 会议
6772. 발표 - 介绍
6773. 프로젝트 - 项目
6774. 이벤트 - 活动
6775. 캠페인 - 活动
6776. 아이디어 - 想法
6777. 생각 - 想法

6778. 방법 - 方法
6779. 해 - 太阳
6780. 미래 - 未来
6781. 기회 - 机会
6782. 능력 - 能力
6783. 가치 - 价值
6784. 이론 - 理论
6785. 주장 - 观点
6786. 사실 - 实际上
6787. 무죄 - 纯真
6788. 삶의 의미 - 生命的意义
6789. 자연의 아름다움 - 自然美
6790. 과거의 실수 - 过去的错误
6791. 행동 - 行动
6792. 결정 - 决定
6793. 추억 - 记忆
6794. 약속 - 承诺
6795. 역사 - 历史
6796. 소독하다 - 消毒
6797. 나는 상처를 소독했다. - 我给伤口消毒。
6798. 너는 방을 소독한다. - 你给房间消毒。
6799. 그는 장비를 소독할 것이다. - 他会给设备消毒。
6800. 이게 안전해? - 这安全吗？
6801. 네, 안전해요. - 是的，很安全。
6802. 예정하다 - 安排行程
6803. 그녀는 여행을 예정했다. - 她安排了这次旅行。
6804. 우리는 회의를 예정한다. - 我们正在安排会议。
6805. 당신들은 발표를 예정할 것이다. - 你将安排一次演讲。
6806. 일정 정했어? - 你安排好了吗？
6807. 네, 다 정했어요. - 是的，我都安排好了。
6808. 기획하다 - 要计划
6809. 우리는 프로젝트를 기획했다. - 我们计划了一个项目。
6810. 당신들은 이벤트를 기획한다. - 您将组织一次活动。
6811. 그들은 캠페인을 기획할 것이다. - 他们要策划一个活动。

6812. 뭐 계획 중이야? - 你在计划什么？
6813. 새로운 시작이에요. - 一个新的开始。
6814. 발상하다 - 构思
6815. 그는 훌륭한 아이디어를 발상했다. - 他想出了一个好主意。
6816. 그녀는 창의적인 생각을 발상한다. - 她想出了有创意的点子。
6817. 나는 새로운 방법을 발상할 것이다. - 我会发明一种新方法。
6818. 아이디어 있어? - 你有什么想法吗？
6819. 네, 몇 개 있어요. - 是的，我有几个。
6820. 바라보다 - 看
6821. 나는 해가 지는 것을 바라봤다. - 我看着太阳下山。
6822. 너는 미래를 바라본다. - 你展望未来。
6823. 그는 기회를 바라볼 것이다. - 他会看机会
6824. 희망 가지고 있어? - 你有希望吗？
6825. 네, 항상 그래요. - 是的，我一直都有
6826. 증명하다 - 证明
6827. 그녀는 자신의 능력을 증명했다. - 她证明了自己的能力。
6828. 우리는 우리의 가치를 증명한다. - 我们证明自己的价值。
6829. 당신들은 이론을 증명할 것이다. - 你将证明理论
6830. 진짜야? - 是真的吗？
6831. 네, 진짜에요. - 是的，是真的
6832. 입증하다 - 来证明
6833. 우리는 우리의 주장을 입증했다. - 我们证明我们的观点
6834. 당신들은 사실을 입증한다. - 你们将证明事实
6835. 그들은 무죄를 입증할 것이다. - 他们会证明自己的清白
6836. 증거 있어? - 你们有证据吗？
6837. 네, 여기 있어요. - 有，在这里
6838. 묵상하다 - 沉思
6839. 나는 삶의 의미를 묵상했다. - 我沉思生命的意义
6840. 너는 미래에 대해 묵상한다. - 你沉思未来
6841. 그는 자연의 아름다움을 묵상할 것이다. - 他会沉思大自然之美。
6842. 조용한 곳 찾고 있어? - 你在找一个安静的地方吗？
6843. 네, 필요해. - 是的，我需要一个
6844. 반성하다 - 反思
6845. 그녀는 과거의 실수를 반성했다. - 她反思自己过去的错误。

6846. 우리는 행동을 반성한다. - 我们反思自己的行为。
6847. 당신들은 결정을 반성할 것이다. - 你会反思自己的决定。
6848. 후회하는 거 있어? - 你有遗憾吗？
6849. 응, 몇 가지 있어. - 是的，我有一些。
6850. 상기하다 - 回顾
6851. 우리는 좋은 추억을 상기했다. - 我们回忆起美好的记忆。
6852. 당신들은 약속을 상기한다. - 你们回忆起承诺。
6853. 그들은 역사를 상기할 것이다. - 他们会回忆起历史。
6854. 기억 나? - 你还记得吗？
6855. 네, 잘 기억나. - 是的，我记得很清楚。
6856. 77. 명사 단어들 외우기, 필수 10개 동사의 단어들을 가지고 50문장 연습하기 - 77. 背诵名词，用 10 个基本动词词练习 50 个句子
6857. 상황 - 情况
6858. 그녀 - 她
6859. 불행한 이들 - 不幸的人
6860. 아이 - 孩子
6861. 친구 - 朋友
6862. 군중 - 人群
6863. 물건 - 事情
6864. 진행 상황 - 进步
6865. 동물의 이동 경로 - 动物运动路径
6866. 생각 - 思想
6867. 계획 - 计划
6868. 직업 - 工作
6869. 문제 - 问题
6870. 프로젝트 - 项目
6871. 도전 - 挑战
6872. 어려움 - 困难
6873. 두려움 - 恐惧
6874. 장애 - 障碍
6875. 위기 - 危险
6876. 혼란 - 困惑
6877. 취미 - 爱好
6878. 과학 - 科学

6879. 예술 - 艺术
6880. 하늘 - 天空
6881. 바다 - 海洋
6882. 고대 유물 - 古董
6883. 지식 - 知识
6884. 재능 - 才能
6885. 동정하다 - 同情
6886. 나는 그의 상황에 동정했다. - 我同情他的处境。
6887. 너는 그녀를 동정한다. - 你同情她
6888. 그는 불행한 이들을 동정할 것이다. - 他会同情不幸的人。
6889. 도와줄 수 있어? - 你能帮他吗？
6890. 물론, 도와줄게. - 当然，我会帮的
6891. 타이르다 - 绑
6892. 그녀는 울고 있는 아이를 타이렀다. - 她绑住了哭泣的孩子
6893. 우리는 화난 친구를 타이른다. - 我们绑住愤怒的朋友。
6894. 당신들은 분노한 군중을 타이를 것이다. - 你来绑愤怒的人群
6895. 진정됐어? - 你冷静下来了？
6896. 네, 좀 나아졌어. - 是的，我感觉好多了
6897. 추적하다 - 去追踪
6898. 우리는 분실된 물건을 추적했다. - 我们追踪一个丢失的物品。
6899. 당신들은 진행 상황을 추적한다. - 你们会追踪进展
6900. 그들은 동물의 이동 경로를 추적할 것이다. - 他们会追踪动物的迁徙路线
6901. 뭐 찾고 있어? - 你在找什么吗？
6902. 네, 찾고 있어. - 是的，我在找东西
6903. 바꾸다 - 以改变
6904. 나는 생각을 바꾸었다. - 我改变主意了
6905. 너는 계획을 바꾼다. - 你改变计划
6906. 그는 직업을 바꿀 것이다. - 他会改变工作
6907. 마음 바뀌었어? - 你改变主意了？
6908. 아니, 그대로야. - 没有，还是老样子。
6909. 해내다 - 去完成
6910. 그녀는 어려운 문제를 해냈다. - 她解决了难题。
6911. 우리는 프로젝트를 해낸다. - 我们完成了项目。
6912. 당신들은 도전을 해낼 것이다. - 你将完成挑战。

6913. 할 수 있겠어? - 你能做到吗？
6914. 응, 할 수 있어. - 是的，我能做到。
6915. 극복하다 - 克服困难
6916. 우리는 어려움을 극복했다. - 我们克服困难。
6917. 당신들은 두려움을 극복한다. - 你们将克服恐惧。
6918. 그들은 장애를 극복할 것이다. - 他们将克服障碍。
6919. 문제 해결됐어? - 问题解决了？
6920. 네, 다 해결됐어. - 是的，一切都解决了。
6921. 헤쳐나가다 - 渡过难关
6922. 나는 위기를 헤쳐나갔다. - 我度过了危机。
6923. 너는 어려움을 헤쳐나간다. - 你度过了难关。
6924. 그는 혼란을 헤쳐나갈 것이다. - 他会度过难关的。
6925. 길 찾았어? - 你找到方法了吗？
6926. 네, 찾았어. - 是的，我找到了。
6927. 관심을 가지다 - 感兴趣
6928. 나는 새 취미에 관심을 가졌다. - 我对一项新爱好产生了兴趣。
6929. 그는 과학에 관심을 가진다. - 他对科学感兴趣。
6930. 그녀는 예술에 관심을 가질 것이다. - 她会对艺术感兴趣。
6931. 관심 있어? - 你感兴趣吗？
6932. 네, 많이. - 是的，非常感兴趣
6933. 응시하다 - 凝视
6934. 그녀는 멀리 응시했다. - 她凝视着远方。
6935. 우리는 하늘을 응시한다. - 我们凝视天空。
6936. 그들은 바다를 응시할 것이다. - 他们会凝视大海。
6937. 뭐 응시해? - 凝视什么？
6938. 별을 봐. - 凝望星空。
6939. 발굴하다 - 挖掘
6940. 나는 고대 유물을 발굴했다. - 我出土了一件古代文物。
6941. 그는 지식을 발굴한다. - 他挖掘知识。
6942. 그녀는 재능을 발굴할 것이다. - 她会挖掘天赋。
6943. 더 발굴할까? - 我们还要再挖吗？
6944. 그래, 계속해. - 好，继续
6945. 78. 명사 단어들 외우기, 필수 10개 동사의 단어들을 가지고 50문장 연습하기 - 78. 背诵名词，用 10 个基本动词词练习 50 个句子

6946. 도구 - 设备
6947. 컴퓨터 - 计算机
6948. 신기술 - 新技术
6949. 시간 - 小时
6950. 에너지 - 能源
6951. 자원 - 资源
6952. 돈 - 钱
6953. 물 - 水
6954. 기회 - 机遇
6955. 추억 - 记忆
6956. 사진 - 图片
6957. 비밀 - 秘密
6958. 문서 - 文件
6959. 환경 - 环境
6960. 장벽 - 障碍
6961. 자동차 - 汽车
6962. 기계 - 机械
6963. 모델 - 模型
6964. 부품 - 部件
6965. 시스템 - 系统
6966. 시계 - 时钟
6967. 퍼즐 - 谜题
6968. 계획 - 计划
6969. 기업 - 企业
6970. 아이디어 - 理念
6971. 팀 - 团队
6972. 사용하다 - 使用
6973. 우리는 도구를 사용했다. - 我们使用工具。
6974. 그는 컴퓨터를 사용한다. - 他使用电脑。
6975. 그들은 신기술을 사용할 것이다. - 他们将使用新技术。
6976. 사용해볼까? - 我们要试试吗？
6977. 좋아, 해봐. - 好的，试试看。
6978. 소비하다 - 消耗
6979. 나는 시간을 소비했다. - 我消耗时间。

6980. 그녀는 에너지를 소비한다. - 她消耗能量。
6981. 너는 자원을 소비할 것이다. - 你会消耗资源。
6982. 많이 소비했어? - 你消耗了很多吗？
6983. 아니, 조금만. - 不，只有一点点。
6984. 절약하다 - 节省
6985. 그는 돈을 절약했다. - 他省钱。
6986. 우리는 물을 절약한다. - 我们节约用水。
6987. 당신들은 에너지를 절약할 것이다. - 你们会节约能源。
6988. 절약하고 있어? - 你在节约吗？
6989. 응, 노력중이야. - 是的，我在努力。
6990. 낭비하다 - 浪费
6991. 그녀는 기회를 낭비했다. - 她浪费了机会。
6992. 너는 시간을 낭비한다. - 你浪费了时间。
6993. 그들은 자원을 낭비할 것이다. - 他们会浪费资源。
6994. 낭비하지 않았어? - 你没有浪费吗？
6995. 아냐, 조심했어. - 没有，我很小心。
6996. 간직하다 - 以保留
6997. 우리는 추억을 간직했다. - 我们保留了记忆。
6998. 그는 사진을 간직한다. - 他保留了照片。
6999. 그녀는 비밀을 간직할 것이다. - 她会保守秘密
7000. 계속 간직할 거야? - 你会保守吗？
7001. 네, 영원히. - 是的，永远
7002. 파괴하다 - 要销毁
7003. 나는 문서를 파괴했다. - 我销毁了文件
7004. 그들은 환경을 파괴한다. - 他们破坏了环境
7005. 그녀는 장벽을 파괴할 것이다. - 她会毁了这堵墙
7006. 파괴해야 돼? - 我们要毁掉它吗？
7007. 아니, 다른 방법 찾자. - 不，我们另想办法
7008. 손상하다 - 破坏
7009. 그는 자동차를 손상했다. - 他损坏了汽车。
7010. 그녀는 기계를 손상한다. - 她破坏机器。
7011. 우리는 환경을 손상할 것이다. - 我们会破坏环境。
7012. 손상됐어? - 损坏？
7013. 응, 고쳐야 해. - 是的，需要修理。

7014. 대치하다 - 以替代
7015. 나는 오래된 모델을 대치했다. - 我替换了旧型号。
7016. 그들은 부품을 대치한다. - 他们会更换零件。
7017. 그녀는 시스템을 대치할 것이다. - 她将更换系统。
7018. 대치할 필요 있어? - 有必要更换吗？
7019. 네, 필수야. - 是的，有必要。
7020. 맞추다 - 安排时间
7021. 우리는 시계를 맞췄다. - 我们设置了时钟。
7022. 그는 퍼즐을 맞춘다. - 他把拼图拼好。
7023. 그녀는 계획을 맞출 것이다. - 她将符合计划。
7024. 잘 맞춰졌어? - 我们吻合了吗？
7025. 완벽해! - 很完美
7026. 합치다 - 拼起来
7027. 그들은 두 기업을 합쳤다. - 他们合并了两家公司。
7028. 너는 아이디어를 합친다. - 你们合并想法。
7029. 우리는 팀을 합칠 것이다. - 我们将合并我们的团队。
7030. 합치기로 했어? - 你们决定合并了吗？
7031. 응, 그렇게 결정했어. - 是的，我们就是这么决定的。
7032. 79. 명사 단어들 외우기, 필수 10개 동사의 단어들을 가지고 50문장 연습하기 - 79. 背诵名词，用 10 个基本动词词练习 50 个句子
7033. 자원 - 资源
7034. 시간 - 小时
7035. 업무 - 工作
7036. 친구 - 朋友
7037. 음식 - 食物
7038. 이익 - 利润
7039. 경험 - 经验
7040. 요구사항 - 要求
7041. 기대 - 期望
7042. 조건 - 条件
7043. 아이 - 孩子
7044. 상황 - 情况
7045. 분위기 - 氛围
7046. 부모님 - 家长

7047. 동료 - 同事
7048. 대표 - 代表
7049. 프로젝트 - 项目
7050. 최우수 작품 - 最佳工作
7051. 건강 - 健康
7052. 안전 - 安全
7053. 효율성 - 效率
7054. 이론 - 理论
7055. 정책 - 政策
7056. 연구 - 研究
7057. 작업 - 工作
7058. 결정 - 决策
7059. 팀 - 团队
7060. 의견 - 意见
7061. 계획 - 计划
7062. 배분하다 - 分配
7063. 그녀는 자원을 배분했다. - 她分配资源。
7064. 우리는 시간을 배분한다. - 我们分配时间。
7065. 너는 업무를 배분할 것이다. - 你将分配你的工作。
7066. 잘 배분됐어? - 进展顺利吗？
7067. 네, 잘 됐어. - 是的，很顺利。
7068. 나누다 - 分享
7069. 나는 친구와 음식을 나눴다. - 我和朋友分享食物。
7070. 그들은 이익을 나눈다. - 他们分享利润。
7071. 당신들은 경험을 나눌 것이다. - 您将分享这段经历。
7072. 같이 나눌래? - 你想分享吗？
7073. 좋아, 나눠보자. - 好，我们来分享。
7074. 충족하다 - 来履行
7075. 우리는 요구사항을 충족했다. - 我们满足了要求。
7076. 그는 기대를 충족한다. - 他满足了期望。
7077. 그녀는 조건을 충족할 것이다. - 她将满足条件。
7078. 충족시킬 수 있어? - 你能满足吗？
7079. 응, 할 수 있어. - 是的，我能。
7080. 진정시키다 - 安抚

7081. 그녀는 아이를 진정시켰다. - 她让孩子平静下来。
7082. 너는 상황을 진정시킨다. - 你让局势平静下来。
7083. 그들은 분위기를 진정시킬 것이다. - 他们会让气氛平静下来。
7084. 진정됐어? - 你平静下来了吗？
7085. 네, 괜찮아졌어. - 是的，我很好
7086. 안심시키다 - 安抚
7087. 나는 부모님을 안심시켰다. - 我安抚我的父母。
7088. 그는 친구를 안심시킨다. - 他向朋友保证
7089. 그녀는 동료를 안심시킬 것이다. - 她会让她的同事放心。
7090. 안심할까? - 安抚？
7091. 응, 안심해. - 是的，我放心了。
7092. 선정하다 - 选择
7093. 우리는 대표를 선정했다. - 我们挑选了代表。
7094. 그들은 프로젝트를 선정한다. - 他们将挑选项目。
7095. 당신들은 최우수 작품을 선정할 것이다. - 你们将选出最好的作品。
7096. 어떤 걸 선정할까? - 我们选哪个？
7097. 가장 좋은 걸로. - 最好的那个
7098. 우선하다 - 优先考虑
7099. 그는 건강을 우선했다. - 他优先考虑自己的健康。
7100. 그녀는 안전을 우선한다. - 她优先考虑安全。
7101. 우리는 효율성을 우선할 것이다. - 我们将优先考虑效率。
7102. 무엇을 우선해야 해? - 我们应该优先考虑什么？
7103. 안전을 우선해. - 应优先考虑安全。
7104. 논쟁하다 - 争论
7105. 나는 친구와 논쟁했다. - 我和我的朋友争论。
7106. 당신들은 이론을 논쟁한다. - 你们争论理论。
7107. 그들은 정책을 논쟁할 것이다. - 他们会争论政策。
7108. 계속 논쟁할 거야? - 你们还要争论下去吗？
7109. 아니, 여기서 멈출게. - 不，我就此打住。
7110. 보조하다 - 协助
7111. 그녀는 연구를 보조했다. - 她协助研究。
7112. 우리는 작업을 보조한다. - 我们协助工作。
7113. 너는 결정을 보조할 것이다. - 你将协助决定。
7114. 도움 될까? - 有帮助吗？

7115. 네, 많이 돼. - 是的，很大。
7116. 형성하다 - 组成
7117. 그들은 팀을 형성했다. - 他们组成了一个团队。
7118. 그는 의견을 형성한다. - 他形成一个意见。
7119. 그녀는 계획을 형성할 것이다. - 她会制定一个计划。
7120. 형성 잘 되고 있어? - 组建得怎么样了？
7121. 응, 잘 되고 있어. - 是的，进展顺利。
7122. 80. 명사 단어들 외우기, 필수 10개 동사의 단어들을 가지고 50문장 연습하기 - 80. 背诵名词，用 10 个基本动词词练习 50 个句子
7123. 방법 - 方法
7124. 제품 - 产品
7125. 시스템 - 系统
7126. 프로젝트 - 项目
7127. 연구 - 研究
7128. 과제 - 任务
7129. 색상 - 颜色
7130. 팀원 - 团队成员
7131. 환경 - 环境
7132. 일 - 日
7133. 삶 - 生活
7134. 수요 - 需求
7135. 공급 - 供应
7136. 이해관계 - 利益
7137. 결론 - 结论
7138. 정보 - 信息
7139. 결과 - 结果
7140. 사건 - 事件
7141. 변화 - 变化
7142. 역사적 순간 - 历史时刻
7143. 어려움 - 困难
7144. 성장통 - 成长的烦恼
7145. 꽃 향기 - 花香
7146. 바다 냄새 - 海的气息
7147. 신선한 공기 - 臭氧

7148. 서비스 - 服务
7149. 품질 - 质量
7150. 고통 - 疼痛
7151. 압력 - 进入
7152. 시련 - 测试
7153. 창안하다 - 发明
7154. 나는 새로운 방법을 창안했다. - 我发明了一种新方法。
7155. 그들은 제품을 창안한다. - 他们发明了一种产品。
7156. 당신들은 시스템을 창안할 것이다. - 你将发明一个系统。
7157. 창안할 아이디어 있어? - 你有发明的想法吗？
7158. 네, 몇 가지 있어. - 是的，我有一些。
7159. 협업하다 - 合作
7160. 우리는 프로젝트에서 협업했다. - 我们在一个项目上合作。
7161. 그들은 연구에서 협업한다. - 他们合作研究。
7162. 당신들은 과제에서 협업할 것이다. - 你们将合作完成作业。
7163. 협업 효과적이었어? - 合作有效吗？
7164. 네, 매우 효과적이었어. - 是的，非常有效。
7165. 조화하다 - 协调
7166. 그녀는 색상을 조화롭게 사용했다. - 她和谐地使用了颜色。
7167. 그는 팀원들과 조화를 이룬다. - 他与队友和谐相处。
7168. 우리는 환경과 조화를 이룰 것이다. - 我们将与环境和谐相处。
7169. 조화롭게 될까? - 会和谐吗？
7170. 응, 될 거야. - 是的，会的。
7171. 균형을 맞추다 - 平衡
7172. 나는 일과 삶의 균형을 맞췄다. - 我平衡了工作和生活。
7173. 그들은 수요와 공급의 균형을 맞춘다. - 他们平衡供需。
7174. 당신들은 이해관계를 균형있게 맞출 것이다. - 你将平衡你的利益。
7175. 균형 잘 맞춰지고 있어? - 你平衡得好吗？
7176. 네, 잘 맞춰지고 있어. - 是的，进展顺利。
7177. 추론하다 - 推断
7178. 그녀는 결론을 추론했다. - 她推断出了结论。
7179. 우리는 정보를 추론한다. - 我们推断信息。
7180. 너는 결과를 추론할 것이다. - 你将推断出结果。
7181. 추론이 맞을까? - 推论正确吗？

7182. 가능성이 높아. - 很有可能。
7183. 목격하다 - 见证
7184. 나는 사건을 목격했다. - 我见证了这一事件。
7185. 그는 변화를 목격한다. - 他见证了一个变化。
7186. 그녀는 역사적 순간을 목격할 것이다. - 她将见证一个历史时刻。
7187. 정말 그걸 목격했어? - 你真的见证了？
7188. 네, 내 눈으로 봤어. - 是的，我亲眼所见。
7189. 겪다 - 遭受苦难
7190. 우리는 어려움을 겪었다. - 我们经历了困难
7191. 그들은 성장통을 겪는다. - 他们经历成长的痛苦。
7192. 당신들은 변화를 겪을 것이다. - 你们会经历变化。
7193. 많이 겪었어? - 你们经历了很多吗？
7194. 응, 꽤 많이. - 是的，相当多。
7195. 냄새맡다 - 闻到
7196. 나는 꽃 향기를 맡았다. - 我闻到了花香。
7197. 그는 바다 냄새를 맡는다. - 他闻到了大海的味道。
7198. 그녀는 신선한 공기를 맡을 것이다. - 她会闻到新鲜空气的味道。
7199. 무슨 냄새가 나? - 你闻到了什么？
7200. 꽃 향기가 나. - 我闻到了花香。
7201. 불만족하다 - 不满意
7202. 그녀는 결과에 불만족했다. - 她对结果不满意。
7203. 우리는 서비스에 불만족한다. - 我们对服务不满意。
7204. 당신들은 품질에 불만족할 것이다. - 你们会对质量不满意。
7205. 불만족해? - 不满意？
7206. 네, 기대에 못 미쳐. - 是的，没有达到我的期望。
7207. 견디다 - 忍受
7208. 나는 고통을 견뎠다. - 我忍受了痛苦。
7209. 그는 압력을 견딘다. - 他忍受着压力。
7210. 그녀는 시련을 견딜 것이다. - 她将忍受折磨。
7211. 견딜 수 있을까? - 你能忍受吗？
7212. 응, 견딜 수 있어. - 是的，我能忍受。
7213. 81. 명사 단어들 외우기, 필수 10개 동사의 단어들을 가지고 50문장 연습하기 - 81. 背诵名词，用 10 个基本动词词练习 50 个句子
7214. 어려움 - 困难

7215. 지연 - 延迟
7216. 도전 - 挑战
7217. 불편함 - 不适
7218. 소음 - 噪音
7219. 기다림 - 等待
7220. 친구 - 朋友
7221. 동물 - 动物
7222. 사람들 - 人
7223. 피해자 - 受害者
7224. 건물 - 建筑
7225. 위험 - 危险
7226. 범인 - 罪犯
7227. 용의자 - 嫌疑犯
7228. 도망자 - 逃犯
7229. 사람 - 人员
7230. 포로 - 俘虏
7231. 증거 - 证据
7232. 생각 - 思想
7233. 제약 - 限制
7234. 방법 - 方法
7235. 생활 방식 - 生活方式
7236. 아이디어 - 想法
7237. 공지 - 通知
7238. 사진 - 图片
7239. 연구 결과 - 结果
7240. 인내하다 - 忍受
7241. 우리는 어려움을 인내했다. - 我们在困难中坚持不懈。
7242. 그들은 지연을 인내한다. - 他们忍受延误。
7243. 당신들은 도전을 인내할 것이다. - 您将在挑战中坚持不懈。
7244. 인내가 필요해? - 我需要耐心吗？
7245. 네, 많이 필요해. - 是的，我需要很多。
7246. 참다 - 忍受
7247. 그녀는 불편함을 참았다. - 她忍受着不适。
7248. 우리는 소음을 참는다. - 我们忍受噪音。

7249. 너는 기다림을 참을 것이다. - 你要忍受等待。
7250. 얼마나 더 참아야 해? - 你还要忍多久？
7251. 조금만 더 참자. - 再忍一会儿吧。
7252. 구출하다 - 解救
7253. 나는 친구를 구출했다. - 我救助了我的朋友。
7254. 그는 동물을 구출한다. - 他救助动物。
7255. 그녀는 사람들을 구출할 것이다. - 她会救人
7256. 구출할 수 있을까? - 你能救人吗？
7257. 네, 할 수 있어. - 是的，你能
7258. 구조하다 - 去营救
7259. 우리는 피해자를 구조했다. - 我们救出了受害者。
7260. 그들은 건물에서 구조한다. - 他们从大楼里救出来。
7261. 당신들은 위험에서 구조할 것이다. - 你们将他们从危险中解救出来
7262. 구조 작업 잘 되고 있어? - 救援进展如何？
7263. 네, 잘 되고 있어. - 是的，进展顺利
7264. 체포하다 - 逮捕
7265. 그녀는 범인을 체포했다. - 她逮捕了罪犯。
7266. 경찰은 용의자를 체포한다. - 警察逮捕了嫌犯
7267. 보안관은 도망자를 체포할 것이다. - 警长将逮捕逃犯。
7268. 체포됐어? - 你被捕了吗？
7269. 네, 체포됐어. - 是的，他被捕了。
7270. 구금하다 - 被拘留
7271. 나는 잠시 구금됐다. - 我被拘留了一段时间。
7272. 그는 현재 구금 중이다. - 他现在被拘留了
7273. 그녀는 나중에 구금될 것이다. - 她稍后会被拘留。
7274. 여전히 구금 중이야? - 她还在押吗？
7275. 네, 아직이야. - 是的，还在。
7276. 석방하다 - 释放
7277. 우리는 억울한 사람을 석방했다. - 我们释放了被冤枉的人。
7278. 그들은 포로를 석방한다. - 他们释放囚犯
7279. 당신들은 증거 부족으로 석방될 것이다. - 你会因为证据不足而被释放
7280. 석방될 수 있을까? - 你会被释放吗？
7281. 가능성이 있어. - 有可能。
7282. 해방하다 - 释放

7283. 그녀는 스스로를 해방했다. - 她解放了自己。
7284. 우리는 생각에서 해방한다. - 我们从思想中解放出来。
7285. 너는 제약에서 해방될 것이다. - 你将从束缚中解放出来。
7286. 정말 해방감을 느껴? - 你真的感到解放了吗？
7287. 네, 완전히. - 是的，完全。
7288. 채택하다 - 采用
7289. 나는 새로운 방법을 채택했다. - 我采用了一种新方法。
7290. 그는 건강한 생활 방식을 채택한다. - 他采用了一种健康的生活方式。
7291. 그녀는 혁신적인 아이디어를 채택할 것이다. - 她将采用一种创新的想法。
7292. 채택하기로 결정했어? - 你决定采用了吗？
7293. 네, 결정했어. - 是的，我决定了。
7294. 게시하다 - 发布
7295. 우리는 공지를 게시했다. - 我们发布了通知。
7296. 그들은 사진을 소셜 미디어에 게시한다. - 他们在社交媒体上发布照片。
7297. 당신들은 연구 결과를 게시할 것이다. - 你们要公布调查结果。
7298. 이미 게시됐어? - 已经公布了吗？
7299. 네, 게시됐어. - 是的，已经发表了。
7300. 82. 명사 단어들 외우기, 필수 10개 동사의 단어들을 가지고 50문장 연습하기 - 背诵名词性单词，用 10 个基本动词性单词练习 50 个句子
7301. 정보 - 信息
7302. 기록 - 记录
7303. 데이터베이스 - 数据库
7304. 이메일 - 电子邮件
7305. 뉴스 - 新闻
7306. 콘텐츠 - 内容
7307. 화면 - 屏幕
7308. 순간 - 时刻
7309. 교통 위반 - 交通违章
7310. 규칙 - 规则
7311. 불법 - 违法
7312. 자재 - 材料
7313. 필요한 물품 - 所需物资
7314. 자금 - 资金
7315. 상품 - 货物

7316. 화물 - 运费
7317. 물건 - 事情
7318. 자금 (운용) - 资金 (运作)
7319. 계획 (운용) - 规划 (操作)
7320. 사업 - 业务
7321. 집 - 房屋
7322. 차 - 汽车
7323. 회사 - 公司
7324. 주식 - 股票
7325. 지식 - 知识
7326. 기술 - 技术
7327. 경험 - 经验
7328. 정보 (얻다) - 信息
7329. 지식 (얻다) - 知识 (获取)
7330. 조회하다 - 查找
7331. 그녀는 정보를 조회했다. - 她查找资料。
7332. 우리는 기록을 조회한다. - 我们查询记录。
7333. 너는 데이터베이스를 조회할 것이다. - 您将查询数据库。
7334. 조회 결과는 어때? - 查询结果如何？
7335. 찾고 있던 정보가 나왔어. - 我得到了我要找的信息。
7336. 필터링하다 - 过滤
7337. 나는 이메일을 필터링했다. - 我过滤了邮件。
7338. 그는 뉴스를 필터링한다. - 他将过滤新闻。
7339. 그녀는 콘텐츠를 필터링할 것이다. - 她会过滤内容。
7340. 필터링 효과적이야? - 过滤有效吗？
7341. 네, 매우 효과적이야. - 是的，非常有效。
7342. 캡처하다 - 捕获
7343. 나는 화면을 캡처했다. - 我捕捉屏幕
7344. 너는 순간을 캡처한다. - 你捕捉瞬间。
7345. 그는 정보를 캡처할 것이다. - 他会捕捉信息。
7346. 사진 잘 나왔어? - 拍得好吗
7347. 네, 완벽해요. - 是的，很完美
7348. 단속하다 - 严厉打击
7349. 그녀는 교통 위반을 단속했다. - 她严厉打击交通违规行为。

7350. 우리는 규칙을 단속한다. - 我们执行规定。
7351. 당신들은 불법을 단속할 것이다. - 你们将严厉打击违法行为。
7352. 규칙 지켰어? - 你遵守规则了吗？
7353. 네, 항상 지켜요. - 是的，我一直遵守。
7354. 조달하다 - 采购
7355. 그들은 자재를 조달했다. - 他们采购了材料。
7356. 나는 필요한 물품을 조달한다. - 我会采购必要的物资。
7357. 너는 자금을 조달할 것이다. - 你去采购资金。
7358. 자재 다 구했어? - 材料都采购齐了吗？
7359. 아직 몇 개 더 필요해. - 我还需要一些。
7360. 운송하다 - 运送
7361. 그녀는 상품을 운송했다. - 她运输货物。
7362. 우리는 화물을 운송한다. - 我们运输货物。
7363. 당신들은 물건을 운송할 것이다. - 你们来运输货物。
7364. 화물 도착했어? - 货物到了吗？
7365. 네, 방금 도착했어요. - 是的，刚到。
7366. 운용하다 - 来操作
7367. 나는 자금을 운용했다. - 我管理资金。
7368. 너는 계획을 운용한다. - 你来操作计划。
7369. 그는 사업을 운용할 것이다. - 由他来经营
7370. 계획 잘 되가? - 计划进行得如何？
7371. 네, 순조로워요. - 是的，进展顺利
7372. 소유하다 - 拥有
7373. 그들은 집을 소유했다. - 他们拥有房子。
7374. 나는 차를 소유한다. - 我拥有一辆车
7375. 너는 회사를 소유할 것이다. - 你将拥有一家公司
7376. 새 차 샀어? - 你买新车了吗？
7377. 아니요, 아직이에요. - 还没有。
7378. 보유하다 - 持有
7379. 그녀는 주식을 보유했다. - 她持有股票。
7380. 우리는 지식을 보유한다. - 我们保留知识。
7381. 당신들은 기술을 보유할 것이다. - 你将拥有技能。
7382. 주식 많이 가졌어? - 你有很多存货吗？
7383. 조금씩 모으고 있어요. - 我在一点一点地收集。

7384. 얻다 - 获得
7385. 나는 경험을 얻었다. - 我获得了经验。
7386. 너는 정보를 얻는다. - 你获得信息。
7387. 그는 지식을 얻을 것이다. - 他将获得知识。
7388. 정보 찾았어? - 你找到信息了吗？
7389. 네, 찾았어요. - 是的，我找到了。
7390. 83. 명사 단어들 외우기, 필수 10개 동사의 단어들을 가지고 50문장 연습하기 - 背诵名词性单词，用 10 个基本动词性单词练习 50 个句子
7391. 자격증 - 证书
7392. 승인 - 批准
7393. 인증 - 认证
7394. 신뢰 - 信任
7395. 기회 - 机会
7396. 접근 - 访问
7397. 능력 - 能力
7398. 재능 - 人才
7399. 창의력 - 创造力
7400. 품질 - 质量
7401. 관심 - 兴趣
7402. 성능 - 表现
7403. 서울 - 首尔
7404. 지역 - 地区
7405. 국가 - 国家
7406. 버스 - 巴士
7407. 인터넷 - 互联网
7408. 서비스 - 服务
7409. 채무 - 财政义务
7410. 문제 - 问题
7411. 우려 - 问题
7412. 아이디어 - 想法
7413. 계획 - 计划
7414. 가치 - 价值
7415. 사고 - 事故
7416. 변화 - 变化

7417. 현상 - 现象
7418. 회의 - 会议
7419. 이벤트 - 事件
7420. 획득하다 - 获得
7421. 그들은 자격증을 획득했다. - 他们获得了认证。
7422. 나는 승인을 획득한다. - 我将获得授权。
7423. 너는 인증을 획득할 것이다. - 您将获得认证。
7424. 자격증 시험 봤어? - 您参加认证考试了吗？
7425. 네, 합격했어요. - 是的，我通过了。
7426. 상실하다 - 失去
7427. 그녀는 신뢰를 상실했다. - 她失去了信任。
7428. 우리는 기회를 상실한다. - 我们失去机会
7429. 당신들은 접근을 상실할 것이다. - 你将失去机会
7430. 기회 놓쳤어? - 你失去机会了吗？
7431. 아니요, 아직 있어요. - 不，你们仍然拥有。
7432. 발휘하다 - 发挥
7433. 나는 능력을 발휘했다. - 我发挥了我的能力。
7434. 너는 재능을 발휘한다. - 你展示了才能。
7435. 그는 창의력을 발휘할 것이다. - 他会发挥自己的创造力。
7436. 잘 할 수 있겠어? - 你有信心做到吗？
7437. 네, 자신 있어요. - 是的，我有信心。
7438. 저하하다 - 降级
7439. 그들은 품질을 저하시켰다. - 他们降低了质量。
7440. 나는 관심을 저하시킨다. - 我降低兴趣。
7441. 너는 성능을 저하시킬 것이다. - 你会降低成绩。
7442. 성능 나빠졌어? - 你降低成绩了吗？
7443. 아니요, 괜찮아요. - 没有，我很好。
7444. 교통하다 - 对交通
7445. 그녀는 자주 서울을 교통했다. - 她经常去首尔旅行。
7446. 우리는 지역 간을 교통한다. - 我们在地区之间旅行。
7447. 당신들은 국가를 교통할 것이다. - 您将在国家之间旅行。
7448. 출퇴근 괜찮아? - 您的通勤没问题吧？
7449. 네, 문제 없어요. - 是的，没问题。
7450. 이용하다 - 要使用

7451. 나는 버스를 이용했다. - 我使用公共汽车。
7452. 너는 인터넷을 이용한다. - 您将使用互联网。
7453. 그는 서비스를 이용할 것이다. - 他会使用服务。
7454. 인터넷 빨라? - 网速快吗？
7455. 네, 아주 빨라요. - 是的，非常快。
7456. 소멸하다 - 熄灭
7457. 그들은 채무를 소멸시켰다. - 他们熄灭了债务。
7458. 나는 문제를 소멸시킨다. - 我消解了问题。
7459. 너는 우려를 소멸시킬 것이다. - 你将熄灭忧虑。
7460. 문제 해결됐어? - 问题解决了？
7461. 네, 다 해결됐어요. - 是的，一切都解决了。
7462. 생성하다 - 产生
7463. 그녀는 아이디어를 생성했다. - 她产生了一个想法。
7464. 우리는 계획을 생성한다. - 我们生成计划。
7465. 당신들은 가치를 생성할 것이다. - 你们会产生价值。
7466. 계획 세웠어? - 你们有计划？
7467. 네, 다 준비됐어요. - 是的，都准备好了
7468. 발생하다 - 导致
7469. 나는 사고를 발생시켰다. - 我产生事件。
7470. 너는 변화를 발생시킨다. - 你们将产生变化。
7471. 그는 현상을 발생시킬 것이다. - 他将导致一种现象。
7472. 문제 있었어? - 你有问题吗？
7473. 아니요, 괜찮아요. - 没有，我很好。
7474. 나타나다 - 至 出现
7475. 그들은 갑자기 나타났다. - 他们突然出现
7476. 나는 회의에 나타난다. - 我出现在会议上。
7477. 너는 이벤트에 나타날 것이다. - 你会出现在活动现场。
7478. 회의에 갈 거야? - 你会去参加会议吗？
7479. 네, 갈게요. - 是的，我会去。
7480. 84. 명사 단어들 외우기, 필수 10개 동사의 단어들을 가지고 50문장 연습하기 - 背诵名词性单词，用 10 个基本动词性单词练习 50 个句子
7481. 무대 - 舞台
7482. 공원 - 公园
7483. 화면 - 屏幕

7484. 생각 - 思想
7485. 계획 - 计划
7486. 방향 - 方向
7487. 의사소통 - 交流
7488. 동전 - 硬币
7489. 쓰레기 - 垃圾
7490. 아이디어 - 想法
7491. 책 - 书
7492. 우산 - 雨伞
7493. 지도 - 地图
7494. 감정 - 情感
7495. 열정 - 激情
7496. 옷 - 衣服
7497. 벽 - 墙
7498. 캔버스 - 画布
7499. 종이 - 纸
7500. 나무 - 树
7501. 친구 - 朋友
7502. 제안 - 建议
7503. 정책 - 政策
7504. 스프 - 汤
7505. 음료 - 饮料
7506. 소스 - 酱
7507. 사라지다 - 消失
7508. 그녀는 무대에서 사라졌다. - 她从舞台上消失了。
7509. 우리는 공원에서 사라진다. - 我们在公园里消失
7510. 당신들은 화면에서 사라질 것이다. - 你将从屏幕上消失。
7511. 걱정 끝났어? - 你担心完了吗？
7512. 네, 사라졌어요. - 是的，消失了
7513. 변하다 - 改变
7514. 나는 생각이 변했다. - 我改变了主意
7515. 너는 계획을 변화시킨다. - 你改变计划
7516. 그는 방향을 변할 것이다. - 他会改变方向
7517. 의견 달라졌어? - 你改变意见了吗？

7518. 네, 바뀌었어요. - 是的，已经改变了。
7519. 의사소통하다 - 沟通
7520. 그들은 효과적으로 의사소통했다. - 他们沟通得很有效。
7521. 나는 명확하게 의사소통한다. - 我沟通得很清楚。
7522. 너는 직접 의사소통할 것이다. - 您将直接沟通。
7523. 말 잘 통해? - 通过语言？
7524. 네, 잘 통해요. - 是的，通过言语。
7525. 줍다 - 拾起
7526. 그녀는 동전을 주웠다. - 她捡起硬币。
7527. 우리는 쓰레기를 줍는다. - 我们捡垃圾。
7528. 당신들은 아이디어를 줍을 것이다. - 你会捡起想法。
7529. 도와줄까? - 你想让我帮你吗？
7530. 네, 고마워요. - 是的，谢谢。
7531. 펴다 - 打开
7532. 나는 책을 펴었다. - 我打开了书
7533. 너는 우산을 편다. - 你打开雨伞。
7534. 그는 지도를 펼 것이다. - 他会展开地图
7535. 책 재밌어? - 这本书有趣吗？
7536. 네, 흥미로워요. - 是的，很有趣。
7537. 넘치다 - 溢于言表
7538. 그들은 감정이 넘쳤다. - 他们的情绪溢于言表。
7539. 나는 열정이 넘친다. - 我充满热情。
7540. 너는 아이디어로 넘칠 것이다. - 你的想法会溢于言表。
7541. 행복해? - 你高兴吗？
7542. 네, 넘쳐나요. - 是的，我溢于言表。
7543. 물들다 - 着色
7544. 그녀는 옷을 물들였다. - 她给衣服上色
7545. 우리는 벽을 물들인다. - 我们给墙壁上色。
7546. 당신들은 캔버스를 물들일 것이다. - 你要给画布上色
7547. 색상 결정했어? - 你决定好颜色了吗？
7548. 네, 정했어요. - 是的，我决定了
7549. 태우다 - 要烧掉
7550. 나는 종이를 태웠다. - 我把纸烧了
7551. 너는 나무를 태운다. - 你烧木头

7552. 그는 쓰레기를 태울 것이다. - 他会烧垃圾
7553. 추워? - 冷吗？
7554. 아니, 따뜻해요. - 不，很温暖
7555. 지지하다 - 支持
7556. 나는 친구를 지지했다. - 我支持我的朋友。
7557. 너는 제안을 지지한다. - 你支持提议。
7558. 그는 정책을 지지할 것이다. - 他将支持这项政策。
7559. 지지 받아? - 你支持吗？
7560. 네, 받아. - 是的，我明白
7561. 젓다 - 搅拌
7562. 그녀는 스프를 저었다. - 她搅拌汤。
7563. 우리는 음료를 젓는다. - 我们搅拌饮料
7564. 당신들은 소스를 저을 것이다. - 你们来搅拌酱汁
7565. 잘 섞였어? - 搅拌好了吗？
7566. 네, 섞였어. - 是的，搅拌好了。
7567. 85. 명사 단어들 외우기, 필수 10개 동사의 단어들을 가지고 50문장 연습하기 - 背诵名词性单词，用 10 个基本动词性单词练习 50 个句子
7568. 물 - 水
7569. 팬 - 平底锅
7570. 수프 - 汤
7571. 상자 - 盒子
7572. 창문 - 窗
7573. 미래 - 未来
7574. 아이디어 - 想法
7575. 계획 - 计划
7576. 해결책 - 解决方案
7577. 스케줄 - 时间表
7578. 로드맵 - 路线图
7579. 자금 - 资金
7580. 자리 - 席位
7581. 기회 - 机遇
7582. 용기 - 勇气
7583. 장비 - 设备
7584. 자격 - 资格认证

7585. 실험실 - 实验室
7586. 컴퓨터 - 计算机
7587. 연구소 - 实验室
7588. 선물 - 礼品
7589. 정보 - 信息
7590. 소식 - 新闻
7591. 메시지 - 消息
7592. 경고 - 警告
7593. 차 - 汽车
7594. 배 - 船舶
7595. 화물 - 货运
7596. 트럭 - 卡车
7597. 상품 - 货物
7598. 가열하다 - 加热
7599. 그는 물을 가열했다. - 他加热了水。
7600. 나는 팬을 가열한다. - 我把锅加热。
7601. 너는 수프를 가열할 것이다. - 你来加热汤。
7602. 뜨거워? - 烫吗？
7603. 네, 뜨거워. - 是的，很烫
7604. 들여다보다 - 看
7605. 그들은 상자 안을 들여다보았다. - 他们往盒子里看。
7606. 나는 창문으로 들여다본다. - 我透过窗户看。
7607. 너는 미래를 들여다볼 것이다. - 你将眺望未来。
7608. 뭐 보여? - 你看到了什么？
7609. 네, 보여. - 是的，我看到了。
7610. 떠올리다 - 想出
7611. 그녀는 아이디어를 떠올렸다. - 她想出了一个主意。
7612. 우리는 계획을 떠올린다. - 我们想出一个计划。
7613. 당신들은 해결책을 떠올릴 것이다. - 你们来想办法
7614. 기억나? - 你还记得吗？
7615. 네, 나와. - 记得，我
7616. 짜다 - 来组织
7617. 나는 스케줄을 짰다. - 我组织计划表
7618. 너는 계획을 짠다. - 你来组织计划

7619. 그는 로드맵을 짤 것이다. - 他会整理路线图
7620. 준비됐어? - 你准备好了吗？
7621. 네, 됐어. - 是的，我准备好了
7622. 마련하다 - 来安排
7623. 그들은 자금을 마련했다. - 他们安排资金。
7624. 나는 자리를 마련한다. - 我会安排座位
7625. 너는 기회를 마련할 것이다. - 你来安排机会
7626. 다 됐어? - 好了吗？
7627. 네, 됐어. - 是的，准备好了
7628. 갖추다 - 来装备
7629. 그녀는 용기를 갖췄다. - 她装备了勇气
7630. 우리는 장비를 갖춘다. - 我们装备好了
7631. 당신들은 자격을 갖출 것이다. - 你们将获得资格
7632. 준비됐어? - 你准备好了吗？
7633. 네, 됐어. - 是的，我准备好了
7634. 장비하다 - 来装备
7635. 나는 실험실을 장비했다. - 我装备了实验室
7636. 너는 컴퓨터를 장비한다. - 你将装备电脑
7637. 그는 연구소를 장비할 것이다. - 他将装备实验室
7638. 필요한 거 있어? - 你需要什么吗？
7639. 아니, 없어. - 不，我不需要
7640. 갖다 - to Bring
7641. 그들은 선물을 갖다 주었다. - 他们带来了礼物。
7642. 나는 정보를 갖다 준다. - 我带来消息
7643. 너는 소식을 갖다 줄 것이다. - 你将带来消息。
7644. 도착했어? - 你们到了吗？
7645. 네, 도착했어. - 是的，我们到了。
7646. 전하다 - 传递
7647. 그녀는 소식을 전했다. - 她传递消息。
7648. 우리는 메시지를 전한다. - 我们传递消息。
7649. 당신들은 경고를 전할 것이다. - 你来传达警告
7650. 알려줄까? - 要我通知你吗？
7651. 네, 알려줘. - 是的，让我知道。
7652. 싣다 - 装车

7653. 나는 차에 짐을 실었다. - 我装车
7654. 너는 배에 화물을 싣는다. - 你在船上装货。
7655. 그는 트럭에 상품을 실을 것이다. - 他会把货物装上车。
7656. 무거워? - 重吗？
7657. 아니, 괜찮아. - 不，很好。
7658. 86. 명사 단어들 외우기, 필수 10개 동사의 단어들을 가지고 50문장 연습하기 - 86. 背诵名词，用 10 个基本动词词练习 50 个句子
7659. 신제품 - 新产品
7660. 제안 - 提案
7661. 보고서 - 报告
7662. 앞줄 - 前排
7663. 중앙 - 中央
7664. 위치 - 位置
7665. 결과 - 结果
7666. 휴가 - 假期
7667. 성공 - 成功
7668. 포스터 - 海报
7669. 사진 - 图片
7670. 장식 - 装饰
7671. 목도리 - 围脖
7672. 리본 - 丝带
7673. 배지 - 徽章
7674. 오해 - 误会
7675. 상황 - 情况
7676. 문제 - 问题
7677. 이웃 - 邻居
7678. 친구 - 朋友
7679. 동료 - 同事
7680. 이벤트 - 事件
7681. 프로젝트 - 项目
7682. 캠페인 - 活动
7683. 제품 - 产品
7684. 서비스 - 服务
7685. 앱 - 应用程序

7686. 선반 - 货架
7687. 문 - 门
7688. 카메라 - 摄像头
7689. 내다 - 出来
7690. 그들은 신제품을 내놓았다. - 他们推出了新产品。
7691. 나는 제안을 낸다. - 我拿出一份提案。
7692. 너는 보고서를 내놓을 것이다. - 你会拿出一份报告。
7693. 성공할까? - 能行吗？
7694. 네, 할 거야. - 是的，会的。
7695. 위치하다 - 定位
7696. 그녀는 앞줄에 위치했다. - 她被安排在前排。
7697. 우리는 중앙에 위치한다. - 我们在中间。
7698. 당신들은 최적의 위치에 위치할 것이다. - 你的位置最好
7699. 찾았어? - 你找到了吗？
7700. 네, 찾았어. - 是的，我找到了。
7701. 기대다 - 期待
7702. 나는 결과를 기대했다. - 我期待一个结果。
7703. 너는 휴가를 기대한다. - 你期待一个假期。
7704. 그는 성공을 기대할 것이다. - 他会期待成功。
7705. 기뻐? - 高兴吗？
7706. 네, 기뻐. - 是的，我很高兴。
7707. 매달다 - 悬挂
7708. 그들은 포스터를 매달았다. - 他们挂上了海报。
7709. 나는 사진을 매달린다. - 我挂一幅画。
7710. 너는 장식을 매달을 것이다. - 你来挂装饰品。
7711. 예쁘게 됐어? - 结果漂亮吗？
7712. 네, 됐어. - 是的，已经完成了。
7713. 매다 - 挂
7714. 그녀는 목도리를 맸다. - 她把披肩挂起来了。
7715. 우리는 리본을 맨다. - 我们会系上丝带
7716. 당신들은 배지를 맬 것이다. - 你们戴徽章
7717. 추워? - 你冷吗？
7718. 아니, 괜찮아. - 不，我很好
7719. 해명하다 - 澄清

7720. 나는 오해를 해명했다. - 我澄清了一个误会
7721. 너는 상황을 해명한다. - 你来解释情况
7722. 그는 문제를 해명할 것이다. - 他会澄清问题的。
7723. 이해됐어? - 你明白吗？
7724. 네, 됐어. - 是的，我明白
7725. 도와주다 - 帮助
7726. 그들은 이웃을 도와주었다. - 他们帮助他们的邻居。
7727. 나는 친구를 도와준다. - 我帮助我的朋友。
7728. 너는 동료를 도와줄 것이다. - 你要帮助你的同事。
7729. 필요해? - 你需要吗？
7730. 아니, 괜찮아. - 不，谢谢
7731. 홍보하다 - 宣传
7732. 그녀는 이벤트를 홍보했다. - 她宣传了这次活动。
7733. 우리는 프로젝트를 홍보한다. - 我们推广项目。
7734. 당신들은 캠페인을 홍보할 것이다. - 你们来推广活动
7735. 봤어? - 你看到了吗？
7736. 네, 봤어. - 是的，我看到了
7737. 광고하다 - 做广告
7738. 나는 제품을 광고했다. - 我宣传一种产品。
7739. 너는 서비스를 광고한다. - 你们要宣传一种服务
7740. 그는 앱을 광고할 것이다. - 他要给一个应用程序做广告
7741. 효과 있어? - 能用吗？
7742. 네, 있어. - 是的
7743. 고정하다 - 修复
7744. 그들은 선반을 고정했다. - 他们修好了货架
7745. 나는 문을 고정한다. - 我把门修好
7746. 너는 카메라를 고정할 것이다. - 你来固定摄像头。
7747. 단단해? - 牢固吗？
7748. 네, 단단해. - 是的，很牢固。
7749. 87. 명사 단어들 외우기, 필수 10개 동사의 단어들을 가지고 50문장 연습하기 - 背诵名词性单词，用 10 个基本动词的单词练习 50 个句子
7750. 문 - 门
7751. 창문 - 窗户
7752. 자전거 - 自行车

7753. 컴퓨터 - 电脑
7754. 음료 - 饮料
7755. 시스템 - 系统
7756. 기계 - 机器
7757. 부품 - 零件
7758. 장난감 - 玩具
7759. 종이 - 纸张
7760. 플라스틱 - 塑料
7761. 금속 - 金属
7762. 엔진 - 发动机
7763. 장치 - 装置
7764. 상품 - 货物
7765. 편지 - 信函
7766. 상 - 奖项
7767. 영화 - 电影
7768. 제품 - 产品
7769. 서비스 - 服务
7770. 집 - 房屋
7771. 차 - 汽车
7772. 휴대폰 - 手机
7773. 책 - 书籍
7774. 의류 - 衣服
7775. 예술작품 - 艺术品
7776. 잠그다 - 上锁
7777. 그녀는 문을 잠갔다. - 她锁上了门。
7778. 우리는 창문을 잠근다. - 我们锁上窗户。
7779. 당신들은 자전거를 잠글 것이다. - 你要锁好自行车。
7780. 안전해? - 安全吗？
7781. 네, 안전해. - 是的，很安全。
7782. 냉각하다 - 冷却
7783. 나는 컴퓨터를 냉각했다. - 我冷却了电脑。
7784. 너는 음료를 냉각한다. - 你会冷却饮料。
7785. 그는 시스템을 냉각할 것이다. - 他会冷却系统
7786. 충분해? - 够了吗？

7787. 네, 충분해. - 是的，够了
7788. 재조립하다 - 重新组装
7789. 그들은 기계를 재조립했다. - 他们重新组装机器
7790. 나는 부품을 재조립한다. - 我重新组装零件。
7791. 너는 장난감을 재조립할 것이다. - 你要重新组装玩具。
7792. 어려워? - 难吗？
7793. 아니, 쉬워. - 不，很容易。
7794. 재활용하다 - 回收
7795. 그녀는 종이를 재활용했다. - 她回收了纸张。
7796. 우리는 플라스틱을 재활용한다. - 我们回收塑料。
7797. 당신들은 금속을 재활용할 것이다. - 你们要回收金属
7798. 좋은 생각이야? - 这是个好主意吗？
7799. 네, 좋아. - 是的，是个好主意
7800. 구동하다 - 来驱动
7801. 나는 기계를 구동했다. - 我驾驶机器
7802. 너는 시스템을 구동한다. - 你来驱动系统
7803. 그는 엔진을 구동할 것이다. - 他会驱动引擎
7804. 작동 돼? - 能用吗？
7805. 네, 작동돼. - 是的，能用
7806. 부팅하다 - 启动
7807. 그녀는 컴퓨터를 부팅했다. - 她启动了电脑。
7808. 우리는 시스템을 부팅한다. - 我们启动系统
7809. 당신들은 장치를 부팅할 것이다. - 你们来启动设备
7810. 켜졌어? - 开机了吗？
7811. 네, 켜졌어. - 是的，开机了
7812. 수령하다 - 收到
7813. 나는 상품을 수령했다. - 我收到货了
7814. 너는 편지를 수령한다. - 你会收到信的
7815. 그는 상을 수령할 것이다. - 他会去领奖的
7816. 도착했어? - 到货了吗？
7817. 네, 도착했어. - 是的，到了。
7818. 리뷰하다 - 进行审查
7819. 그들은 영화를 리뷰했다. - 他们评论了这部电影。
7820. 나는 제품을 리뷰한다. - 我评论一个产品。

7821. 너는 서비스를 리뷰할 것이다. - 您将评论一项服务。
7822. 좋았어? - 好看吗？
7823. 네, 좋았어. - 是的，很好。
7824. 구매하다 - 购买
7825. 그녀는 집을 구매했다. - 她买了一栋房子。
7826. 우리는 차를 구매한다. - 我们要买车。
7827. 당신들은 휴대폰을 구매할 것이다. - 你们要买手机。
7828. 필요해? - 你需要吗？
7829. 네, 필요해. - 是的，我需要
7830. 판매하다 - 卖
7831. 나는 책을 판매했다. - 我卖一本书
7832. 너는 의류를 판매한다. - 你卖服装。
7833. 그는 예술작품을 판매할 것이다. - 他卖艺术品。
7834. 잘 팔려? - 卖得好吗？
7835. 네, 잘 팔려. - 是的，卖得很好。
7836. 88. 명사 단어들 외우기, 필수 10개 동사의 단어들을 가지고 50문장 연습하기 - 88. 背诵名词，用 10 个基本动词词练习 50 个句子
7837. 물건 - 东西
7838. 옷 - 衣服
7839. 기기 - 设备
7840. 티켓 - 票
7841. 비용 - 费用
7842. 등록금 - 学费
7843. 자전거 - 自行车
7844. 책 - 书籍
7845. 카메라 - 照相机
7846. 도서 - 书籍
7847. 장비 - 设备
7848. 노트북 - 笔记本电脑
7849. 계좌 - 账户
7850. 전화선 - 电话线
7851. 인터넷 - 互联网
7852. 계정 - 账户
7853. 상점 - 商店

7854. 공장 - 工厂
7855. 파일 - 文件
7856. 시계 - 时钟
7857. 시스템 - 系统
7858. 문제 - 问题
7859. 아이디어 - 想法
7860. 방법 - 方法
7861. 문서 - 文件
7862. 규정 - 规则
7863. 자료 - 数据
7864. 사진 - 图片
7865. 보고서 - 报告
7866. 반환하다 - 返回
7867. 그들은 물건을 반환했다. - 他们退回了货物。
7868. 나는 옷을 반환한다. - 我退还衣服。
7869. 너는 기기를 반환할 것이다. - 您将退还设备。
7870. 가능해? - 可能吗？
7871. 네, 가능해. - 是的，可以。
7872. 환불하다 - 要退票
7873. 그녀는 티켓을 환불받았다. - 她的机票退了
7874. 우리는 비용을 환불받는다. - 我们的钱退回来了
7875. 당신들은 등록금을 환불받을 것이다. - 你的学费能退回来
7876. 받을 수 있어? - 你能拿到吗？
7877. 네, 받을 수 있어. - 是的，你能拿到。
7878. 대여하다 - 去租
7879. 나는 자전거를 대여했다. - 我租了一辆自行车
7880. 너는 책을 대여한다. - 你租一本书
7881. 그는 카메라를 대여할 것이다. - 他会租一台相机
7882. 빌릴까? - 要借吗？
7883. 네, 빌려. - 是的，借。
7884. 반납하다 - 归还
7885. 그들은 도서를 반납했다. - 他们把书还了。
7886. 나는 장비를 반납한다. - 我归还设备。
7887. 너는 노트북을 반납할 것이다. - 你要归还笔记本电脑。

7888. 시간 됐어? - 时间到了吗？
7889. 네, 됐어. - 是的，我准备好了
7890. 개통하다 - 打开
7891. 그녀는 계좌를 개통했다. - 她开了一个账户。
7892. 우리는 전화선을 개통한다. - 我们要开通电话线
7893. 당신들은 인터넷을 개통할 것이다. - 你们要开通互联网
7894. 준비됐어? - 准备好了吗？
7895. 네, 준비됐어. - 是的，我准备好了
7896. 폐쇄하다 - 关闭
7897. 나는 계정을 폐쇄했다. - 我关闭了账户
7898. 너는 상점을 폐쇄한다. - 你要关闭商店
7899. 그는 공장을 폐쇄할 것이다. - 他要关闭工厂
7900. 닫혔어? - 关闭了吗？
7901. 네, 닫혔어. - 是的，关闭了
7902. 동기화하다 - 同步
7903. 그녀는 파일을 동기화했다. - 她同步了她的文件。
7904. 우리는 시계를 동기화한다. - 我们同步我们的手表
7905. 당신들은 시스템을 동기화할 것이다. - 你们要同步你们的系统
7906. 맞춰졌어? - 同步了吗？
7907. 네, 맞춰졌어. - 是的，同步了
7908. 예시하다 - 举例说明
7909. 나는 문제를 예시했다. - 我举例说明了一个问题。
7910. 너는 아이디어를 예시한다. - 你举例说明一个想法。
7911. 그는 방법을 예시할 것이다. - 他将例举一种方法。
7912. 이해됐어? - 这样说有道理吗？
7913. 네, 이해됐어. - 是的，我明白。
7914. 참조하다 - 参考
7915. 그들은 문서를 참조했다. - 他们提到了文件。
7916. 나는 규정을 참조한다. - 我参考条例。
7917. 너는 자료를 참조할 것이다. - 你将参考材料。
7918. 봤어? - 你看到了吗？
7919. 네, 봤어. - 是的，我看到了。
7920. 첨부하다 - 附上
7921. 그녀는 사진을 첨부했다. - 她附上了一张照片。

7922. 우리는 파일을 첨부한다. - 我们附上文件。
7923. 당신들은 보고서를 첨부할 것이다. - 您将附上报告。
7924. 붙였어? - 你附上了吗？
7925. 네, 붙였어. - 是的，我附上了。
7926. 89. 명사 단어들 외우기, 필수 10개 동사의 단어들을 가지고 50문장 연습하기 - 89. 背诵名词单词，用 10 个必备动词单词练习 50 个句子
7927. 소프트웨어 - 软件
7928. 기능 - 功能
7929. 제품 - 产品
7930. 코드 - 代码
7931. 시스템 - 系统
7932. 애플리케이션 - 应用
7933. 은행 - 银行
7934. 자금 - 资金
7935. 주택 대출 - 房屋贷款
7936. 빚 - 债务
7937. 대출 - 贷款
7938. 융자 - 贷款
7939. 돈 - 资金
7940. 금액 - 金额
7941. 재산 - 财产
7942. 주식 - 股票
7943. 사업 - 商业
7944. 부동산 - 房地产
7945. 친구 - 朋友
7946. 가족 - 家庭
7947. 회사 - 公司
7948. 계좌 - 账户
7949. 자동화기기 - 自动化设备
7950. 급여 - 薪酬
7951. 테스트하다 - 测试
7952. 나는 소프트웨어를 테스트했다. - 我测试软件。
7953. 너는 기능을 테스트한다. - 您测试功能。
7954. 그는 제품을 테스트할 것이다. - 他将测试产品。

7955. 잘 돼? - 进展顺利吗？
7956. 네, 잘 돼. - 是的，很顺利。
7957. 디버그(오류수정)하다 - 调试 (修复错误)
7958. 그들은 코드를 디버그했다. - 他们调试代码。
7959. 나는 시스템을 디버그한다. - 我调试系统。
7960. 너는 애플리케이션을 디버그할 것이다. - 你会调试应用程序。
7961. 고쳤어? - 你修复了吗？
7962. 네, 고쳤어. - 是的，我修好了。
7963. 대출하다 - 借
7964. 그녀는 은행에서 대출받았다. - 她向银行贷款。
7965. 우리는 자금을 대출받는다. - 我们借钱。
7966. 당신들은 주택 대출을 받을 것이다. - 你们要贷款买房。
7967. 필요해? - 你需要吗？
7968. 네, 필요해. - 是的，我需要
7969. 상환하다 - 来偿还
7970. 나는 빚을 상환했다. - 我偿还了债务
7971. 너는 대출을 상환한다. - 你会偿还贷款
7972. 그는 융자를 상환할 것이다. - 他将偿还贷款
7973. 끝났어? - 搞定了吗？
7974. 네, 끝났어. - 是的，搞定了
7975. 저축하다 - 存钱
7976. 그들은 돈을 저축했다. - 他们存了钱。
7977. 나는 금액을 저축한다. - 我存了一笔钱。
7978. 너는 재산을 저축할 것이다. - 你会省下一大笔钱。
7979. 모았어? - 你省了吗？
7980. 네, 모았어. - 是的，我存了。
7981. 투자하다 - 投资
7982. 그녀는 주식에 투자했다. - 她投资股票。
7983. 우리는 사업에 투자한다. - 我们投资做生意。
7984. 당신들은 부동산에 투자할 것이다. - 你将投资房地产。
7985. 이득 봤어? - 你盈利了吗？
7986. 네, 이득 봤어. - 是的，我盈利了。
7987. 송금하다 - 转钱
7988. 나는 친구에게 송금했다. - 我给朋友寄钱。

7989. 너는 가족에게 송금한다. - 你会把钱寄给你的家人。
7990. 그는 회사에 송금할 것이다. - 他会把钱寄给公司。
7991. 받았어? - 你收到了吗？
7992. 네, 받았어. - 是的，我收到了。
7993. 예치하다 - 存入
7994. 그들은 돈을 예치했다. - 他们把钱存入了账户。
7995. 나는 계좌에 예치한다. - 我把钱存入账户。
7996. 너는 자금을 예치할 것이다. - 您将存入资金。
7997. 넣었어? - 你存入了吗？
7998. 네, 넣었어. - 是的，我存入了。
7999. 인출하다 - 取款
8000. 그녀는 은행에서 인출했다. - 她从银行取款。
8001. 우리는 자동화기기에서 인출한다. - 我们从自动取款机取款。
8002. 당신들은 계좌에서 인출할 것이다. - 您从您的账户取款。
8003. 뺐어? - 你取了吗？
8004. 네, 뺐어. - 是的，我取了。
8005. 이체하다 - 转入
8006. 나는 계좌로 이체했다. - 我转入账户。
8007. 너는 돈을 이체한다. - 你转账
8008. 그는 급여를 이체할 것이다. - 他要转工资
8009. 보냈어? - 你寄了吗？
8010. 네, 보냈어. - 是的，我汇了
8011. 90. 명사 단어들 외우기, 필수 10개 동사의 단어들을 가지고 50문장 연습하기 - 90. 背诵名词性单词，用 10 个基本动词中的单词练习 50 个句子
8012. 신용카드 - 信用卡
8013. 현금 - 现金
8014. 모바일 - 手机
8015. 주식 - 股票
8016. 물건 - 东西
8017. 부동산 - 房地产
8018. 팀 - 团队
8019. 회사 - 公司
8020. 학급 - 类
8021. 시장 - 市场

8022. 결정 - 决策
8023. 결과 - 结果
8024. 날씨 - 天气
8025. 소식 - 新闻
8026. 경제 - 经济
8027. 목록 - 列表
8028. 예외 - 例外
8029. 조항 - 文章
8030. 요청 - 要求
8031. 접근 - 访问
8032. 변경 - 更改
8033. 토론 - 辩论
8034. 생각 - 想法
8035. 결론 - 结论
8036. 웃음 - 笑
8037. 호기심 - 好奇
8038. 혼란 - 困惑
8039. 투자 - 投资
8040. 관광객 - 旅游
8041. 회원 - 会员
8042. 결제하다 - 支付
8043. 그들은 신용카드로 결제했다. - 他们用信用卡支付。
8044. 나는 현금으로 결제한다. - 我用现金支付。
8045. 너는 모바일로 결제할 것이다. - 您用手机支付。
8046. 됐어? - 可以吗？
8047. 네, 됐어. - 好的，没问题
8048. 거래하다 - 交易
8049. 그는 주식을 거래했다. - 他交易股票
8050. 우리는 물건을 거래한다. - 我们交易东西
8051. 당신들은 부동산을 거래할 것이다. - 你们要交易房地产
8052. 필요한 거 있어? - 你需要什么吗？
8053. 아니, 괜찮아. - 不用了
8054. 대표하다 - 代表
8055. 그녀는 팀을 대표했다. - 她代表团队

8056. 나는 회사를 대표한다. - 我代表公司
8057. 너는 학급을 대표할 것이다. - 你将代表全班
8058. 준비됐어? - 准备好了吗？
8059. 네, 준비됐어. - 是的，我准备好了
8060. 영향을 주다 - 以影响
8061. 그들은 시장에 영향을 주었다. - 他们影响市场。
8062. 나는 결정에 영향을 준다. - 我影响决定。
8063. 너는 결과에 영향을 줄 것이다. - 你将影响结果。
8064. 변화됐어? - 你改变了吗？
8065. 네, 변화됐어. - 是的，变了。
8066. 영향을 받다 - 受其影响
8067. 나는 날씨에 영향을 받았다. - 我受到天气的影响。
8068. 너는 소식에 영향을 받는다. - 你受到新闻的影响。
8069. 그는 경제에 영향을 받을 것이다. - 他会受到经济的影响。
8070. 괜찮아? - 你还好吗？
8071. 네, 괜찮아. - 是的，我很好。
8072. 제외하다 - 排除
8073. 그녀는 목록에서 제외됐다. - 她被排除在名单之外。
8074. 우리는 예외를 제외한다. - 我们排除例外。
8075. 당신들은 조항을 제외할 것이다. - 你将排除该条款。
8076. 빠진 거 있어? - 我错过什么了吗
8077. 아니, 없어. - 没有，什么都没有。
8078. 허용하다 - 允许
8079. 그는 요청을 허용했다. - 他允许请求。
8080. 나는 접근을 허용한다. - 我允许访问。
8081. 너는 변경을 허용할 것이다. - 你将允许更改。
8082. 가능해? - 你能吗？
8083. 네, 가능해. - 可以
8084. 유도하다 - 以引发
8085. 그들은 토론을 유도했다. - 他们引发了讨论。
8086. 나는 생각을 유도한다. - 我引发思考。
8087. 너는 결론을 유도할 것이다. - 你将引出结论。
8088. 알겠어? - 你明白了吗？
8089. 네, 알겠어. - 是的，我明白了。

8090. 유발하다 - 以引起
8091. 그녀는 웃음을 유발했다. - 她激起了笑声。
8092. 우리는 호기심을 유발한다. - 我们激起好奇心。
8093. 당신들은 혼란을 유발할 것이다. - 你们会引起混乱。
8094. 웃겼어? - 好笑吗？
8095. 네, 웃겼어. - 是的，很好笑。
8096. 유치하다 - 吸引
8097. 나는 투자를 유치했다. - 我吸引了投资。
8098. 너는 관광객을 유치한다. - 你吸引游客。
8099. 그는 회원을 유치할 것이다. - 他将吸引会员。
8100. 성공했어? - 你成功了吗？
8101. 네, 성공했어. - 是的，我成功了。
8102. 91. 명사 단어들 외우기, 필수 10개 동사의 단어들을 가지고 50문장 연습하기 - 背诵名词性单词，用 10 个基本动词性单词练习 50 个句子
8103. 프로젝트 - 项目
8104. 팀 - 团队
8105. 운동 - 工作
8106. 결혼 생활 - 婚姻生活
8107. 과거 - 过去
8108. 문제 - 问题
8109. 방문객 - 游客
8110. 길 - 道路
8111. 미래 - 未来
8112. 땅 - 地球
8113. 계획 - 计划
8114. 성공 - 成功
8115. 관심 - 利益
8116. 변화 - 改变
8117. 학교 - 学校
8118. 대학 - 大学
8119. 고등학교 - 高中
8120. 경험 - 经历
8121. 지식 - 知识
8122. 환경 - 环境

8123. 사회 - 社会
8124. 줄 - 路线
8125. 기회 - 机会
8126. 사과 - 道歉
8127. 피자 - 披萨
8128. 과자 - 小吃
8129. 이끌다 - 领导
8130. 그들은 프로젝트를 이끌었다. - 他们领导项目。
8131. 나는 팀을 이끈다. - 我带领团队。
8132. 너는 운동을 이끌 것이다. - 你来带领锻炼。
8133. 준비됐니? - 准备好了吗？
8134. 네, 준비됐어. - 是的，我准备好了
8135. 이혼하다 - 离婚
8136. 그녀는 결혼 생활을 이혼했다. - 她离婚了
8137. 나는 과거를 이혼한다. - 我与过去离婚
8138. 너는 문제에서 이혼할 것이다. - 你要和问题离婚
8139. 괜찮니? - 你还好吗？
8140. 네, 괜찮아. - 是的，我没事
8141. 인도하다 - 引导
8142. 그는 방문객을 인도했다. - 他引导游客
8143. 우리는 새로운 길을 인도한다. - 我们引领新的道路。
8144. 당신들은 미래로 인도할 것이다. - 你将引领未来之路
8145. 맞는 길이야? - 这条路对吗？
8146. 네, 맞아. - 是的
8147. 일구다 - 工作
8148. 그들은 땅을 일궜다. - 他们在土地上耕耘
8149. 나는 계획을 일군다. - 我制定计划。
8150. 너는 성공을 일굴 것이다. - 你将工作成功。
8151. 진행됐어? - 成功了吗？
8152. 네, 진행됐어. - 是的，成功了
8153. 일으키다 - 引起
8154. 그녀는 관심을 일으켰다. - 她引起了兴趣。
8155. 우리는 문제를 일으킨다. - 我们引起问题。
8156. 당신들은 변화를 일으킬 것이다. - 你会引起变化

8157. 뭐야 그거? - 那是什么？
8158. 중요한 거야. - 这很重要
8159. 입학하다 - 进入
8160. 나는 학교에 입학했다. - 我进入学校了
8161. 너는 대학에 입학한다. - 你将进入大学
8162. 그는 고등학교에 입학할 것이다. - 他将进入高中
8163. 준비됐어? - 你准备好了吗？
8164. 네, 준비됐어. - 是的，我准备好了
8165. 자라다 - 长大
8166. 그들은 함께 자랐다. - 他们一起长大
8167. 나는 경험으로 자란다. - 我在经历中成长
8168. 너는 지식으로 자랄 것이다. - 你将在知识中成长
8169. 컸니? - 你长大了吗？
8170. 네, 컸어. - 是的，我长大了。
8171. 작용하다 - 行动
8172. 그녀는 팀에 작용했다. - 她在团队中行动。
8173. 우리는 환경에 작용한다. - 我们对环境采取行动。
8174. 당신들은 사회에 작용할 것이다. - 你们将对社会采取行动。
8175. 느꼈어? - 你感受到了吗？
8176. 네, 느꼈어. - 是的，我感觉到了。
8177. 잡아당기다 - 拉动
8178. 나는 줄을 잡아당겼다. - 我拉动了绳子。
8179. 너는 관심을 잡아당긴다. - 你拽着注意力。
8180. 그는 기회를 잡아당길 것이다. - 他会拽住机会。
8181. 성공했니? - 你成功了吗？
8182. 네, 성공했어. - 是的，我成功了。
8183. 잡아먹다 - 吃
8184. 나는 사과를 잡아먹었다. - 我抓起一个苹果
8185. 너는 피자를 잡아먹는다. - 你会吃披萨。
8186. 그는 과자를 잡아먹을 것이다. - 他会吃零食
8187. 배고파? - 你饿了吗？
8188. 네, 배고파. - 是的，我饿了。
8189. 92. 명사 단어들 외우기, 필수 10개 동사의 단어들을 가지고 50문장 연습하기 - 92. 背诵名词，用 10 个基本动词词练习 50 个句子

8190. 공 - 球
8191. 기회 - 机会
8192. 순간 - 时刻
8193. 상황 - 情况
8194. 시장 - 市场
8195. 분위기 - 氛围
8196. 카메라 - 照相机
8197. 배터리 - 电池
8198. 부품 - 部分
8199. 논쟁 - 争论
8200. 소음 - 噪音
8201. 갈등 - 冲突
8202. 권리 - 正确
8203. 위치 - 位置
8204. 우승 - 冠军赛
8205. 집 - 房子
8206. 차 - 汽车
8207. 자산 - 资产
8208. 손 - 手
8209. 발 - 脚
8210. 어깨 - 肩
8211. 약속 - 承诺
8212. 계획 - 计划
8213. 기계 - 机器
8214. 데이터 - 数据
8215. 시스템 - 系统
8216. 도시 - 城市
8217. 영역 - 地区
8218. 지역 - 地区
8219. 잡아채다 - 接住
8220. 그는 공을 잡아챘다. - 他接住了球。
8221. 그녀는 기회를 잡아챈다. - 她抓住了机会。
8222. 우리는 순간을 잡아챌 것이다. - 我们要抓住时机。
8223. 봤어? - 你看到了吗？

8224. 아니, 못 봤어. - 没有
8225. 장악하다 - 掌控
8226. 그녀는 상황을 장악했다. - 她控制了局势。
8227. 우리는 시장을 장악한다. - 我们控制了市场。
8228. 당신들은 분위기를 장악할 것이다. - 你来控制气氛
8229. 준비됐어? - 你准备好了吗？
8230. 네, 준비됐어. - 是的，我准备好了
8231. 장착하다 - 安装
8232. 나는 카메라를 장착했다. - 我安装相机
8233. 너는 배터리를 장착한다. - 你来安装电池
8234. 그는 부품을 장착할 것이다. - 他会安装零件
8235. 맞아? - 是这样吗？
8236. 네, 맞아. - 是的，没错
8237. 잦아들다 - 停止争论
8238. 그는 논쟁이 잦아들었다. - 他已经停止争吵。
8239. 그녀는 소음이 잦아든다. - 她会停止吵闹。
8240. 우리는 갈등이 잦아들 것이다. - 我们会减少冲突。
8241. 끝났어? - 结束了吗？
8242. 아니, 안 끝났어. - 不，还没有结束。
8243. 쟁기다 - to 犁
8244. 그녀는 권리를 쟁겼다. - 她为权利而耕耘。
8245. 우리는 위치를 쟁긴다. - 我们将为立场而耕耘。
8246. 당신들은 우승을 쟁길 것이다. - 你们将为胜利而耕耘。
8247. 이겼어? - 你赢了吗？
8248. 네, 이겼어. - 是的，我赢了。
8249. 저당잡히다 - 抵押
8250. 나는 집이 저당잡혔다. - 我抵押了我的房子。
8251. 너는 차가 저당잡힌다. - 你会抵押你的车
8252. 그는 자산이 저당잡힐 것이다. - 他的资产将被抵押
8253. 괜찮아? - 你还好吗？
8254. 아니, 안 괜찮아. - 不，我不好
8255. 저리다 - 我有点刺痛
8256. 나는 손이 저렸다. - 我的手麻了
8257. 너는 발이 저린다. - 你的脚有刺痛感

8258. 그는 어깨가 저릴 것이다. - 他的肩膀也会刺痛
8259. 아파? - 疼吗？
8260. 네, 아파. - 是的，疼。
8261. 저버리다 - 放弃
8262. 그녀는 약속을 저버렸다. - 她食言了。
8263. 우리는 계획을 저버린다. - 我们放弃计划
8264. 당신들은 기회를 저버릴 것이다. - 你会浪费一次机会。
8265. 실망했어? - 你失望了吗？
8266. 네, 실망했어. - 是的，我很失望
8267. 점검하다 - 检查
8268. 그는 기계를 점검했다. - 他检查了机器。
8269. 그녀는 데이터를 점검한다. - 她检查数据。
8270. 우리는 시스템을 점검할 것이다. - 我们将检查系统。
8271. 문제 있어? - 有问题吗？
8272. 아니, 문제 없어. - 不，没有问题。
8273. 점령하다 - 占领
8274. 그들은 도시를 점령했다. - 他们占领了城市
8275. 당신들은 영역을 점령한다. - 你们占领领土
8276. 그는 지역을 점령할 것이다. - 他将占领领土
8277. 성공했어? - 你们成功了吗？
8278. 네, 성공했어. - 是的，我们成功了。
8279. 93. 명사 단어들 외우기, 필수 10개 동사의 단어들을 가지고 50문장 연습하기 - 93. 背诵名词，用规定的 10 个动词词练习 50 个句子
8280. 목표 - 目标
8281. 위치 - 位置
8282. 대상 - 目标
8283. 신청서 - 应用
8284. 문의 - 询问
8285. 요청 - 请求
8286. 고객 - 客户
8287. 팀 - 团队
8288. 파트너 - 合作伙伴
8289. 산 - 山区
8290. 과제 - 任务

8291. 도전 - 挑战
8292. 시스템 - 系统
8293. 상황 - 情况
8294. 관계 - 关系
8295. 도시 - 城市
8296. 직장 - 直肠
8297. 커뮤니티 - 社区
8298. 계획 - 计划
8299. 날짜 - 日期
8300. 의문 - 问题
8301. 이슈 - 问题
8302. 문제 - 问题
8303. 차 - 汽车
8304. 속도 - 速度
8305. 진행 - 进展
8306. 반대 - 相反
8307. 상대 - 对手
8308. 점찍다 - 指向
8309. 그녀는 목표를 점찍었다. - 她指向球门
8310. 우리는 위치를 점찍는다. - 我们将指向位置。
8311. 당신들은 대상을 점찍을 것이다. - 你们将指向目标。
8312. 확실해? - 你确定吗？
8313. 네, 확실해. - 是的，我确定。
8314. 접수하다 - 收到
8315. 나는 신청서를 접수했다. - 我收到了申请。
8316. 너는 문의를 접수한다. - 您将收到询问。
8317. 그는 요청을 접수할 것이다. - 他会收到申请
8318. 받았어? - 你收到了吗？
8319. 네, 받았어. - 是的，我收到了。
8320. 접촉하다 - 进行联系
8321. 그는 고객과 접촉했다. - 他与客户取得联系。
8322. 그녀는 팀과 접촉한다. - 她将联系团队。
8323. 우리는 파트너와 접촉할 것이다. - 我们会联系合作伙伴。
8324. 준비됐어? - 您准备好了吗？

8325. 네, 준비됐어. - 是的，我准备好了。
8326. 정복하다 - 征服
8327. 그들은 산을 정복했다. - 他们征服了这座山
8328. 당신들은 과제를 정복한다. - 你征服任务
8329. 그는 도전을 정복할 것이다. - 他将征服挑战
8330. 가능해? - 你能做到吗？
8331. 네, 가능해. - 是的，可以。
8332. 정상화하다 - 正常化
8333. 나는 시스템을 정상화했다. - 我将系统正常化。
8334. 너는 상황을 정상화한다. - 你将情况正常化。
8335. 그는 관계를 정상화할 것이다. - 他会把关系正常化
8336. 해결됐어? - 解决了吗？
8337. 네, 해결됐어. - 是的，解决了
8338. 정착하다 - 解决
8339. 그녀는 새 도시에 정착했다. - 她在新的城市安顿下来了
8340. 우리는 직장에 정착한다. - 我们安顿好工作
8341. 당신들은 커뮤니티에 정착할 것이다. - 你会在社区安顿下来
8342. 편해? - 你觉得舒服吗？
8343. 네, 편해. - 是的，我很自在。
8344. 정하다 - 定居
8345. 나는 목표를 정했다. - 我设定一个目标
8346. 너는 계획을 정한다. - 你设定一个计划
8347. 그는 날짜를 정할 것이다. - 他会定下日期
8348. 결정했어? - 你决定了吗？
8349. 네, 결정했어. - 是的，我决定了
8350. 제기하다 - 提出问题
8351. 그는 의문을 제기했다. - 他提出问题
8352. 그녀는 이슈를 제기한다. - 她提出问题。
8353. 우리는 문제를 제기할 것이다. - 我们将提出问题。
8354. 맞아? - 这样对吗？
8355. 네, 맞아. - 是的，没错。
8356. 제동하다 - 煞车
8357. 나는 차를 제동했다. - 我刹住了车
8358. 너는 속도를 제동한다. - 你刹住速度

8359. 그는 진행을 제동할 것이다. - 他要刹住进度
8360. 멈췄어? - 你停了吗？
8361. 네, 멈췄어. - 是的，我停下了
8362. 제압하다 - 制服
8363. 그들은 반대를 제압했다. - 他们制服了反对派。
8364. 당신들은 문제를 제압한다. - 你制服了问题。
8365. 그는 상대를 제압할 것이다. - 他将制服对手。
8366. 이겼어? - 你赢了吗？
8367. 네, 이겼어. - 是的，我赢了。
8368. 94. 명사 단어들 외우기, 필수 10개 동사의 단어들을 가지고 50문장 연습하기 - 94. 背诵名词，用 10 个基本动词词练习 50 个句子
8369. 건너갈 때 - 何时跨越
8370. 사용할 때 - 何时使用
8371. 말할 때 - 说话时
8372. 압박 - 压力
8373. 긴장 - 紧张
8374. 시간 - 小时
8375. 연구 - 研究
8376. 교육 - 教育
8377. 상담 - 咨询
8378. 실패 - 失败
8379. 장애 - 障碍
8380. 거부 - 拒绝
8381. 프로젝트 - 项目
8382. 회의 - 会议
8383. 혁신 - 创新
8384. 음식 - 食品
8385. 상품 - 商品
8386. 서비스 - 服务
8387. 피곤 - 疲惫
8388. 슬픔 - 悲伤
8389. 부담 - 负担
8390. 문 - 门
8391. 창문 - 窗

8392. 뚜껑 - 盖子
8393. 체중 - 重量
8394. 관심 - 兴趣
8395. 거리 - 距离
8396. 소음 - 噪音
8397. 비용 - 费用
8398. 조심하다 - 小心
8399. 나는 건너갈 때 조심했다. - 过马路时我很小心。
8400. 너는 사용할 때 조심한다. - 你使用时要小心。
8401. 그는 말할 때 조심할 것이다. - 他说话时会很小心。
8402. 괜찮아? - 你还好吗？
8403. 네, 괜찮아. - 是的，我很好
8404. 조여오다 - 收紧
8405. 그는 압박이 조여왔다. - 他感到压力收紧。
8406. 그녀는 긴장이 조여온다. - 她感觉到紧张在收紧。
8407. 우리는 시간이 조여올 것이다. - 我们的时间要紧张了。
8408. 버틸 수 있어? - 你能坚持住吗？
8409. 네, 버텨. - 是的，坚持住。
8410. 종사하다 - 从事
8411. 나는 연구에 종사했다. - 我在从事研究。
8412. 너는 교육에 종사한다. - 你从事教学。
8413. 그는 상담에 종사할 것이다. - 他将从事咨询工作。
8414. 좋아해? - 你喜欢吗？
8415. 네, 좋아해. - 是的，我喜欢。
8416. 좌절하다 - 沮丧
8417. 그녀는 실패에 좌절했다. - 她因失败而沮丧。
8418. 우리는 장애에 좌절한다. - 我们因障碍而沮丧。
8419. 당신들은 거부에 좌절할 것이다. - 你会因被拒绝而沮丧。
8420. 힘들어? - 这很难吗？
8421. 네, 힘들어. - 是的，很难。
8422. 주도하다 - 领导
8423. 나는 프로젝트를 주도했다. - 我领导项目。
8424. 너는 회의를 주도한다. - 你领导会议。
8425. 그는 혁신을 주도할 것이다. - 他将领导创新。

8426. 준비됐어? - 你准备好了吗？
8427. 네, 준비됐어. - 是的，我准备好了。
8428. 주문하다 - 点菜
8429. 그녀는 음식을 주문했다. - 她订购食物。
8430. 우리는 상품을 주문한다. - 我们订购商品。
8431. 당신들은 서비스를 주문할 것이다. - 您将订购服务。
8432. 뭐 주문할까? - 我们点什么？
8433. 피자 좋아. - 我喜欢披萨。
8434. 주저앉다 - 颓废
8435. 나는 피곤에 주저앉았다. - 我累了
8436. 너는 슬픔에 주저앉는다. - 你被悲伤笼罩
8437. 그는 부담에 주저앉을 것이다. - 他会在压力下动摇
8438. 힘들어? - 你累了吗？
8439. 네, 많이. - 是的，很累
8440. 죄다 - 很累
8441. 그는 문을 죄었다. - 他闩上门
8442. 그녀는 창문을 죈다. - 她会挤开窗户
8443. 우리는 뚜껑을 죌 것이다. - 我们把盖子拧上
8444. 닫혔어? - 关上了吗？
8445. 네, 닫혔어. - 关上了
8446. 줄다 - 减肥
8447. 나는 체중이 줄었다. - 我瘦了
8448. 너는 관심이 줄었다. - 你失去兴趣了
8449. 그는 거리가 줄 것이다. - 他的距离会缩短
8450. 작아졌어? - 你变小了？
8451. 네, 조금. - 是的，有一点
8452. 줄이다 - 以减少
8453. 그녀는 소음을 줄였다. - 她减少了噪音。
8454. 우리는 비용을 줄인다. - 我们减少开支。
8455. 당신들은 시간을 줄일 것이다. - 你要减少时间。
8456. 줄일까? - 减少？
8457. 좋은 생각이야. - 这是个好主意。
8458. 95. 명사 단어들 외우기, 필수 10개 동사의 단어들을 가지고 50문장 연습하기 - 背诵名词性单词，用 10 个基本动词性单词练习 50 个句子

8459. 결정 - 决定
8460. 일 - 日
8461. 관계 - 关系
8462. 약속 - 承诺
8463. 행동 - 行动
8464. 문제 - 问题
8465. 상황 - 情况
8466. 건강 - 健康
8467. 방 - 房间
8468. 책상 - 表格
8469. 자료 - 数据
8470. 반복 - 重复
8471. 음식 - 食物
8472. 기다림 - 等待
8473. 목표 - 目标
8474. 꿈 - 梦想
8475. 성공 - 成功
8476. 좋고 나쁨 - 好与坏
8477. 진실과 거짓 - 真与假
8478. 중요한 것 - 许多
8479. 우연히 - 偶然
8480. 친구 - 朋友
8481. 기회 - 机遇
8482. 도전 - 挑战
8483. 위험 - 危险
8484. 변화 - 变化
8485. 적 - 敌人
8486. 중요하다 - 重要
8487. 그는 결정이 중요했다. - 他的决定很重要
8488. 그녀는 일이 중요하다. - 她的工作很重要
8489. 우리는 관계가 중요할 것이다. - 我们的关系会很重要
8490. 중요해? - 重要？
8491. 네, 매우. - 是的，非常重要
8492. 지체하다 - 迟到

8493. 나는 약속에 지체했다. - 我约会迟到了。
8494. 너는 결정에 지체한다. - 你的决定迟到了
8495. 그는 행동에 지체할 것이다. - 他的行动会迟到
8496. 늦었어? - 你迟到了吗？
8497. 조금 늦었어. - 我有点迟到
8498. 진단하다 - 来诊断
8499. 그녀는 문제를 진단했다. - 她诊断出了问题。
8500. 우리는 상황을 진단한다. - 我们诊断情况。
8501. 당신들은 건강을 진단할 것이다. - 你将诊断你的健康状况。
8502. 건강해? - 你健康吗？
8503. 네, 괜찮아. - 是的，我很好。
8504. 질러놓다 - 弄乱
8505. 나는 방을 질러놓았다. - 我打扫房间。
8506. 너는 책상을 질러놓는다. - 你来收拾桌子。
8507. 그는 자료를 질러놓을 것이다. - 他把材料收起来
8508. 정리할까? - 要收拾吗？
8509. 나중에 할게. - 我一会儿再收拾
8510. 질리다 - 厌倦
8511. 그는 반복에 질렸다. - 他厌倦了重复。
8512. 그녀는 음식에 질린다. - 她对食物感到厌倦。
8513. 우리는 기다림에 질릴 것이다. - 我们会等得不耐烦的。
8514. 질렸어? - 你厌倦了吗？
8515. 아직 아냐. - 还没有。
8516. 질주하다 - 冲刺
8517. 나는 목표를 향해 질주했다. - 我向着目标冲刺。
8518. 너는 꿈을 향해 질주한다. - 你向着梦想冲刺。
8519. 그는 성공을 향해 질주할 것이다. - 他会向着成功冲刺。
8520. 빠르게? - 快吗？
8521. 최선을 다해. - 有多快就多快。
8522. 분별하다 - 辨别
8523. 그녀는 좋고 나쁨을 분별했다. - 她辨别好坏。
8524. 우리는 진실과 거짓을 분별한다. - 我们分辨真假。
8525. 당신들은 중요한 것을 분별할 것이다. - 你会分辨出什么是重要的。
8526. 알아볼 수 있어? - 你能辨别出来吗？

8527. 시도해볼게. - 我试试
8528. 마주치다 - 偶遇
8529. 나는 우연히 그와 마주쳤다. - 我偶然碰到他。
8530. 너는 친구와 마주친다. - 你碰到一个朋友。
8531. 그는 기회와 마주칠 것이다. - 他会碰上一个机会。
8532. 누구 만났어? - 你碰到了谁？
8533. 옛 친구야. - 一个老朋友。
8534. 직면하다 - 面对
8535. 그는 도전과 직면했다. - 他面对挑战。
8536. 그녀는 위험과 직면한다. - 她面对危险。
8537. 우리는 변화와 직면할 것이다. - 我们将面对变化。
8538. 겁났어? - 你害怕吗？
8539. 조금, 그래. - 有一点，是的。
8540. 대면하다 - 去面对
8541. 나는 문제를 대면했다. - 我面对问题
8542. 너는 상황을 대면한다. - 你面对情况
8543. 그는 적을 대면할 것이다. - 他将面对敌人
8544. 준비됐어? - 你准备好了吗？
8545. 네, 준비됐어. - 是的，我准备好了
8546. 96. 명사 단어들 외우기, 필수 10개 동사의 단어들을 가지고 50문장 연습하기 - 96. 背诵名词，用 10 个基本动词词练习 50 个句子
8547. 기술 - 技术
8548. 이슈 - 问题
8549. 감정 - 情感
8550. 동아리 - 俱乐部
8551. 커뮤니티 - 社区
8552. 프로젝트 - 项目
8553. 전략 - 策略
8554. 생각 - 思想
8555. 의견 - 意见
8556. 지지 - 支持
8557. 친구 - 朋友
8558. 팀 - 团队
8559. 선수 - 玩家

8560. 동생 - 兄弟
8561. 동료 - 同事
8562. 정보 - 信息
8563. 자료 - 数据
8564. 증거 - 证据
8565. 용기 - 勇气
8566. 사람들 - 人员
8567. 자금 - 资金
8568. 가족 - 家庭
8569. 상대방 - 对手
8570. 위험 - 危险
8571. 도전 - 挑战
8572. 실패 - 失败
8573. 다루다 - 应对
8574. 그녀는 기술을 다루었다. - 她处理了技术问题。
8575. 우리는 이슈를 다룬다. - 我们处理问题。
8576. 당신들은 감정을 다룰 것이다. - 你将处理情绪。
8577. 어려워? - 困难？
8578. 조금 어려워. - 有点困难。
8579. 활동하다 - 活跃
8580. 나는 동아리에서 활동했다. - 我在一个俱乐部里很活跃。
8581. 너는 커뮤니티에서 활동한다. - 你在社团中很活跃。
8582. 그는 프로젝트에서 활동할 것이다. - 他会积极参与项目。
8583. 재밌어? - 你玩得开心吗？
8584. 네, 많이. - 是的，很开心
8585. 진화하다 - 进化
8586. 그는 전략을 진화시켰다. - 他进化了他的战略。
8587. 그녀는 생각을 진화시킨다. - 她进化了她的思维。
8588. 우리는 기술을 진화시킬 것이다. - 我们将进化我们的技术。
8589. 변했어? - 它改变了吗？
8590. 많이 변했어. - 变化很大
8591. 표시하다 - 以显示
8592. 나는 감정을 표시했다. - 我标出了我的感受。
8593. 너는 의견을 표시한다. - 你表达意见。

8594. 그는 지지를 표시할 것이다. - 他会表示支持的
8595. 보여줄까? - 要我给你看吗？
8596. 좋아, 보여줘. - 好，给我看看
8597. 응원하다 - 欢呼
8598. 그녀는 친구를 응원했다. - 她为她的朋友欢呼。
8599. 우리는 팀을 응원한다. - 我们为团队欢呼。
8600. 당신들은 선수를 응원할 것이다. - 你要为运动员加油。
8601. 같이 갈래? - 你想和我一起去吗？
8602. 네, 가자. - 好啊，走吧
8603. 주의를 주다 - 给予关注
8604. 나는 동생에게 주의를 주었다. - 我关注我的兄弟。
8605. 너는 친구에게 주의를 준다. - 你关注你的朋友。
8606. 그는 동료에게 주의를 줄 것이다. - 他会关注他的同事。
8607. 필요해? - 你需要吗？
8608. 네, 조심해. - 是的，小心点
8609. 수집하다 - 收集
8610. 그녀는 정보를 수집했다. - 她收集资料。
8611. 우리는 자료를 수집한다. - 我们收集材料。
8612. 당신들은 증거를 수집할 것이다. - 你们要收集证据
8613. 찾았어? - 你找到了吗？
8614. 네, 찾았어. - 是的，我找到了
8615. 모으다 - 收集
8616. 나는 용기를 모았다. - 我收集勇气
8617. 너는 사람들을 모은다. - 你去召集人
8618. 그는 자금을 모을 것이다. - 他会筹集资金
8619. 준비됐어? - 准备好了吗？
8620. 거의 다 됐어. - 我们快到了
8621. 속이다 - 欺骗
8622. 그는 친구를 속였다. - 他欺骗他的朋友
8623. 그녀는 가족을 속인다. - 她欺骗她的家人。
8624. 우리는 상대방을 속일 것이다. - 我们要欺骗对方。
8625. 알아챘어? - 你明白了吗？
8626. 아니, 몰라. - 不，我不懂
8627. 꺼리다 - 至不情愿

8628. 나는 위험을 꺼렸다. - 我不愿意冒险。
8629. 너는 도전을 꺼린다. - 你不愿意接受挑战。
8630. 그는 실패를 꺼릴 것이다. - 他会不甘心失败。
8631. 두려워? - 害怕吗？
8632. 조금, 그래. - 有一点，是的。
8633. 97. 명사 단어들 외우기, 필수 10개 동사의 단어들을 가지고 50문장 연습하기 - 背诵名词性单词，用 10 个基本动词性单词练习 50 个句子
8634. 소식 - 新闻
8635. 상황 - 情况
8636. 결과 - 结果
8637. 성공 - 成功
8638. 달성 - 成就
8639. 지연 - 延迟
8640. 소음 - 噪音
8641. 불편 - 不便
8642. 실수 - 错误
8643. 성취 - 成就
8644. 팀 - 团队
8645. 성과 - 结果
8646. 늦음 - 迟到
8647. 오해 - 误解
8648. 친구의 성공 - 朋友的成功
8649. 동료의 기회 - 同事机会
8650. 이웃의 행복 - 邻居幸福
8651. 동생의 인기 - 弟弟的受欢迎程度
8652. 친구의 재능 - 朋友的才华
8653. 동료의 성공 - 同事的成功
8654. 의견 - 意见
8655. 규칙 - 规则
8656. 선택 - 选择
8657. 계획 - 计划
8658. 슬프다 - 悲伤
8659. 그녀는 소식에 슬퍼했다. - 她对这一消息感到难过。
8660. 우리는 상황에 슬퍼한다. - 我们对这种情况感到难过。

8661. 당신들은 결과에 슬퍼할 것이다. - 你们会对结果感到难过。
8662. 괜찮아? - 你还好吗？
8663. 아니, 슬퍼. - 不，我很难过。
8664. 기쁘다 - 我很高兴
8665. 나는 성공에 기뻐했다. - 我为成功感到高兴。
8666. 너는 소식에 기뻐한다. - 你为这一消息感到高兴。
8667. 그는 달성에 기뻐할 것이다. - 他会为成就而欢欣鼓舞。
8668. 행복해? - 你高兴吗？
8669. 네, 매우. - 是的，非常
8670. 짜증나다 - 恼怒
8671. 그는 지연에 짜증났다. - 他对延误感到恼火。
8672. 그녀는 소음에 짜증난다. - 她因噪音而烦恼。
8673. 우리는 불편에 짜증날 것이다. - 我们会因为不便而恼火。
8674. 짜증나? - 恼火？
8675. 네, 많이. - 是的，非常恼火。
8676. 부끄럽다 - 改为 "尴尬
8677. 나는 실수에 부끄러워했다. - 我为这个错误感到尴尬。
8678. 너는 상황에 부끄러워한다. - 你对这种情况感到尴尬。
8679. 그는 결과에 부끄러워할 것이다. - 他会对结果感到尴尬。
8680. 어색해? - 尴尬？
8681. 네, 조금. - 是的，有一点。
8682. 자랑스럽다 - 对 骄傲
8683. 그녀는 성취에 자랑스러워했다. - 她为自己的成就感到骄傲。
8684. 우리는 팀에 자랑스러워한다. - 我们为团队感到骄傲。
8685. 당신들은 성과에 자랑스러워할 것이다. - 你应该为自己的成就感到骄傲。
8686. 뿌듯해? - 骄傲？
8687. 네, 많이. - 是的，非常自豪。
8688. 미안하다 - 对 对不起
8689. 나는 실수로 미안했다. - 我为我的错误感到抱歉。
8690. 너는 늦음에 미안하다. - 你为迟到感到抱歉。
8691. 그는 오해에 미안할 것이다. - 他会为误会道歉
8692. 사과할래? - 你要道歉吗？
8693. 네, 사과할게. - 是的，我要道歉。
8694. 부러워하다 - 羡慕

8695. 그는 친구의 성공을 부러워했다. - 他羡慕他朋友的成功。
8696. 그녀는 동료의 기회를 부러워한다. - 她羡慕同事的机遇。
8697. 우리는 이웃의 행복을 부러워할 것이다. - 我们会羡慕邻居的幸福。
8698. 부럽지? - 羡慕，对吗？
8699. 응, 부럽다. - 是的，羡慕。
8700. 질투하다 - 嫉妒
8701. 나는 동생의 인기를 질투했다. - 我嫉妒我哥哥的受欢迎程度。
8702. 너는 친구의 재능을 질투한다. - 你嫉妒你朋友的才华。
8703. 그는 동료의 성공을 질투할 것이다. - 他会嫉妒同事的成功。
8704. 질투해? - 嫉妒？
8705. 좀, 그래. - 有一点，是的。
8706. 강요하다 - 强加
8707. 그녀는 의견을 강요했다. - 她强加了她的意见。
8708. 우리는 규칙을 강요한다. - 我们强加规则。
8709. 당신들은 선택을 강요할 것이다. - 你要强加一个选择
8710. 필요해? - 你需要吗？
8711. 아니, 선택해. - 不，你选择
8712. 공표하다 - 颁布
8713. 나는 계획을 공표했다. - 我颁布一项计划。
8714. 너는 의견을 공표한다. - 你宣布一个意见。
8715. 그는 결과를 공표할 것이다. - 他会公布结果
8716. 알렸어? - 你宣布了吗？
8717. 네, 모두에게. - 是的，向所有人公布了。
8718. 98. 명사 단어들 외우기, 필수 10개 동사의 단어들을 가지고 50문장 연습하기 - 98. 背诵名词性单词，用 10 个基本动词的单词练习 50 个句子
8719. 억압 - 压制
8720. 부정 - 拒绝
8721. 위협 - 威胁
8722. 분쟁 - 争端
8723. 갈등 - 冲突
8724. 문제 - 问题
8725. 조건 - 条件
8726. 요구 - 要求
8727. 계획 - 计划

8728. 신호 - 信号
8729. 경고 - 警告
8730. 증거 - 证据
8731. 우정 - 友谊
8732. 건강 - 健康
8733. 지식 - 知识
8734. 기회 - 机会
8735. 관계 - 关系
8736. 추억 - 记忆
8737. 명령 - 指令
8738. 자료 - 数据
8739. 자금 - 资金
8740. 환자 - 病人
8741. 위험 - 危险
8742. 감염 - 感染
8743. 위기 - 危险
8744. 도전 - 挑战
8745. 대항하다 - 挺身反抗
8746. 그는 억압에 대항했다. - 他站起来反对压迫。
8747. 그녀는 부정에 대항한다. - 她挺身反抗不公。
8748. 우리는 위협에 대항할 것이다. - 我们将抵御威胁。
8749. 이겼어? - 你赢了吗？
8750. 아직 모르겠어. - 我还不知道。
8751. 중재하다 - 调解
8752. 나는 분쟁을 중재했다. - 我调解纠纷。
8753. 너는 갈등을 중재한다. - 你调解冲突。
8754. 그는 문제를 중재할 것이다. - 他来调解问题。
8755. 해결됐어? - 解决了吗？
8756. 네, 해결됐어. - 是的，解决了
8757. 타협하다 - 妥协
8758. 그녀는 조건에 타협했다. - 她在条件上妥协了。
8759. 우리는 요구에 타협한다. - 我们在要求上妥协。
8760. 당신들은 계획에 타협할 것이다. - 你们会在计划上妥协
8761. 동의해? - 你同意吗？

8762. 네, 동의해. - 是的，我同意
8763. 간과하다 - 忽略
8764. 나는 신호를 간과했다. - 我忽略了信号
8765. 너는 경고를 간과한다. - 你忽略了警告
8766. 그는 증거를 간과할 것이다. - 他会忽略证据
8767. 못 봤어? - 你没看到吗？
8768. 아니, 못 봤어. - 不，我没看到
8769. 가치를 두다 - 重视
8770. 그녀는 우정에 가치를 두었다. - 她珍视她的友谊。
8771. 우리는 건강에 가치를 둔다. - 我们珍视我们的健康。
8772. 당신들은 지식에 가치를 둘 것이다. - 你会珍惜知识。
8773. 중요해? - 它重要吗？
8774. 네, 매우. - 是的，非常重要。
8775. 소중히 여기다 - 要珍惜
8776. 나는 기회를 소중히 여겼다. - 我重视机会。
8777. 너는 관계를 소중히 여긴다. - 你重视人际关系。
8778. 그는 추억을 소중히 여길 것이다. - 他会珍惜这段回忆
8779. 소중해? - 珍惜？
8780. 네, 매우 소중해. - 是的，非常珍贵。
8781. 대기하다 - 等待
8782. 나는 명령을 대기했다. - 我等待命令。
8783. 너는 신호를 대기한다. - 你等待信号。
8784. 그는 기회를 대기할 것이다. - 他会等待机会。
8785. 준비됐어? - 你准备好了吗？
8786. 네, 됐어. - 是的，我准备好了
8787. 예비하다 - 准备
8788. 그는 자료를 예비했다. - 他准备材料。
8789. 그녀는 계획을 예비한다. - 她将准备计划。
8790. 우리는 자금을 예비할 것이다. - 我们将储备资金。
8791. 준비할까? - 我们要准备吗？
8792. 네, 해야 해. - 是的，我们应该
8793. 격리하다 - 隔离
8794. 그녀는 환자를 격리했다. - 她隔离了病人。
8795. 우리는 위험을 격리한다. - 我们隔离风险。

8796. 당신들은 감염을 격리할 것이다. - 你们将隔离感染
8797. 안전해? - 安全吗？
8798. 네, 안전해. - 是的，很安全
8799. 대처하다 - 来应对
8800. 나는 위기를 대처했다. - 我应对了危机。
8801. 너는 문제를 대처한다. - 你应对问题。
8802. 그는 도전을 대처할 것이다. - 他会应对挑战。
8803. 가능해? - 有可能吗？
8804. 네, 가능해. - 是的，有可能。
8805. 99. 명사 단어들 외우기, 필수 10개 동사의 단어들을 가지고 50문장 연습하기 - 99. 背诵名词，用 10 个基本动词词练习 50 个句子
8806. 적 - 敌人
8807. 위협 - 威胁
8808. 경쟁 - 竞争
8809. 함정 - 陷阱
8810. 오해 - 误解
8811. 위기 - 危险
8812. 자리 - 座位
8813. 의견 - 意见
8814. 기회 - 机遇
8815. 운명 - 命运
8816. 도전 - 挑战
8817. 이해관계 - 利益
8818. 상대 - 对手
8819. 세부사항 - 详情
8820. 약속 - 承诺
8821. 하늘 - 天空
8822. 그림 - 绘画
8823. 전망 - 查看
8824. 비밀 - 秘密
8825. 조언 - 建议
8826. 계획 - 计划
8827. 기쁨 - 快乐
8828. 슬픔 - 悲伤

8829. 승리 - 胜利
8830. 사과 - 道歉
8831. 의문 - 提问
8832. 정보 - 信息
8833. 맞서다 - 面对
8834. 그는 적을 맞섰다. - 他面对敌人。
8835. 그녀는 위협을 맞선다. - 她面对威胁。
8836. 우리는 경쟁을 맞설 것이다. - 我们将面对竞争。
8837. 두려워? - 你害怕吗？
8838. 아니, 안 두려워. - 不，我不怕。
8839. 빠지다 - 落入
8840. 그녀는 함정에 빠졌다. - 她掉进陷阱。
8841. 우리는 오해에 빠진다. - 我们陷入误区。
8842. 당신들은 위기에 빠질 것이다. - 你会陷入危机。
8843. 괜찮아? - 你还好吗？
8844. 네, 괜찮아. - 是的，我没事
8845. 양보하다 - 让座
8846. 나는 자리를 양보했다. - 我让座
8847. 너는 의견을 양보한다. - 你让出你的意见
8848. 그는 기회를 양보할 것이다. - 他会让出机会的
8849. 필요해? - 你需要吗？
8850. 아니, 괜찮아. - 不用了
8851. 맞다 - 向右
8852. 그는 운명을 맞았다. - 他遭遇命运
8853. 그녀는 기회를 맞는다. - 她得到机会
8854. 우리는 도전을 맞을 것이다. - 我们将接受挑战
8855. 준비됐어? - 你准备好了吗？
8856. 네, 준비됐어. - 是的，我准备好了
8857. 충돌하다 - 发生冲突
8858. 나는 의견이 충돌했다. - 我有意见冲突
8859. 너는 이해관계가 충돌한다. - 你有利益冲突
8860. 그는 상대와 충돌할 것이다. - 他会和对手发生冲突
8861. 괜찮아? - 你没事吧？
8862. 네, 괜찮아. - 是的，我没事

8863. 놓치다 - 错过
8864. 그녀는 기회를 놓쳤다. - 她错过了机会
8865. 우리는 세부사항을 놓친다. - 我们错过了细节。
8866. 당신들은 약속을 놓칠 것이다. - 你会失约的。
8867. 걱정돼? - 你担心吗？
8868. 아니, 괜찮아. - 不，我很好
8869. 쳐다보다 - 致仰望
8870. 나는 하늘을 쳐다보았다. - 我盯着天空
8871. 너는 그림을 쳐다본다. - 你凝视着这幅画。
8872. 그는 전망을 쳐다볼 것이다. - 他会凝视美景。
8873. 예쁘지? - 漂亮吗？
8874. 네, 예뻐. - 是的，很漂亮。
8875. 속삭이다 - 窃窃私语
8876. 그는 비밀을 속삭였다. - 他低声说出一个秘密。
8877. 그녀는 조언을 속삭인다. - 她低声建议。
8878. 우리는 계획을 속삭일 것이다. - 我们会低声说计划
8879. 들렸어? - 你听到了吗？
8880. 아니, 못 들었어. - 不，我没听到。
8881. 외치다 - 喊叫
8882. 나는 기쁨을 외쳤다. - 我欢呼雀跃
8883. 너는 슬픔을 외친다. - 你喊悲伤
8884. 그는 승리를 외칠 것이다. - 他会喊胜利
8885. 들려? - 你听到了吗？
8886. 네, 들려. - 听到了
8887. 물다 - 咬
8888. 그녀는 사과를 물었다. - 她要一个苹果
8889. 우리는 의문을 묻는다. - 我们问问题。
8890. 당신들은 정보를 물을 것이다. - 你要问的是信息。
8891. 아파? - 疼吗？
8892. 아니, 안 아파. - 不，不疼。
8893. 100. 명사 단어들 외우기, 필수 10개 동사의 단어들을 가지고 50문장 연습하기 - 100. 记住名词性单词，用 10 个基本动词的单词练习 50 个句子
8894. 사과 - 道歉
8895. 껌 - 口香糖

8896. 채소 - 蔬菜
8897. 커피 - 咖啡
8898. 곡물 - 谷物
8899. 향신료 - 香料
8900. 스프 - 汤
8901. 샐러드 - 沙拉
8902. 소스 - 酱汁
8903. 빵 - 面包
8904. 과일 - 水果
8905. 김치 - 辛奇
8906. 맥주 - 啤酒
8907. 빵 반죽 - 面包面团
8908. 치즈 - 奶酪
8909. 와인 - 葡萄酒
8910. 고기 - 肉类
8911. 길 - 道路
8912. 다리 - 腿
8913. 강 - 河
8914. 집 - 房子
8915. 시작점 - 起点
8916. 고향 - 故乡
8917. 씹다 - 咀嚼
8918. 나는 사과를 씹었다. - 我嚼了一个苹果。
8919. 너는 껌을 씹는다. - 你嚼口香糖
8920. 그는 채소를 씹을 것이다. - 他会咀嚼蔬菜。
8921. 맛있어? - 好吃吗？
8922. 네, 맛있어. - 是的，很好吃
8923. 갈다 - 研磨
8924. 그녀는 커피를 갈았다. - 她磨咖啡。
8925. 우리는 곡물을 간다. - 我们磨谷物
8926. 당신들은 향신료를 갈 것이다. - 你们来磨香料
8927. 준비됐어? - 准备好了吗？
8928. 네, 준비됐어. - 是的，我准备好了
8929. 분쇄하다 - 来研磨

8930. 나는 약을 분쇄했다. - 我把药碾碎
8931. 너는 돌을 분쇄한다. - 你来碾石头
8932. 그는 씨앗을 분쇄할 것이다. - 他会碾碎种子
8933. 필요해? - 你需要吗？
8934. 네, 필요해. - 是的，我需要
8935. 휘젓다 - 搅拌
8936. 그녀는 스프를 휘저었다. - 她搅拌汤
8937. 우리는 샐러드를 휘젓는다. - 我们搅拌沙拉
8938. 당신들은 소스를 휘젓을 것이다. - 你们来搅拌酱汁
8939. 잘 섞였어? - 搅拌好了吗？
8940. 네, 잘 섞였어. - 是的，拌匀了
8941. 담그다 - 要浸泡
8942. 나는 빵을 우유에 담갔다. - 我把面包泡在牛奶里
8943. 너는 과일을 물에 담근다. - 你要把水果泡在水里
8944. 그는 채소를 절임에 담글 것이다. - 他会把蔬菜泡在泡菜里。
8945. 시간 됐어? - 时间到了吗？
8946. 네, 됐어. - 是的，可以了
8947. 발효시키다 - 来发酵
8948. 그녀는 김치를 발효시켰다. - 她发酵泡菜。
8949. 우리는 맥주를 발효시킨다. - 我们发酵啤酒
8950. 당신들은 빵 반죽을 발효시킬 것이다. - 你要发酵面包面团
8951. 준비됐어? - 准备好了吗？
8952. 네, 준비됐어. - 是的，准备好了
8953. 숙성시키다 - 进行陈酿
8954. 나는 치즈를 숙성시켰다. - 我陈酿奶酪
8955. 너는 와인을 숙성시킨다. - 你来陈酒
8956. 그는 고기를 숙성시킬 것이다. - 他会陈肉
8957. 맛있겠다, 안 그래? - 会很美味吧？
8958. 네, 맛있겠어. - 是的，会很美味
8959. 건너가다 - 过马路
8960. 그녀는 길을 건너갔다. - 她过了马路
8961. 우리는 다리를 건너간다. - 我们要过桥
8962. 당신들은 강을 건너갈 것이다. - 你们要过河
8963. 위험해? - 危险吗？

8964. 아니, 안 위험해. - 不，不危险
8965. 되돌아가다 - 回去
8966. 나는 집으로 되돌아갔다. - 我回到我家。
8967. 너는 시작점으로 되돌아간다. - 你回到起点。
8968. 그는 고향으로 되돌아갈 것이다. - 他会回到他的家乡。
8969. 늦었어? - 晚了吗？
8970. 아니, 안 늦었어. - 不，还不晚。

MP3 파일들 다운로드 - 밑의 주소를 클릭하시거나 큐알 코드를 스마트폰으로 접속후 비밀번호를 넣으시면 다운로드가 가능합니다.

비밀번호 7654

https://naver.me/G87cHCXY

또는

https://www.dropbox.com/scl/fo/6nps4077q2vlwkbibacjq/h?rlkey=ly7s45tjjhgyxp84lonzzb9gw&dl=0

QR 코드를 스마트폰을 찍으시면 보실 수 있습니다. 비밀번호는? 7654입니다.

1천 동사 5천 문장을 듣고 따라하면 저절로 암기되는 중국어 간체 회화(MP3)

**발　행** | 2024년 4월 16일
**저　자** | 정호칭
**펴낸이** | 한건희
**펴낸곳** | 주식회사 부크크
**출판사등록** | 2014.07.15.(제2014-16호)
**주　소** | 서울특별시 금천구 가산디지털1로 119 SK트윈타워 A동 305호
**전　화** | 1670-8316
**이메일** | info@bookk.co.kr

ISBN | 979-11-410-8116-4

www.bookk.co.kr